ESTUDIOS SOCIALES DE HOUGHTON MIFFLIN

¡California, sí!

Beverly J. Armento
Gary B. Nash
Christopher L. Salter
Karen K. Wixson

¡California, sí!

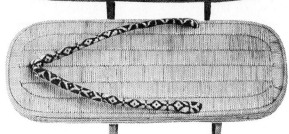

Houghton Mifflin Company • Boston

Atlanta • Dallas • Geneva, Illinois • Princeton, New Jersey • Palo Alto • Toronto

Consultants

Program Consultants

Edith M. Guyton
Associate Professor of Early
    Childhood Education
Georgia State University
Atlanta, Georgia

Gail Hobbs
Associate Professor of
    Geography
Pierce College
Woodland Hills, California

Charles Peters
Reading Consultant
Oakland Schools
Pontiac, Michigan

Cathy Riggs-Salter
Social Studies Consultant
Hartsburg, Missouri

George Paul Schneider
Associate Director of
    General Programs
Department of Museum
    Education
Art Institute of Chicago
Chicago, Illinois

Twyla Stewart
Center for Academic
    Interinstitutional Programs
University of California
    —Los Angeles
Los Angeles, California

Scott Waugh
Associate Professor of
    History
University of California
    —Los Angeles
Los Angeles, California

Consultants for the Spanish Edition

Julian Nava
Professor of History
California State University
Northridge, California

Alfredo Schifini
Limited English
    Proficiency Consultant
Los Angeles, California

Bilingual Reviewers

Arturo G. Abarca (Grades 1, 2)
Heliotrope Elementary
Los Angeles, California

Beth Beavers (K)
Newton Razor Elementary
Denton, Texas

Carlos Byfield (Grades 1, 3)
Consultant in Bilingual
    Education, ESL
Escondido, California

Margarita Calderón
    (Grades 2, 6)
University of Texas at El Paso
El Paso, Texas

Adela Coronado-Greeley
    (Grade 3)
Inter-American Magnet
Chicago, Illinois

Eugenia DeHoogh (Grade 4)
Illinois Resource Center
Des Plaines, Illinois

Jose L. Galvan (Grade 5)
California State University
Los Angeles, California

María Casanova Hayman
    (Grade 6)
Rochester City School District
Rochester, New York

Robert L. Jones (Grade 4)
Escuela de Humanidades
    de la Universidad Autónoma
    de Baja California
Tijuana, Mexico

Maria L. Manzur (K)
Los Angeles
    Unified School District
Los Angeles, California

Edgar Miranda (Grade 5)
Rochester City School District
Rochester, New York

Teacher Reviewers

Luis A. Blanes (Grade 5)
Kosciuszko Elementary
Chicago, Illinois

Viola R. Gonzalez (Grade 5)
Ryan Elementary
Laredo, Texas

Eduardo Jiménez (Grade 6)
Lincoln Military Academy
    of Guaynabo
San Juan, Puerto Rico

Carmen Muñoz (Grade 2)
Carnahan Elementary
Pharr, Texas

Silvina Rubinstein (Grade 6)
Montebello Unified School
    District
Montebello, California

Janet Vargas (Grades 1–3)
Keen Elementary
Tucson, Arizona

Printed in the U.S.A.

ISBN: 0-395-54733-4
    GHIJ-D-998765

Development by Ligature, Inc.

Acknowledgments

Grateful acknowledgment is made
for the use of the material listed below.

The material in the Minienciclopedia is
reprinted from *The World Book Encyclopedia* with
the expressed permission of the publisher. © 1990 by

World Book, Inc. **xvi–xvii, 114, 115** From *Patty
Reed's Doll* by Rachel K. Laurgaard. Copyright ©
1965 by The Caxton Printers, Ltd. Translated and
reprinted by permission of The Caxton Printers, Ltd.

–Continued on page 349.

Carta de los autores

*E*ra una mañana de enero como otra cualquiera. James W. Marshall fue al río American a examinar el aserradero que estaba construyendo para John Sutter. De repente, un destello de luz a la orilla del agua llamó la atención de Marshall. Después vio otro destello y otro más.

Así comienza el relato del descubrimiento del oro en el fuerte Sutter en 1848. Para el año 1849, miles de hombres y mujeres habían viajado a California esperando hacerse ricos. En el Capítulo 5 de este libro leerás más sobre aquellos días que tuvieron tanto impacto en la historia de California.

Muchas de las personas que aparecen en este libro vivieron hace mucho tiempo. Pero todas ellas tenían sentimientos como los tuyos y tuvieron que resolver problemas como los que quizás tú encuentres en tu vida. Ya fueran grandes líderes o personas corrientes, sus decisiones y acciones contribuyeron a moldear a California y al mundo en el que vives ahora.

Esperamos que hagas muchas preguntas al leer sobre esas personas, lugares y hechos. Algunas preguntas pueden ser sobre historia: "¿Por qué vinieron esas personas a California?" o "¿Cómo sabemos que pasaron estas cosas?" Otras preguntas pueden ser sobre geografía: "¿Cómo es el paisaje en ese lugar?" o "¿Por qué decidieron establecerse aquí?" Y otras pueden ser sobre economía: "¿Donde encontraban alimento y vivienda?" o "¿Cómo se las arreglaron para vivir sin tener que emplear muchos recursos?"

Lo más importante es que te intereses en pensar, preguntar y buscar respuestas acerca de tu mundo, ahora y en el siglo 21.

Beverly J. Armento
Professor of Social Studies
Director, Center for Business and
Economic Education
Georgia State University

Christopher L. Salter
Professor and Chair
Department of Geography
University of Missouri

Gary B. Nash
Professor of History
University of California—Los Angeles

Karen K. Wixson
Associate Professor of Education
University of Michigan

Contenido

Destrezas

Cada sección de "Destrezas" te permite adquirir y ejercitar una destreza relacionada al tema que estás estudiando.

Conceptos

Cada sección de "Conceptos" te da más información acerca de un concepto importante de la lección que estás leyendo.

Decisiones

Gran parte de la historia ha sido el resultado de las decisiones de ciertas personas. Estas páginas te presentan, paso por paso, algunos problemas muy interesantes del pasado y de la actualidad. ¿Cuál será tu decisión?

Explora

La historia del pasado está escondida en el mundo que te rodea. Las secciones de "Explora" te ayudarán a descubrirla.

Literatura

A lo largo de la historia, el ser humano ha expresado sus sentimientos y creencias mediante la literatura. Cuando leas estos relatos, leyendas, poemas y pasajes entenderás mejor cómo era la vida en otras épocas y en otros lugares.

Fuentes primarias

La mejor manera de comprender a los personajes de la historia y al mundo en que vivieron, es leyendo sus palabras exactas. En este libro encontrarás más de 50 fuentes primarias, entre ellas las siguientes:

Visto de cerca

Fíjate bien en los dibujos y las fotos que aparecen en estas páginas. Con estas pistas, te convertirás en un detective de la historia.

En ese momento

En esta sección, una persona del pasado se ha quedado como inmovilizada en un momento interesante de su vida. Aprenderás quiénes son esas personas, de dónde son, qué ropa llevan puesta y qué objetos utilizan.

Tablas, diagramas y líneas cronológicas

Estas representaciones gráficas te permiten ver con mayor claridad las personas, los lugares y los hechos que estás estudiando.

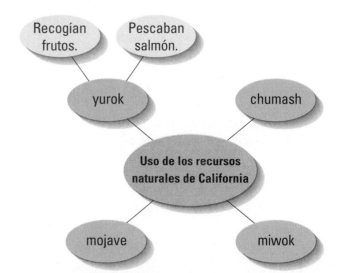

Mapas

Los hechos históricos han sido en parte moldeados por el lugar donde han ocurrido. Los mapas de este libro te permiten entender mejor la relación entre los hechos y el lugar donde ocurrieron.

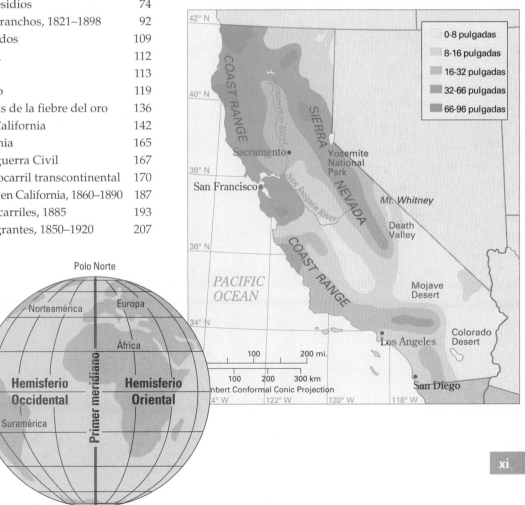

Para empezar

¿Qué tiene este libro que lo hace mucho más interesante que otros que has usado? En este libro, las personas del pasado de California te hablarán directamente con sus propias palabras y con los objetos que usaban. Entrarás en sus hogares y verás sus utensilios de cocina. Los seguirás mientras colonizan nuevas tierras, construyen ciudades, luchan y crean un estado moderno.

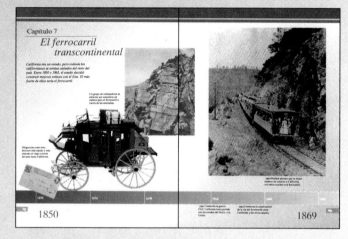

¿Cuándo y qué? La línea cronológica al principio de cada lección te dice cuándo sucedieron los hechos que estudiarás. El título te dice de qué trata la lección.

De la unidad al capítulo y a la lección. En cada paso verás con más detalle cómo se desenvuelve la historia. Las fotografías te muestran dónde sucedieron los hechos que estás estudiando. Las ilustraciones te muestran las personas que hicieron la historia.

Desde el comienzo la lección te trae las vistas, los sonidos y los olores de la vida en aquel lugar y en aquella época.

Como un letrero en un camino, la pregunta que aparece siempre aquí te dice en qué pensar mientras lees la lección.

Busca estos términos clave. Están aquí para que les prestes atención. La primera vez que aparecen en la lección se muestran en letras negras bien gruesas y definidas. La definición de los términos clave aparece en el "Glosario".

L E C C I Ó N   2

Nace el ferrocarril

Theodore Judah estaba parado sobre el pico de una montaña, mirando el paisaje ante él. A sus pies, un acantilado caía hasta un valle que se extendía 1,000 pies más abajo. Era como si la montaña hubiera puesto una señal de "Pare" en su camino.

Pero Judah no se iba a dejar detener por las montañas. Buscaba la manera de hacer realidad su sueño de construir un ferrocarril transcontinental. Judah sabía que el ferrocarril tendría que cruzar la Sierra Nevada. Por eso estaba allí, tratando de encontrar una manera de tender las vías del ferrocarril desde la cima de este acantilado hasta el valle que tenía a sus pies. Como puedes imaginarte, no sería fácil para Judah convertir su sueño en realidad.

TEMA CENTRAL

¿Qué problemas tuvieron que resolver Theodore Judah y los Cuatro Grandes para poder construir la vía del ferrocarril transcontinental?

Términos clave

- agrimensura
- invertir

► *Éstas son las montañas sobre las cuales Judah esperaba construir la vía del ferrocarril. ¿Te sorprende que algunas personas creyeran que estaba loco?*

Alcanzar un sueño

Convertir en realidad el sueño de Judah era difícil. Pero Judah no se dio por vencido. Anna Judah, su esposa, escribió en una carta lo mucho que trabajó él por lograr su meta.

168

Capítulo 7

Inmovilizado en un momento de la historia, este buscador de oro casi salta de alegría de la página. Leerás acerca de su ropa, sus herramientas y el lugar donde trabaja.

Cartas, diarios y libros. En estos fragmentos de fuentes primarias, las personas del pasado te hablarán. Sabrás cuáles son las citas de fuentes primarias porque tienen un fondo de color pardo, una inicial roja y una barra gris.

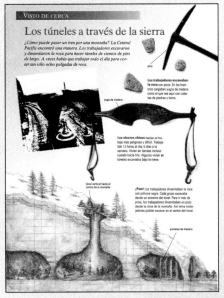

Visto de cerca. En este caso verás de cerca un túnel que atraviesa las montañas. Fíjate en las herramientas que usaron los trabajadores para sacar la tierra. Busca los pozos de ventilación que les permitían respirar bajo tierra.

Todo lo que hizo desde que llegó a California hasta su muerte fue por el gran ferrocarril continental del Pacífico. Se dedicaba a esta idea de cuerpo y alma, invirtiendo todo su tiempo, su dinero y sus energías, tanto físicas como mentales. Pensaba en ello día y noche, hablaba de ello, hasta que le llamaron "Judah, el loco del ferrocarril".

—Anna Judah, 1889

A veces Anna Judah era una de las pocas personas que creía en las ideas de su esposo. Pero a Judah no le preocupaba que no le hicieran caso. "Tenemos que mantener vivo el proyecto", decía a su esposa.

Encontrar una ruta

Judah sabía que para que la gente creyera en él, tendría que demostrar que su sueño podía ser realidad: que un ferrocarril podía cruzar la Sierra Nevada.

Para hallar la respuesta a este difícil problema, Judah y su asistente, Daniel Strong, escalaron la Sierra Nevada. Judah y Strong se detenían con frecuencia para realizar **agrimensuras**. La agrimensura consiste en medir la altura de las montañas.

Después de varias semanas de búsqueda, encontraron la ruta que estaban buscando. Judah concluyó que si seguían esa ruta, las vías del ferrocarril no tendrían que subir demasiadas pendientes ni cruzar muchos valles hondos. Judah y Strong estaban tan emocionados por su descubrimiento, que no se dieron cuenta de que venía una fuerte tormenta. La nevada repentina los obligó a abandonar su campamento durante la noche. Luchando contra la nieve y la oscuridad, apenas pudieron ponerse a salvo.

¿Cómo lo sabemos?

HISTORIA *Theodore y Anna Judah viajaron mucho. Dondequiera que iban, Anna escribía a su familia y a sus amigos. Muchas de estas cartas describen los pensamientos, las ideas y el trabajo de su esposo. Las cartas de Anna Judah dan información valiosa acerca del hombre que ayudó a construir el primer ferrocarril transcontinental.*

Ésta es la brújula que Theodore Judah usó para estudiar las montañas. Este mapa, dibujado a mano por Judah, indica su idea de la ruta a través de las montañas.

El ferrocarril transcontinental

¿Cómo lo sabemos? Estos párrafos especiales te explican de dónde viene la información sobre el pasado. Otros párrafos parecidos, titulados "En otros tiempos" y "En otras partes", conectan lo que estás leyendo con cosas que sucedieron hace siglos o en continentes lejanos. (Tienes un ejemplo en la página 171.)

Una imagen vale más que cien palabras. Pero unas pocas palabras pueden ayudarte a comprender una ilustración. En este caso, el calce de la foto te habla de un mapa y de la brújula que usó Theodore Judah para dibujarlo.

Las cosas que hacen y usan las personas de una época te ayudan a conocerlas mejor. En este libro verás muchas fotografías de los cuadros, estatuas y mapas que hicieron. También verás las herramientas, joyas y armas que usaron.

Para continuar

Cuando empieces a conocer a las personas del pasado, desearás saber cómo comprenderlas y recordarlas mejor. Este libro te da información que te sirve para aprender más sobre personas y lugares, y para recordar lo que has aprendido.

Tú decides lo que lees. ¿Ves el cuadrito rojo al final del texto? Ahora busca el cuadrito rojo en el margen. Si puedes responder a la pregunta, seguro que comprendiste lo que acabas de leer. Si no puedes, sería mejor que leyeras esa parte de la lección otra vez.

Los títulos son el esbozo de la lección. Los títulos rojos indican los temas principales de la lección sobre "Nace el ferrocarril". (Judah fue el fundador de la compañía Central Pacific Railroad.) Los títulos azules indican los temas secundarios.

▼ *Con los años, los Cuatro Grandes acumularon una fortuna de 200 millones de dólares gracias a la compañía de Judah.*

Dónde buscar dinero

Judah, ya tenía la ruta para su ferrocarril, pero le faltaba el dinero necesario para construirlo. Para conseguirlo, fundó una compañía de ferrocarril llamada Central Pacific.

Una noche Judah se reunió con cuatro hombres de negocios en Sacramento. Estos hombres veían una oportunidad de hacerse ricos con la idea de Judah. Acordaron **invertir** en la compañía. Invertir significa dar dinero a un negocio, esperando ganar más dinero a cambio. Y efectivamente, ganaron tanto dinero al invertir en la compañía, que los llamaban los Cuatro Grandes.

Entonces Judah fue a Washington, D.C., a pedir ayuda al gobierno de la Unión. Era el momento perfecto. La Unión quería ayudar a California para tenerla de aliada en la guerra Civil. Por eso en julio de 1862, el Congreso accedió a ayudar a la compañía de Judah a construir la vía del ferrocarril desde California hasta el Este. El Congreso también decidió ayudar a otra compañía ferroviaria a construir su vía desde el Este hasta California. Esta compañía era la Union Pacific. ■

■ *Mucha gente creía que Theodore Judah estaba loco. ¿Por qué?*

Cómo echaron a Judah

La construcción de la vía del ferrocarril comenzó en Sacramento en 1863. Pero a los pocos meses, Judah y los Cuatro Grandes empezaron a tener desacuerdos. Judah quería construir la vía del ferrocarril cuidadosamente, costara lo

▼ *Este mapa indica dónde planeaban tender las vías las compañías ferroviarias.*

Vías propuestas para el ferrocarril transcontinental

[mapa: CANADA, Washington Territory, Oregon, Nevada Terr., Sacramento, California, PACIFIC OCEAN, Utah Terr., Colorado Territory, New Mexico Terr., MEXICO, Dakota Territory, Nebraska Territory, Omaha, Kansas, Unorganized Terr., Texas, Minn., Wisconsin, Iowa, Missouri, Kentucky, Tenn., Ark., Miss., La., Georgia, Ala., ATLANTIC OCEAN, Fla.]

170 — Vía férrea de la Central Pacific / Vía férrea de la Union Pacific / Vías férreas terminadas

que costara. Los Cuatro Grandes decían que no tenían dinero para hacer el trabajo con tanto cuidado. Querían construir la vía del ferrocarril a su manera.

El desacuerdo crecía cada día más. Los Cuatro Grandes empezaron a reunirse en secreto, sin tener en cuenta a Judah. Estaban cansados de sus quejas y por eso decidieron echarlo de la compañía. Pero Judah no iba a dejar que le quitaran el sueño de toda su vida. Estaba dispuesto a luchar contra viento y marea.

En el otoño de 1863, los Judah salieron de San Francisco, rumbo a New York. Judah esperaba encontrar allí socios que lo ayudaran a comprar la Central Pacific a los Cuatro Grandes. Pero durante su viaje a través del istmo de Panamá, Theodore Judah se enfermó de fiebre amarilla y murió el 2 de noviembre, a los 37 años de edad.

Crece la compañía

Sin Judah, los Cuatro Grandes convirtieron rápidamente la compañía Central Pacific en un negocio enorme que les daba muchas ganancias. En pocos años estos hombres eran de los más poderosos y ricos del estado de California. Sin embargo, no todo el mundo los quería. Para muchos californianos, los Cuatro Grandes eran unos hombres sin corazón que hacían cualquier cosa con tal de hacer más dinero. Debido a esta idea que la gente tenía de ellos, a medida que crecía su poder, también crecía la antipatía hacia ellos en California. ■

▲ *Este cuadro muestra a Judah con los Cuatro Grandes. Sus nombres eran Leland Stanford, Collis P. Huntington, Charles Crocker y Mark Hopkins.*

En otros tiempos

Hoy en día los pasajeros que salen de la estación de tren de Sacramento ven un gran monumento en memoria de Theodore Judah. El monumento está hecho con piedra de la Sierra Nevada.

■ *Basándote en lo que sabes de Theodore Judah, ¿crees que hubiera encontrado la manera de comprar la Central Pacific a los Cuatro Grandes?*

REPASO

1. **TEMA CENTRAL** ¿Qué problemas tuvieron que resolver Theodore Judah y los Cuatro Grandes para poder construir la vía del ferrocarril transcontinental?

2. **RELACIONA** Basándote en lo que has leído en la Lección 1, ¿por qué crees que muchas personas no tomaban en serio el plan de Judah?

3. **ECONOMÍA** ¿Por qué decidieron los Cuatro Grandes invertir en la compañía de Judah?

4. **RAZONAMIENTO CRÍTICO** Explica en pocas oraciones las razones del desacuerdo entre Judah y los Cuatro Grandes.

5. **REDACCIÓN** Imagínate que eres Theodore Judah. Escribe un discurso para convencer a la gente de que el ferrocarril es bueno para el estado y de que inviertan dinero en tu compañía.

171

El ferrocarril transcontinental

Cada mapa cuenta una historia. Los mapas grandes te dicen cómo eran los lugares por donde pasaron los constructores de los primeros ferrocarriles y otras personas que conocerás a lo largo de este libro.

Después de leer la lección, para y repasa lo que has leído. La primera pregunta es la misma con la que empezaste. La segunda pregunta relaciona esta lección con lo que estudiaste antes. Otras preguntas y una actividad te ayudan a pensar acerca de la lección. Las preguntas del "Repaso del capítulo" te ayudan a relacionar las lecciones. (Mira las páginas 182 y 183 para que veas un ejemplo.)

Hay páginas especiales de "Estudiemos" que se centran en los conceptos o ideas principales que unen las distintas partes de cada capítulo. Esta sección te ayuda a comprender ideas como Recursos, Nación y, en este caso, Justicia.

Inquietud en los pueblos mineros

La ley y el orden también eran un problema en los pueblos mineros de California. En estos lugares repletos de gente, los robos y las peleas eran corrientes. La policía y los alguaciles casi siempre vivían lejos y los mineros no querían perder el tiempo custodiando a los prisioneros mientras llegaba el alguacil, porque tenían que buscar oro. Muchas veces resolvían los problemas por su cuenta, castigando rápidamente a cualquiera que pensaban que había cometido un crimen. Así como los vigilantes, los mineros no tenían en cuenta la justicia.

ESTUDIEMOS LA JUSTICIA

Los vigilantes de California trataban de protegerse y de cuidar sus propiedades. Atrapaban y castigaban a las personas que según ellos habían violado la ley. Pero al hacer esto, trataban a muchos ciudadanos injustamente. Los vigilantes no tenían en cuenta la justicia.

Nuestro sistema judicial

En los Estados Unidos hay una manera de decidir quién ha violado la ley. Se llama el sistema judicial y lo preside la Suprema Corte. Sandra Day O'Connor, a quien ves en la fotografía, es miembro de ese tribunal.

El sistema judicial no sería justo si una persona a quien han robado decidiera quién es el culpable. Por eso un juez, o un grupo de personas llamado jurado, decide quién es el culpable. En el juicio la víctima y el sospechoso cuentan su versión de la historia. Luego el juez o el jurado decide si el sospechoso cometió el crimen. Si esa persona es culpable, recibe su castigo.

Nuestro sistema judicial asegura que se trate en forma equitativa a todo el mundo. Por ejemplo, las personas que roban son castigadas, porque es injusto y no está bien hecho quitar algo a otra persona. Pero también es injusto castigar a una persona por crímenes que no cometió. (¿Te han culpado alguna vez por algo malo que hizo tu hermano o tu hermana?) Nuestro sistema judicial da una oportunidad al acusado de contar su versión de los hechos a alguien que tratará de ser justo.

No respetaban la justicia

Los vigilantes de California creían que estaban ayudando a detener el crimen, pero en la práctica no respetaban el sistema judicial. No daban al sospechoso la oportunidad de contar su versión de los hechos a un juez que más tarde decidiría si era culpable o no. Como resultado, muchas personas en California no fueron tratadas en forma correcta y fueron castigadas injustamente.

Capítulo 6

Algo que usarás siempre. Las páginas de "Estudiemos" te enseñan destrezas que usarás muchas veces, mientras estudias y toda tu vida. En esta página aprenderás por qué en todos los Estados Unidos no tenemos la misma hora.

ESTUDIEMOS LOS HUSOS HORARIOS

Leamos un mapa de husos horarios

¿Por qué?

La Tierra gira de oeste a este. Al girar, la luz del Sol llega a diferentes lugares de la Tierra a horas diferentes. Cada día el Sol ilumina la costa este de los Estados Unidos tres horas antes de lo que ilumina la costa oeste.

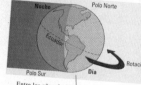

Entre los años de 1800 y de 1883, cada comunidad ponía sus relojes en hora de acuerdo con el Sol. Los relojes de diferentes lugares no indicaban la misma hora. Este sistema era confuso y creaba problemas. Cuando se acabó de construir el ferrocarril transcontinental en 1869, hacía falta un horario común para los trenes. Finalmente, en 1883, los Estados Unidos quedaron divididos en cuatro zonas cada una con una hora diferente. A este sistema se le llamó husos horarios. Los relojes de cada zona indicaban la misma hora, resolviendo así el problema del horario de trenes. Si entiendes el mapa de husos horarios, podrás calcular la hora en diferentes partes del país.

¿Cómo?

En la parte continental de los Estados Unidos hay cuatro zonas con distintos horarios. Son las zonas este, central, de las montañas y del Pacífico. Alaska y Hawaii tienen sus propios horarios. El mapa de la página 331 del Atlas indica qué estados están en cada zona. El reloj de la zona este marca las 7:00. El de la zona central marca las 6:00. Es una hora más temprano. Al ir hacia el oeste desde la zona este, resta una hora para la zona central, otra hora para la zona de las montañas y otra para la del Pacífico. Entre las costas este y oeste hay tres horas de diferencia.

Practica

Fíjate en el mapa de husos horarios de la página 331 y contesta las preguntas que aparecen a continuación:
1. Di el nombre de un estado en cada zona.
2. Di el nombre de tres estados que están en más de una de estas zonas.
3. Di qué zona está al este de la zona de las montañas.
4. Cuando son las 7:00 A.M. en Iowa, ¿qué hora es en Vermont, en Louisiana, en Colorado, en Nevada y en New York?
5. Al este de Sacramento, ¿es más temprano o más tarde?

Aplícalo

Planea un viaje a seis pueblos o ciudades de los Estados Unidos usando el Atlas. Sal de Los Ángeles y llega a Washington, D.C. Incluye lugares situados en cada zona. Sigue tu ruta con el dedo en el mapa de la página 324. Si son las 4:00 P.M. cuando llegas a Washington D.C., ¿qué hora es en cada una de las otras ciudades?

Los diagramas aclaran cosas difíciles de comprender. Aquí el diagrama indica cómo la noche sigue al día, a medida que la Tierra gira alrededor del Sol. Otras ilustraciones, tablas y gráficas te muestran cómo funcionan ciertas cosas y cómo se relacionan las distintas partes de la información que lees.

Cada época tiene sus grandes narradores. Todos los capítulos tienen ejemplos cortos de los escritos de aquel período o acerca de él. Las secciones de literatura siempre están impresas sobre fondo de color pardo con una inicial azul y una barra de colores.

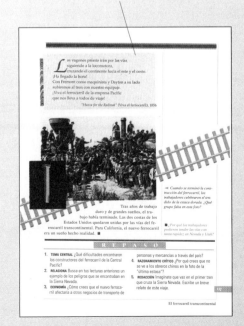

Los vagones pronto irán por las vías siguiendo a la locomotora, cruzando el continente hacia el este y el oeste. ¡Ha llegado la hora! Con Fremont como maquinista y Dayton a su lado subiremos al tren con nuestro equipaje. ¡Viva el ferrocarril de la empresa Pacific que nos lleva a todos de viaje!

"Huzza for the Railroad" (Viva el ferrocarril), 1856

Tras años de trabajo duro y de grandes sueños, el trabajo había terminado. Las dos costas de los Estados Unidos quedaron unidas por las vías del ferrocarril transcontinental. Para California, el nuevo ferrocarril era un sueño hecho realidad. ■

◄ Cuando se terminó la construcción del ferrocarril, los trabajadores celebraron el tendido de la estaca dorada. ¿Qué grupo falta en esta foto?

► ¿Por qué los trabajadores pudieron tender las vías con tanta rapidez en Nevada y Utah?

REPASO

1. **TEMA CENTRAL** ¿Qué dificultades encontraron los constructores del ferrocarril de la Central Pacific?
2. **RELACIONA** Busca en tus lecturas anteriores un ejemplo de los peligros que se encontraban en la Sierra Nevada.
3. **ECONOMÍA** ¿Cómo crees que el nuevo ferrocarril afectaría a otros negocios de transporte de personas y mercancías a través del país?
4. **RAZONAMIENTO CRÍTICO** ¿Por qué crees que no se ve a los obreros chinos en la foto de la "última estaca"?
5. **REDACCIÓN** Imagínate que vas en el primer tren que cruza la Sierra Nevada. Escribe un breve relato de este viaje.

El ferrocarril transcontinental

También presentamos

Algunas páginas especiales aparecen sólo una vez en cada unidad y no en cada lección. En estas páginas se continúa con el mismo tema, pero te permiten explorar una idea o actividad, o leer sobre otro tiempo y lugar. El "Banco de datos" que aparece al final del libro tiene varias páginas que te servirán de ayuda una y otra vez.

La escuela no es el único lugar donde puedes aprender sobre los estudios sociales. Estas páginas te permiten explorar la historia y la geografía fuera del salón de clase, en tu hogar y en tu propio vecindario.

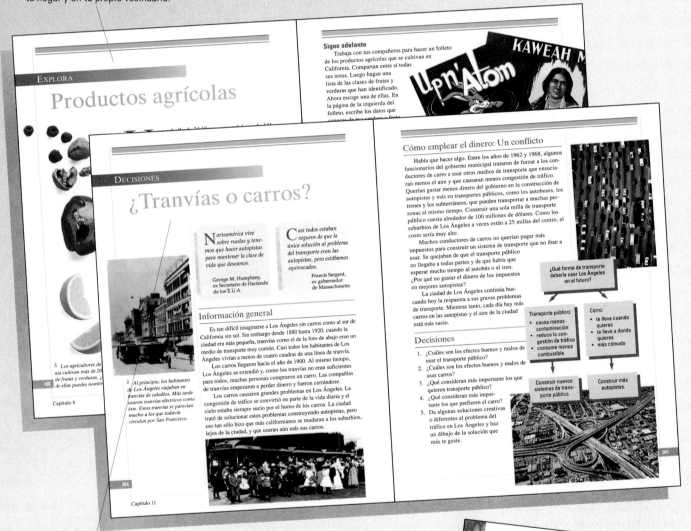

EXPLORA

Productos agrícolas

◄ *Los agricultores de nia cultivan más de 20 de frutas y verduras. ¿ de ellas puedes nombr*

Capítulo 8

Sigue adelante

Trabaja con tus compañeros para hacer un folleto de los productos agrícolas que se cultivan en California. Compartan entre sí todas sus notas. Luego hagan una lista de las clases de frutas y verduras que han identificado. Ahora escoge una de ellas. En la página de la izquierda del folleto, escribe los datos que conoces de esa verdura o fruta.

DECISIONES

¿Tranvías o carros?

Norteamérica vive sobre ruedas y tenemos que hacer autopistas para mantener la clase de vida que deseamos.

George M. Humphrey, ex Secretario de Hacienda de los E.U.A.

Casi todos estaban seguros de que la única solución al problema del transporte eran las autopistas, pero estábamos equivocados.

Francis Sargent, ex gobernador de Massachusetts.

Información general

Es tan difícil imaginarse a Los Ángeles sin carros como al sur de California sin sol. Sin embargo desde 1880 hasta 1920, cuando la ciudad era más pequeña, tranvías como el de la foto de abajo eran un medio de transporte muy común. Casi todos los habitantes de Los Ángeles vivían a menos de cuatro cuadras de una línea de tranvía.

Los carros llegaron hacia el año de 1900. Al mismo tiempo, Los Ángeles se extendió y, como los tranvías no eran suficientes para todos, muchas personas compraron un carro. Las compañías de tranvías empezaron a perder dinero y fueron cerrándose.

Los carros causaron grandes problemas en Los Ángeles. La congestión de tráfico se convirtió en parte de la vida diaria y el cielo estaba siempre sucio por el humo de los carros. La ciudad trató de solucionar estos problemas construyendo autopistas, pero eso tan sólo hizo que más californianos se mudaran a los suburbios, lejos de la ciudad, y que usaran aún más sus carros.

◄ *Al principio, los habitantes de Los Ángeles viajaban en tranvías de caballos. Más tarde usaron tranvías eléctricos como éste. Estos tranvías se parecían mucho a los que todavía circulan por San Francisco.*

Capítulo 11

Cómo emplear el dinero: Un conflicto

Había que hacer algo. Entre los años de 1962 y 1968, algunos funcionarios del gobierno municipal trataron de forzar a los conductores de carro a usar otros medios de transporte que ensuciaran menos el aire y que causaran menos congestión de tráfico. Querían gastar menos dinero del gobierno en la construcción de autopistas y más en transportes públicos, como los autobuses, los trenes y los subterráneos, que pueden transportar a muchas personas al mismo tiempo. Construir una sola milla de transporte público cuesta alrededor de 100 millones de dólares. Como los suburbios de Los Ángeles a veces están a 25 millas del centro, el costo sería muy alto.

Muchos conductores de carros no querían pagar más impuestos para construir un sistema de transporte que no iban a usar. Se quejaban de que el transporte público no llegaba a todas partes y de que había que esperar mucho tiempo al autobús o al tren. ¿Por qué no gastar el dinero de los impuestos en mejores autopistas?

La ciudad de Los Ángeles continúa buscando hoy la respuesta a sus graves problemas de transporte. Mientras tanto, cada día hay más carros en las autopistas y el aire de la ciudad está más sucio.

Decisiones

1. ¿Cuáles son los efectos buenos y malos de usar el transporte público?
2. ¿Cuáles son los efectos buenos y malos de usar carros?
3. ¿Qué consideran más importante los que quieren transporte público?
4. ¿Qué consideran más importante los que prefieren el carro?
5. Da algunas soluciones creativas o diferentes al problema del tráfico en Los Ángeles y haz un dibujo de la solución que más te guste.

¿Qué forma de transporte debería usar Los Ángeles en el futuro?

Transporte público:
- causa menos contaminación
- reduce la congestión de tráfico
- consume menos combustible

Carro:
- te lleva cuando quieres
- te lleva a donde quieres
- más cómodo

Construir nuevos sistemas de transporte público.

Construir más autopistas.

¿Qué harías? Las páginas de "Decisiones" presentan una decisión importante del pasado. Después practicas los pasos que te ayudarán a tomar una buena decisión en el futuro.

Los cuentos y las historias siempre han sido una parte importante en nuestra vida. Todas las unidades del libro tienen por lo menos un cuento o un grupo de poemas sobre la época y el lugar que estás estudiando. Aquí aparece un cuento sobre los pioneros cuando cruzan las montañas de California.

LITERATURA

La muñeca de Patty Reed

Rachel Laurgaard

¿Recuerdas al grupo Donner de la Lección 1? Aquellos pioneros sufrieron muchas dificultades al atravesar la frontera del Oeste.

En el museo histórico del fuerte Sutter hay una muñeca de madera que fue de una niña llamada Patty Reed en 1846. En este cuento, la muñeca de Patty relata las aventuras del grupo Donner durante su viaje de Illinois a California. Lee cómo subieron los pioneros por la Sierra Nevada durante una peligrosa tormenta de nieve. Mientras lees, piensa: "¿Qué sentían estos pioneros al cruzar las montañas?"

Mientras subíamos hacia el lago Truckee, comenzó a nevar. Cuando las nubes se apartaron de la cumbre de las montañas y los pioneros vieron que estaban cubiertas de nieve, empezaron a asustarse.

—Oh, sería terrible que nos detuviera la nieve —dijo Patty a Puss.

—No te asustes. Papá vend

El **"Banco de datos"** es como la sección de consulta de una biblioteca al alcance de tu mano. Es el lugar donde puedes buscar más información sobre los lugares, las personas y los términos clave que encuentres en este libro.

¿Qué es la "Minienciclopedia"? Es una versión reducida de una enciclopedia que puedes usar sin tener que ir a la biblioteca. Está en la parte de atrás de tu libro para que puedas hallar rápidamente artículos, tablas y gráficas.

El **"Atlas"** presenta los mapas de todo el mundo. Los mapas grandes te muestran las divisiones políticas del mundo, de tu país y de tu estado. Los mapas especiales muestran el clima, la vegetación, la población y los husos horarios de los Estados Unidos.

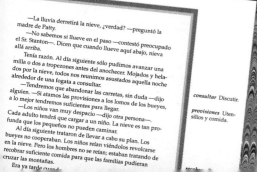

—La lluvia derretirá la nieve, ¿verdad? —preguntó la madre de Patty.

—No sabemos si llueve en el paso —contestó preocupado el Sr. Stanton—. Dicen que cuando llueve aquí abajo, nieva allá arriba.

Tenía razón. Al día siguiente sólo pudimos avanzar una milla o dos a tropezones antes del anochecer. Mojados y helados por la nieve, todos nos reunimos asustados aquella noche alrededor de una fogata a consultar.

—Tendremos que abandonar las carretas, sin duda —dijo alguien.—Si atamos las provisiones a los lomos de los bueyes, a lo mejor tendremos suficientes para llegar.

—Los niños van muy despacio —dijo otra persona—. Cada adulto tendrá que cargar a un niño. La nieve es tan profunda que los pequeños no pueden caminar.

Al día siguiente trataron de llevar a cabo su plan. Los bueyes no cooperaban. Los niños reían viéndolos revolcarse en la nieve. Pero los hombres no se reían; estaban tratando de recobrar suficiente comida para que las familias pudieran cruzar las montañas.

Era ya tarde cuando

consultar Discutir.

provisiones Utensilios y comida.

Unidad 1
Personas y lugares

La tierra de California siempre ha influido en la manera de vivir de sus habitantes. Los primeros pobladores encontraron en California una tierra con muchas plantas y animales. Usaron estos recursos de muchas maneras. En el desierto los indígenas hicieron estas pinturas de 150 pies de largo. Nadie sabe qué significan. Pero sabemos que aquellas personas dependían de la tierra, igual que nosotros hoy en día.

Hace 14,000 años

Geoglifo indígena hecho por los antepasados de los yuma, cerca de Blythe, California. c. después de 1700, Southwest Museum, Los Ángeles, California

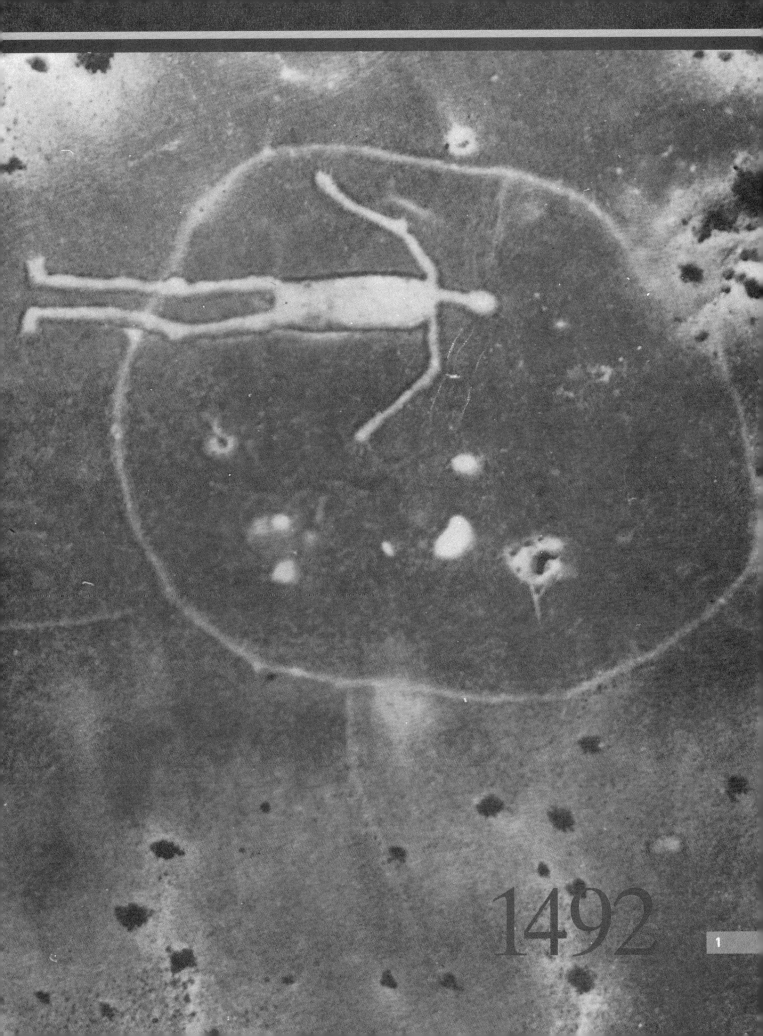

1492

Capítulo 1
La geografía de California

Pregunta: ¿Dónde hay lluvia y sol, colinas y llanuras, ruido y silencio, calor y frío? Respuesta: en California. Vives en un estado con tierras, personas, animales, plantas y climas muy distintos. Por eso hay tanto que hacer y que ver. Pon tus botas de nieve y tu traje de baño en la maleta y vamos a viajar por el Estado Dorado.

El océano es una parte importante de la vida en las costas de California. En esta foto, los niños tocan estrellas de mar en el acuario de la bahía de Monterey.

En el valle Central de California se cultivan zanahorias como éstas y cientos de otras verduras y frutas.

Un planeador manual
asciende con las corrientes
de aire cálido del
desierto. ¡Qué manera
de ver la geografía
de California!

Esto parece una piedra pero no
lo es. Es un trozo de madera
del Bosque Petrificado de
Sonoma.

Hay montañas en gran
parte del estado. El
excursionista que vemos
en la foto contempla el
valle Yosemite y la Sierra
Nevada.

Pero ¿dónde está California?

¿Qué estados, países y continentes están más cerca de California?

Términos clave

- globo terráqueo
- continente
- frontera

➤ *Esta foto de la Tierra fue tomada a miles de millas de distancia.*

Imagínate que pudieras ver la Tierra desde el espacio. Si viajaras a la luna, a 238,700 millas de distancia, verías la Tierra como en la foto de abajo. Parece una gran esfera azul envuelta en nubes blancas. Pero no tienes que ir tan lejos para ver así tu planeta. Sube al transbordador espacial y comienza una maravillosa aventura.

Desde el transbordador puedes ver la Tierra que se extiende por cientos de millas. Por la ventanilla ves sus colores: el azul del océano, el blanco de las nubes, el verde y el color café de la tierra. Si te fijas bien verás montañas, grandes ríos y lagos, icebergs y tierras cultivadas. Incluso puedes ver algunas ciudades, puentes y aeropuertos.

El transbordador le da una vuelta velozmente a la Tierra y llega al lado por donde no da el sol. De repente todo se vuelve muy oscuro, como si fuera de noche. Casi no puedes ver la Tierra contra el cielo negro. La astronauta Sally Ride, la primera mujer que viajó en el transbordador espacial, describió su experiencia con las siguientes palabras: "Las luces de las ciudades centelleaban; en las noches cuando no había luna era difícil distinguir la Tierra del cielo; los destellos de las luces que se veían podían ser tanto estrellas como pequeñas ciudades".

El transbordador regresa a la parte de la Tierra donde da la luz, y entonces ves tu estado, California. Puedes ver millas y millas de costa a lo largo del océano azul. De pronto te sientes muy lejos de casa.

Fíjate en la Tierra

El transbordador espacial da una vuelta a la Tierra cada 90 minutos. Va tan rápido que a veces no sabes sobre qué país o sobre qué océano estás volando. Pero es fácil saber dónde estás si te fijas en un globo terráqueo o en un mapa.

Un **globo terráqueo** es una esfera que tiene dibujadas las extensiones de tierra y las masas de agua de nuestro planeta. En la Tierra realmente no están marcadas las líneas ni los nombres de los océanos y países, pero en un globo terráqueo sí. Un globo terráqueo te da mucha más información acerca de la Tierra que una foto.

Si haces girar el globo terráqueo verás las siete grandes extensiones de tierra, o **continentes**. También verás masas de agua que cubren una gran parte de nuestro planeta.

Ahora fíjate en el mapa de esta página. En un mapa también ves tierra y océanos, pero el mapa es diferente del globo. Como el mapa es plano en lugar de redondo, te muestra todos los continentes y océanos a la vez.

Verás a California tanto en el globo terráqueo como en el mapa. ¡Qué pequeña parece California si la comparas con toda la Tierra! ■

Mapa del mundo

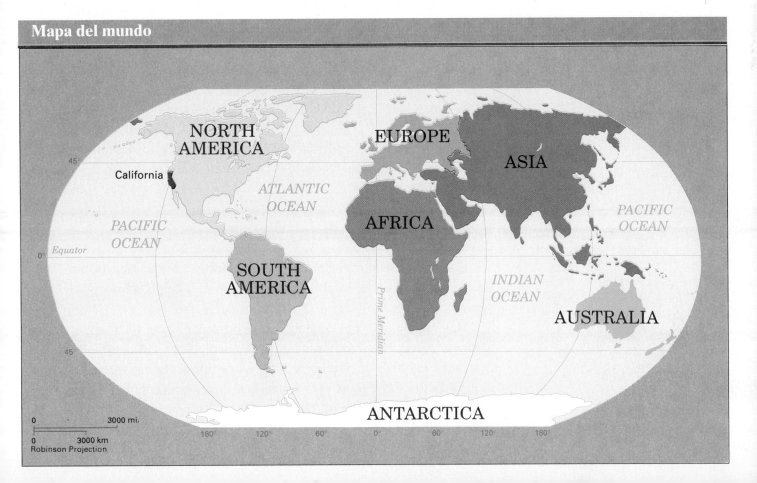

Fíjate en Norteamérica

Cuando el transbordador le dé la vuelta a la Tierra volarás sobre el continente de Norteamérica. El mapa muestra que este continente está formado por varios países. En el centro de Norteamérica están los Estados Unidos. Los países vecinos son Canadá al norte y México al sur. Busca las fronteras que separan a estos tres países.

Una **frontera** es la línea que marca donde termina un estado o país y empieza otro. A veces las fronteras de un país siguen la línea natural de una cadena de montañas o de un río. Otras veces, una frontera corta en dos una extensión de tierra, sin seguir una línea natural.

¿Qué países y masas de agua tocan las fronteras de los Estados Unidos?

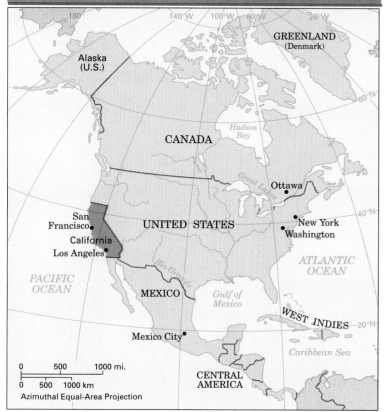

Norteamérica

Fíjate en la frontera entre los Estados Unidos y Canadá. Parte de esa frontera es una línea recta, pero otra parte sigue la línea natural de los Grandes Lagos. Ahora fíjate en la frontera entre los Estados Unidos y México. ¿Qué accidente geográfico forma parte de esa frontera?

En este mapa verás las fronteras entre varios países más pequeños. Al sur de México está Centroamérica. En Centroamérica están los países de Guatemala, Belice, Honduras, El Salvador, Nicaragua, Costa Rica y Panamá. Hacia el este, en el mar Caribe, hay un grupo de países que son islas y se llaman las Antillas *(West Indies)*. Y en la parte superior del mapa está el país de Groenlandia *(Greenland)*.

En el mapa ves que California está en el continente de Norteamérica y en la Costa Oeste de los Estados Unidos. Si la comparas con todo el continente, California parece muy pequeña. ■

■ ¿Cuáles son los tres países más grandes del continente de Norteamérica?

Fíjate en California

Cada vez que el transbordador cruza Norteamérica vuelas sobre California. Al final de la próxima órbita aterrizarás allí. Miras por la ventana para ver mejor.

Has volado sobre el océano Pacífico hacia el este. California te queda cerca. Primero pasas por el famoso puente Golden Gate que cruza la bahía de San Francisco. Unos minutos después ves el lago Tahoe. El lago es tan grande que lo ves brillar como una joya.

CANADA

Washington

Montana

Oregon

Idaho

Wyoming

Nevada

Great Salt Lake

California

Utah

Colorado

Salton Sea

Arizona

New Mexico

North Dakota

Minnesota

South Dakota

Wisconsin

Lake Superior

Lake Michigan

Lake Huron

Michigan

Lake Erie

Lake Ontario

Maine

Vt.

N.H.

Mass.

New York

R.I.

Conn.

Pa.

New Jersey

Md.

Delaware

D.C.

Nebraska

Iowa

Illinois

Ind.

Ohio

W. Va.

Virginia

Kansas

Missouri

Kentucky

North Carolina

Tennessee

South Carolina

Oklahoma

Arkansas

Georgia

Texas

Miss.

Ala.

La.

Florida

ATLANTIC OCEAN

PACIFIC OCEAN

Gulf of California

MEXICO

Gulf of Mexico

0   300 mi.

0   300 km

Lambert Conformal Conic Projection

120°   115°   95°   90°   85°   80°   75°

45°   40°   35°   30°   25°

Después vuelas sobre una larga cadena de montañas cubiertas de nieve.

Los vecinos de California

Si observas el mapa verás que estas montañas forman la frontera entre California y Nevada. Las partes altas del terreno aparecen sombreadas en el mapa. Así parece que las montañas se elevan sobre las llanuras cercanas.

Además de Nevada, California tiene otros tres vecinos: dos estados y un país. Oregon está en la frontera norte de California. Al sur de Nevada está Arizona junto a la frontera este. Al sur de California está el norte de México. ■

Aterrizaje en California

Ya te has abrochado el cinturón de seguridad para el aterrizaje. El transbordador desciende velozmente y te diriges hacia el desierto llano y caluroso del sur de California. Aterrizarás en la Base Aérea de Edwards.

A medida que el transbordador se acerca más y más a la Tierra, puedes ver con mayor claridad el hermoso paisaje de

California está en la frontera oeste de los Estados Unidos.

■ *Di cuáles son los estados, países y masas de agua que tocan las fronteras de California.*

7

La geografía de California

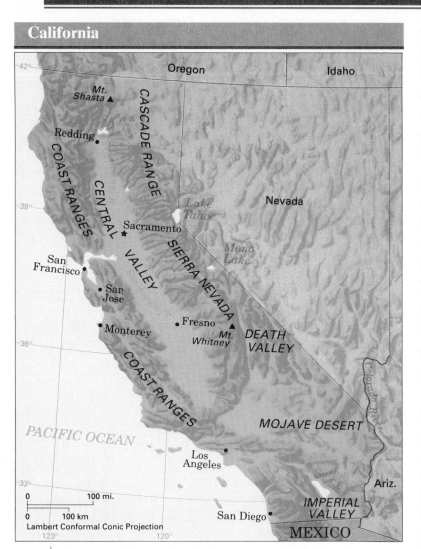

Map labels: Oregon, Idaho, Mt. Shasta ▲, CASCADE RANGE, Redding, COAST RANGES, CENTRAL, Lake Tahoe, Nevada, Sacramento ★, CENTRAL VALLEY, SIERRA NEVADA, Mono Lake, San Francisco, San Jose, Monterey, Fresno, Mt. Whitney ▲, DEATH VALLEY, COAST RANGES, PACIFIC OCEAN, MOJAVE DESERT, Colorado River, Los Angeles, Ariz., San Diego, IMPERIAL VALLEY, MEXICO

0   100 mi.
0   100 km
Lambert Conformal Conic Projection

Busca y di el nombre de dos ciudades, dos ríos, una bahía y un lago de California.

■ ¿Sobre qué accidentes geográficos de California vuela el transbordador espacial cuando aterriza?

California. La costa hace una curva hacia adentro cuando pasas sobre la bahía de Monterey, que se encuentra al sur de San Francisco. Ahora vuelas en dirección sureste, hacia el gran valle Central. Visto desde arriba, este rico valle agrícola parece una manta grande formada por cuadrados color verde y color café. Ves los ríos que ondulan a través del valle. Después dejas atrás el valle y vuelas sobre las cadenas de montañas que trazan curvas sobre la Tierra. La vista es tan bonita que te sientes como se sintió Robert Crippen, uno de los astronautas del primer transbordador espacial, cuando dijo: "¡Qué buena manera de llegar a California!"

Al este de las montañas, vuelas sobre el desierto. Mientras tanto, en la Base Aérea de Edwards todo está listo para la llegada. Las cámaras de televisión apuntan hacia arriba y cientos de personas miran al cielo buscando ansiosamente el transbordador. Desde muy arriba ves el campo donde vas a tocar tierra. A medida que el transbordador se acerca al suelo, el campo de aterrizaje parece cada vez más grande. Sientes una sacudida cuando el calor que sube del desierto entra en contacto con la nave. Finalmente, las ruedas de atrás tocan el suelo. La rueda delantera baja y el transbordador se detiene. En la radio, una voz emocionada grita desde la sala de control: "¡Bienvenidos!" ■

REPASO

1. **TEMA CENTRAL** ¿Qué estados, países y continentes están más cerca de California?

2. **GEOGRAFÍA** Fíjate en el mapa de California. Indica los accidentes geográficos, como montañas y ríos, que podrías ver con mayor claridad desde el transbordador espacial.

3. **GEOGRAFÍA** ¿Por qué hay muchas fronteras de países y estados que siguen las líneas naturales de ríos, lagos y montañas?

4. **RAZONAMIENTO CRÍTICO** ¿De qué país, fuera de los Estados Unidos, crees que vienen más visitantes a California? Explica tu respuesta con varias razones.

5. **REDACCIÓN** Imagínate que eres un astronauta que viaja sobre la Tierra en un transbordador espacial. Escribe un relato de una página. Describe qué sientes al estar tan lejos de casa y cómo ves la Tierra desde allá arriba.

Identifica las ideas principales

¿Por qué?

En 1971, unos científicos capturaron una ballena gris recién nacida y la llevaron al Sea World de San Diego. Le llamaron Gigi.

Imagínate que quieres leer más acerca de las ballenas grises. ¿Qué harás para recordar lo que lees?

Aunque no puedes recordar todos los detalles, sí puedes recordar las ideas más importantes. Si identificas las ideas principales, podrás organizar la información y recordar más cosas.

¿Cómo?

Casi siempre un párrafo tiene una oración que expresa la idea principal de ese mismo párrafo. La idea principal del párrafo siguiente está en la primera oración: *Las ballenas grises crecen más rápido durante su primer año de vida.* Muchas veces, la idea principal se expresa en la primera oración de un párrafo. Las otras oraciones te dan detalles que apoyan esta idea.

Las ballenas grises crecen más rápido durante su primer año de vida. Cuando la ballena Gigi llegó a Sea World, tenía dos meses de edad y ya medía 18 pies de largo. Con el tiempo, creció tanto que no cabía en su tanque. Un año después, cuando los científicos la devolvieron al océano, medía 26 pies de largo. A Gigi todavía le faltaba

crecer 20 pies más antes de alcanzar su tamaño adulto.

Practica

Lee el párrafo siguiente. Pregúntate: ¿De qué trata este párrafo? ¿Qué oración expresa la idea principal? ¿Qué oraciones dan detalles que apoyan la idea principal?

Las ballenas grises pasan los veranos alimentándose en las aguas frías de Alaska. Cuando estas aguas empiezan a congelarse, las ballenas viajan al sur. Pasan por la costa de California hasta llegar a las aguas cálidas de México. Allí se aparean y nacen las crías. Las ballenas grises viajan muy lejos cada año, a veces más de 10,000 millas.

Aplícalo

Ahora lee el primer párrafo de la próxima lección del libro. ¿De qué trata el párrafo? ¿Qué oración expresa la idea principal? ¿Cuáles son los dos ejemplos que te dan las otras oraciones para apoyar la idea principal?

Mojave

Diane Siebert

El desierto de Mojave, situado en el sur de California, es una extensión muy grande de suelo arenoso y volcanes extintos.

En la poesía de Diane Siebert, el desierto habla con la voz de una anciana. Esta anciana nos recuerda que el desierto, así como toda la tierra, tiene vida. Mientras lees el poema, pregúntate: "¿En qué se parece el desierto a una persona?"

S oy el desierto,
libre como el viento.
Ven, y recorre mi rostro de amistad.

Por grietas de piedra, rojas y arenosas,
miro al halcón de alas airosas
que sube a lo alto y quiere el sol tocar;
y en picada baja, mirando su sombra volar.

milenaria Que tiene mil años.

yermo Despoblado.

Sobre mi cara inmensa y milenaria,
la huella de yermos ríos se marca solitaria:
caminos por donde las aguas pasaron,
senderos de lágrimas que al sol se secaron.
Siento la violencia del viento empujar,
la arena y el polvo, mi cara golpear.
A través del tiempo, y día tras día,
nuevas cosas cambian mi fisonomía.

Cadenas de montañas se extienden por millas
y cubren mi rostro de arrugas y sonrisas.
Mis lagos son secos y marcan sus huellas;
lucen como liebres de grandes orejas.
El polvo se eleva en un remolino,
silbando y girando en el cielo divino.
Sacude y resopla, y en gran estampida
tropiezan las ramas resecas, por el sol curtidas.

estampida Movimiento repentino y rápido.

Y como en el desierto el tiempo cambia,
todo lo arregla la naturaleza sabia.
Mi cara desgastada refleja otro semblante
de colores, sombras y líneas penetrantes.

Con el viento del norte, mi tierra se ventea,
y los picos más altos la nieve blanquea.
Descanso, esperando con suma paciencia
bajo el hielo que cubre mi humilde existencia.
Sueño, vestido de gala, en primavera,
con flores de nopal por dentro y por fuera,
con miles de flores silvestres por el suelo
y mariposas alegres en un constante vuelo.

Está seca y curtida mi cara de verano
porque el álcali me ha marcado y manchado,
y espero que una tempestad se forme
y en vapor y lluvia todo lo trasforme.
Que caiga la lluvia y forme riachuelos
a lo largo de mi inflexible suelo,
donde el agua crece y sigue el caudal
hasta más allá de este valle colosal.

De pronto, el sol resplandece,
y en el ancho cielo el azul aparece.
Me aclaro, y el calor me pasma,
y luego, con la brisa de otoño, llega la calma.
Me acaricia y me toca con cuidado,
anunciándome que el otoño ha regresado.
Roza la tierra, donde los coyotes cazan,
los que en la noche, aullando al cielo,
sus cantos nocturnos me cantan:

Somos el desierto,
libres como el viento. . . .

ventear Soplar el
viento.

álcali Una substan-
cia mineral que se
encuentra en suelos
secos.

inflexible Duro y
rígido.

pasmar Asustar
mucho.

11

LECCIÓN 2

Las regiones de California

TEMA CENTRAL

¿En qué se diferencian las regiones geográficas de California entre sí?

Términos clave

- región
- geografía
- clima
- cordillera

▼ *Los exploradores de las montañas y desiertos de California llevaban, entre otras cosas, una cuerda y una cantimplora.*

A algunas personas les apasionan los desafíos. Si ven una montaña, quieren escalarla. Si ven un desierto ardiente, quieren cruzarlo. En California, los aventureros encuentran dos de los desafíos más grandes de la naturaleza: el monte Whitney y el valle de la Muerte. En toda la Tierra no encontrarás dos lugares tan cercanos que sean tan diferentes.

El monte Whitney está cubierto de nieve y toca las nubes. Mide 14,491 pies de altura y es el punto más alto de los Estados Unidos, fuera de Alaska. Especialistas enviados por el estado subieron al monte Whitney en 1864 para hacer un mapa del estado. En 1873 varios grupos de alpinistas hicieron el peligroso viaje hasta la cima y luego discutieron para decidir quién había llegado primero. Se cree que fue un grupo de cinco pescadores.

A menos de 100 millas del monte Whitney está el valle de la Muerte. Es el punto más bajo de Norteamérica. Allí el desierto se hunde a 282 pies por debajo del nivel del mar. El 10 de julio de 1913, la temperatura en el valle de la Muerte alcanzó los 134 grados Fahrenheit. Es la temperatura más alta que se ha alcanzado en los Estados Unidos.

Durante la fiebre del oro de 1849, un grupo de mineros y sus familias trataron de cruzar este valle de 130 millas de largo. Algunos se perdieron y murieron de sed, y los que salieron con vida dieron al valle de la Muerte este nombre aterrador.

Se cuentan historias de miedo acerca del valle. Un escritor lo llamó "el lugar más solitario, caluroso y peligroso de los Estados Unidos". Este escritor dijo que, "cuando se entra, no se sale". Sin embargo, hoy en día muchas personas visitan el valle de la Muerte por su belleza extraña y solitaria.

Las cuatro regiones

En un día cualquiera en California puedes nadar en el mar, esquiar en las montañas, recoger fruta o cruzar el desierto. California es el único estado del país con tantas regiones tan diferentes. Una **región** es una extensión de tierra cuyas características la diferencian de otras tierras. Algunas de estas características son la cantidad de habitantes, las clases de industrias y el clima. Las regiones también se diferencian por su geografía. La **geografía** es el conjunto de las características de la tierra y del agua, como las montañas, los lagos, las praderas y los ríos que hay en una región. Si te fijas en la geografía de California, verás que en ese estado hay cuatro regiones principales: la costa, el valle Central, las montañas y los desiertos.

Los habitantes y las regiones

Cada región presentó diferentes desafíos a los primeros colonos. Los primeros exploradores llegaron por el mar y enfrentaron las tormentas de la costa. Años después, familias enteras cruzaron el desierto y las montañas en carretas. Después, los agricultores del valle Central tuvieron que buscar la manera de traer agua a sus tierras.

Cada región ofrecía también muchas ventajas a los primeros colonos. Los colonos se sintieron atraídos por características tales como la belleza natural, la riqueza del suelo y los distintos climas. Un científico llamado Luther Burbank describió la belleza de California en una carta que escribió poco después de llegar aquí, en 1875. ■

Este mapa muestra las cuatro regiones de California. Para aprender más sobre la tierra, el clima y los habitantes de California, lee las páginas 310 y 311 de la Minienciclopedia.

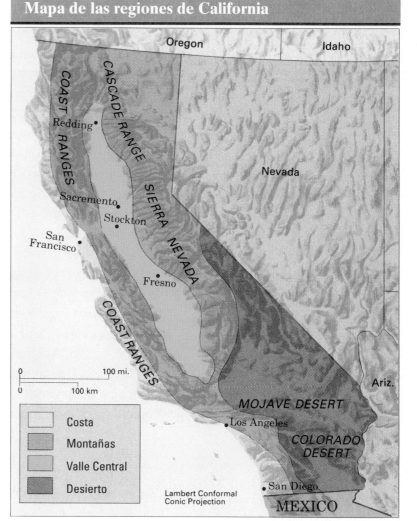

Mapa de las regiones de California

Leyenda:
- Costa
- Montañas
- Valle Central
- Desierto

Lambert Conformal Conic Projection

100 mi.
100 km

■ *Indica cuatro regiones geográficas de California y describe cada región con una palabra.*

> **P**or lo que he visto, creo firmemente que éste es un lugar privilegiado de toda esta Tierra por sus bellezas naturales... El sol brilla puro y suave, las montañas ... son muy hermosas. El valle está cubierto de robles majestuosos ordenados de la forma más bella, como nunca podría haberlo hecho un ser humano.

La geografía de California

La costa

Es como entrar en un túnel gris y húmedo. El agua susurra cuando la barca cruza lentamente la niebla espesa. A lo lejos se oyen las gaviotas.

—Cuando la niebla está densa, uno es muy sensible a los sonidos —dice Nancy MacLean. La vigía de la barca escucha y observa los veleros, los barcos de pesca y los petroleros que cruzan la bahía de San Francisco. Todas las mañanas, la barca de MacLean lleva a muchas personas desde sus hogares en Marin County a sus trabajos en San Francisco.

Las partes norte y sur de la costa

Casi todas las mañanas, la niebla del océano cubre casi toda la parte norte de la costa. Pero más tarde, el calor del sol hace desaparecer la niebla. Las condiciones generales del tiempo que se repiten en una región es lo que llamamos **clima**. En la parte norte de la costa el clima es frío y húmedo. Cada año caen por lo general 23 pulgadas de lluvia en San Francisco. Como el clima es húmedo, allí hay bosques frondosos. Muchos visitantes van a la parte norte de la costa a ver el Gran Sur y el Parque Nacional Redwood.

La belleza de la parte sur de la costa es distinta. Allí llueve muy poco. En San Diego, por ejemplo, caen menos de 10 pulgadas de lluvia al año. El sol atrae a muchas personas a quienes les gusta el clima cálido. Además, es perfecto para filmar películas de cine y de televisión y para practicar deportes al aire libre, como la tabla hawaiana, el ciclismo, correr y navegar. Los turistas disfrutan de los acuarios, los parques y las playas.

La costa le gusta a tantas personas que más de la mitad de los californianos viven en la zona de Los Ángeles o, como Nancy MacLean, en la zona de la bahía de San Francisco. ■

▼ *Pez del estado: la trucha dorada*

■ *¿En qué se diferencia la parte norte de la costa de California de la parte sur?*

➤ *A muchas personas les gusta navegar barcos de vela en el puerto natural de San Diego. Los pescadores de San Pedro se ganan la vida en el mar.*

El valle Central

Para saber qué cultivos crecen en el valle Central no tienes que ser agricultor. Fíjate en los olores que sientes. Al pasar por las granjas, sientes en el aire el fuerte aroma de las frutas o de las verduras que se cultivan en el valle Central. Los naranjos inundan el aire con su dulce aroma. El olor de los campos de cebollas es tan fuerte que te llena los ojos de lágrimas.

El valle Central es una de las zonas agrícolas más productivas del mundo. En este valle se puede cultivar casi cualquier planta. Las cosechas se envían a toda California, al resto de los Estados Unidos y a todo el mundo. Es posible que en un mismo día, mientras que un niño de la costa Este toma jugo de las naranjas del valle Central, una familia japonesa, a medio mundo de distancia, esté comiendo aguacates cultivados en California.

Flor del estado: la amapola dorada

Las cosechas y el clima

El clima del valle Central es cálido y seco en verano, pero es fresco y húmedo en invierno. Las lluvias del invierno y el sol del verano permiten que se cultiven en esta región 200 clases diferentes de plantas. Algunos granjeros cultivan algodón, uvas, nueces, trigo, papas, tomates, cerezas y muchas otras clases de frutas,

verduras y frutos secos. Otros granjeros crían vacas, pollos o reses. El agua que se utiliza en la región proviene de los ríos Sacramento y San Joaquín. La mayoría de las personas que viven en el valle Central son granjeros o trabajan en alguna actividad que está relacionada con la agricultura.

Aunque la mayoría de las granjas que hay en este valle están en manos de grandes compañías, también hay pequeñas granjas familiares. Lupe Villarreal y su familia cultivan duraznos, almendras y nueces en su granja de 70 acres que se encuentra en Hughson. A Lupe le gusta mucho trabajar la tierra del valle Central. "Lo más bonito es manejar por la carretera y ver tanta variedad de cultivos. Me hace sentirme muy contenta. Tenemos mucha suerte de tener el valle Central", dice Lupe con gran entusiasmo. ■

Uno de los cultivos del valle Central son las flores de Lompoc. En el valle los agricultores usan máquinas como éstas para recoger lechugas.

■ ¿Por qué es el valle Central tan bueno para la agricultura?

La geografía de California

Las montañas

La lluvia que cae en la cima de las montañas forma pequeños arroyos. Estos arroyos de agua fresca se unen y corren montaña abajo. De repente se oye un ruido como de truenos. El arroyo se ha convertido en una cascada gigantesca que llega a un precipicio y cae al valle que está 2,000 pies más abajo.

Es el valle de Yosemite, uno de los lugares más bellos de todo el estado de California. En este valle hay más cascadas que en ningún otro lugar del mundo. Los visitantes se asombran del tamaño de estas cascadas gigantescas y del sonido que hacen al caer.

Yosemite se encuentra en la Sierra Nevada, una cordillera de montañas. Una **cordillera** es una cadena o una fila larga de montañas. La Sierra Nevada es sólo una de las muchas cordilleras de California. De hecho, más de la mitad del estado está cubierta de montañas.

John Muir y la Sierra Nevada

La Sierra Nevada era el lugar preferido de John Muir, un hombre famoso que se dedicó a escribir sobre la naturaleza. Muir pasó muchos años explorando esta hermosa cordillera. Después de su primera visita a Yosemite en 1868, escribió en su diario lo siguiente:

> **M**ientras viva escucharé el canto de las cascadas, los pájaros y el viento. Interpretaré las rocas, aprenderé el lenguaje de las inundaciones, las tormentas y las avalanchas. Exploraré los glaciares y bosques, y llegaré tan cerca del corazón del mundo como pueda.

Hoy en día, los guardabosques del Parque Nacional Yosemite continúan el trabajo de Muir, enseñando a las personas a conocer la naturaleza. A Althea Robison, una guardabosques de Yosemite, le gusta trabajar con niños. Los lleva por los bosques y les muestra las plantas y los animales. Ella dice: "Los niños respetan a los guardabosques. Cuando les digo que no den de comer a los animales, ellos se lo enseñan a otras personas". Lee la sección titulada "Decisiones" de la página 26 y aprenderás qué hizo John Muir para salvar los bosques de California. ■

▲ *Animal del estado: el oso gris de California*

■ *¿Por qué crees que la región montañosa de California atrae visitantes de todo el mundo?*

▼ *La belleza natural de la Sierra Nevada atrae a muchos visitantes a acampar, caminar y esquiar.*

Los desiertos

Si lo comparas con la costa, donde hay tanto movimiento, o con el rico valle Central, o con las montañas llenas de vida silvestre, el desierto te parecerá vacío. Pero en realidad, la región de desiertos de California también está llena de vida.

Los dos grandes desiertos de la región son el desierto de Mojave y el de Colorado. Éstas son regiones de clima muy extremo. Cuando hace calor en verano, puedes freír un huevo sobre una piedra plana, y en una noche de invierno, puedes congelar un vaso de agua. Pero cientos de tipos de plantas y animales saben vivir en estas condiciones tan difíciles. Por ejemplo, los cactos pueden sobrevivir mucho tiempo sin agua. Muchos cactos guardan la humedad en su gruesa corteza. Las espinas impiden que se los coman los animales. Un tipo de lagarto del desierto tiene como unos limpiaparabrisas para quitarse la arena de los ojos. Hay un conejito del desierto que nunca bebe agua porque la obtiene de las plantas que come.

▲ *Pájaro del estado: la codorniz del valle de California*

▼ *Aunque la región del desierto de California parece no tener habitantes, es el hogar de muchas plantas, animales y personas.*

Indígenas Fuerte Mojave

También hay personas que saben vivir en el desierto. La tribu de indígenas americanos llamada Fuerte Mojave ha vivido en el desierto de Mojave durante miles de años. "Éste es el lugar que nos dio el Todopoderoso", dice Llewellyn Barrackman, un jefe de la tribu. No es fácil vivir en el desierto, pero el jefe indígena cree que Dios protege a su tribu y le da alimentos del río, de la tierra y del desierto. Los indígenas Fuerte Mojave pescan truchas y bagres en el río Colorado. Cazan conejos en el desierto y hacen medicinas utilizando algunas plantas del desierto.

Los habitantes del desierto aman la belleza de las puestas de sol que tienen los colores del arco iris, les encanta ver volar a los halcones y escuchar los aullidos del coyote. Cada año esperan ansiosamente a que llegue la primavera, cuando la tierra seca se cubre de flores de brillantes colores y todo parece renacer. ■

■ *¿Cómo se adaptan al clima las plantas y los animales del desierto?*

La geografía de California

Las cuatro regiones de California

Región	Ciudades	Industrias	Accidentes geográficos	Datos interesantes
La costa	• Los Ángeles • San Diego • San Francisco • Oakland	• petróleo • cine y televisión • barcos y pesca • aviación • computadoras	• Bahía de San Francisco • Puerto de San Diego • El Gran Sur • Los bosques de secoyas gigantes	• Uno de cada 18 estadounidenses vive a menos de 200 millas del centro de Los Ángeles.

El valle Central	• Sacramento
	• Fresno
	• Stockton
	• Modesto
		• Agricultura:
		  fruta
		  verduras
		  algodón
		  productos lácteos
		  aves
		  ganado
			• Río Sacramento
			• Valle de San Joaquín
			• Río Kern
			• Colinas planas
				En el valle Central se cultivan más pasas, nueces, almendras, duraznos y aceitunas que en ningún otro lugar del país.

Las montañas	• Lake Tahoe Sur • Ridgecrest • Susanville • Placerville	• recreación (esquí, excursiones) • minería de oro y cobre • madera • excavación de arena y grava	• Monte Lassen • Lago Tahoe • Río Merced • Monte Whitney	• Las cataratas de Yosemite de 2425 pies son las más altas de los Estados Unidos.
Los desiertos	• Palm Springs • Lancaster • El Centro • Indio	• minas de bórax • perforación de gas natural • aviación • recreación (golf, campamento)	• Lecho del lago Owens • Mar de Salton • Lago Mono • Cañón Red Rock	• La ciudad de Bagdad en el desierto de Mojave marca el récord del país por el período más largo sin lluvia: 767 días.

R E P A S O

1. **TEMA CENTRAL** ¿En qué se diferencian las regiones geográficas de California entre sí?
2. **RELACIONA** La Sierra Nevada se extiende a un estado vecino de California. ¿Cuál es ese estado?
3. **GEOGRAFÍA** ¿Por qué han podido los indígenas Fuerte Mojave vivir tanto tiempo en el desierto seco y caluroso?
4. **RAZONAMIENTO CRÍTICO** Al vivir en una de las cuatro regiones de California, ¿qué aprenderías en esa región que no podrías aprender en otra?
5. **REDACCIÓN** Busca tu ciudad o pueblo en un mapa de California. Describe en dos párrafos tu región. Describe el paisaje y el clima y las actividades en las que puedes participar.

Cómo identificar las regiones en un mapa

¿Por qué?

En la Lección 2 de este capítulo aprendiste que una región es una extensión de tierra con características diferentes de otras tierras. También aprendiste que una región se distingue por su geografía, clima, habitantes o industrias.

Los mapas que muestran diferentes regiones te pueden dar información importante acerca de lugares de la Tierra. Si aprendes a leer esos mapas, podrás comparar los lugares que muestran.

¿Cómo?

Casi todos los mapas tienen colores diferentes para distinguir las regiones. Este mapa indica la precipitación anual en California, es decir, la lluvia y la nieve que cae cada año.

Los colores del mapa muestran cuánta precipitación cae en cada parte del estado cada año. La leyenda indica cuántas pulgadas de precipitación representa cada color.

El verde oscuro representa de 66 a 96 pulgadas de precipitación. En las regiones que ves marcadas con ese color cae esa cantidad de nieve y lluvia en un año. En el mapa hay seis regiones de color verde oscuro. Búscalas. Estas regiones tienen una característica especial que las distingue de otras regiones. Todas reciben la misma cantidad de precipitación cada año.

Ahora observa detenidamente el mapa de las cuatro regiones geográficas de California de la página 13. ¿Cuáles son las cuatro regiones que indica? ¿Qué color representa cada región?

Practica

Usa el mapa de la precipitación anual en California para contestar las siguientes preguntas.

1. ¿Qué característica distingue a cada región de las demás?
2. ¿Qué color representa de 32 a 66 pulgadas de precipitación? ¿Y de 16 a 32?
3. ¿Cuánta lluvia y nieve caen en las regiones de color amarillo oscuro?
4. ¿Cuánta precipitación cae en el Parque Nacional de Yosemite cada año?
5. Busca el lugar donde vives en el mapa de la página 328. ¿Cuánta lluvia y nieve caen allí cada año?

Ahora compara el mapa de precipitación con el mapa de las cuatro regiones geográficas de California de la página 13 y contesta estas preguntas.

1. ¿En qué región geográfica cae menos precipitación?

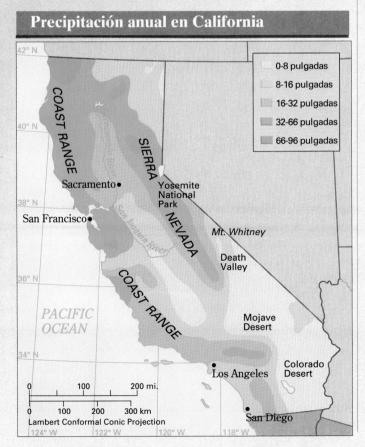

Precipitación anual en California

- 0-8 pulgadas
- 8-16 pulgadas
- 16-32 pulgadas
- 32-66 pulgadas
- 66-96 pulgadas

COAST RANGE
SIERRA NEVADA
COAST RANGE
Sacramento
Yosemite National Park
San Francisco
Mt. Whitney
Death Valley
PACIFIC OCEAN
Mojave Desert
Los Angeles
Colorado Desert
San Diego

42° N
40° N
38° N
36° N
34° N
124° W 122° W 120° W 118° W

0   100   200 mi.
0 100 200 300 km
Lambert Conformal Conic Projection

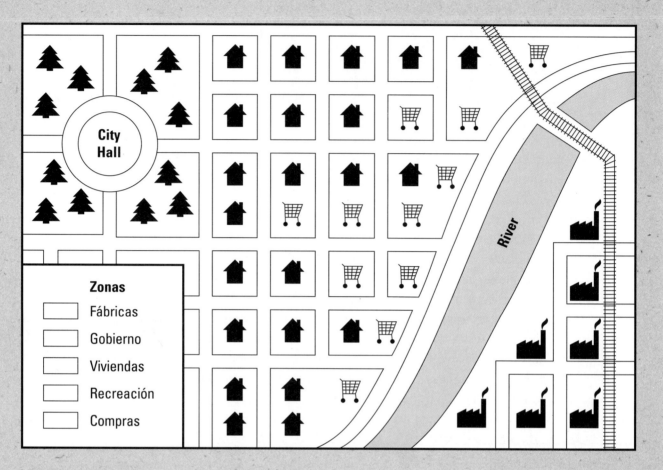

Zonas

- Fábricas
- Gobierno
- Viviendas
- Recreación
- Compras

2. ¿En qué región geográfica cae más precipitación, en las montañas del norte o en el valle Central?
3. Imagínate que quieres ir a una playa de California. ¿Habrá más sol en la costa norte o en la costa sur? ¿Por qué?
4. ¿Qué efecto tiene en la vegetación de cada región la cantidad de precipitación que cae?

Aplícalo

En la parte de arriba de esta página ves un mapa esquemático de una ciudad imaginaria. Los dibujos del mapa representan las actividades que se llevan a cabo en cada zona de la ciudad.

Haz una copia del mapa y de su leyenda. Traza límites para las cinco zonas: fábricas, gobierno, vivienda, recreación y compras. Colorea cada región de tu mapa con un color diferente. Recuerda que debes indicar en la leyenda qué zona representa cada color. Ponle un título al mapa.

Las preguntas siguientes te ayudarán a decidir dónde trazar los límites de las cinco zonas.

1. ¿Dónde están las zonas de compras en el mapa? Escoge un color para esa parte de la ciudad.
2. Los parques son lugares de recreación. ¿Dónde están los parques en el mapa? ¿Qué color escogerás para la zona de recreación?
3. El alcalde se reúne con las autoridades en la alcaldía *(City Hall)*. ¿Cómo le llamarías a esa zona de la ciudad?
4. ¿Dónde están las zonas de fábricas y viviendas? ¿Qué colores escogerás para estas zonas?

LECCIÓN 3

Los recursos de California

E l monte Lassen explotó. Entre 1914 y 1917, este volcán hizo erupción varias veces, arrojando toneladas de cenizas ardientes, piedras y roca fundida llamada lava. La lava hirviente derritió la nieve de la cumbre del monte Lassen. La tierra bajo la nieve se convirtió en lodo. Este lodo espeso bajó por las laderas como un río. Arrancó muchísimos árboles en el camino y cubrió los prados con hasta 20 pies de lodo.

La erupción del monte Lassen es un ejemplo de las poderosas fuerzas escondidas a lo largo del "Anillo de Fuego". El Anillo de Fuego que ves en el mapa es una enorme grieta en la corteza terrestre. Los volcanes se forman cuando sale el líquido caliente por esta grieta y abre un agujero en la superficie de la Tierra. Estos volcanes dan su nombre al anillo. Cuando los lados de la grieta se mueven y se frotan entre sí, se producen terremotos. El suelo tiembla y se forman grietas. En California, que es parte del Anillo de Fuego, se sienten estos terremotos y erupciones.

El monte Lassen todavía arde por dentro y los científicos siguen estudiándolo muy de cerca. Todos los demás volcanes de California se han enfriado. Pero todavía hay terremotos. Durante millones de años, los terremotos han cambiado la superficie de California con su potente fuerza.

TEMA CENTRAL

¿Qué recursos naturales hay en California?

Términos clave

- mineral
- recursos naturales
- recursos humanos

◀ *El monte Lassen hizo erupción el 14 de junio de 1914.*

La geografía de California

Recursos minerales de California

Hace millones de años, una gran parte de California estaba bajo agua. Todavía puedes encontrar conchas y huesos de ballenas en las cumbres de montañas muy altas. Las mismas fuerzas que causan los terremotos hicieron surgir montañas de los océanos hace muchísimo tiempo como, por ejemplo, la Sierra Nevada.

El calor y la fuerza que cambiaron la Tierra también formaron sustancias, como el petróleo y otros minerales, bajo la tierra. Los **minerales** son sustancias naturales que normalmente se encuentran bajo tierra. En California hay muchos minerales. Cada año se sacan más de 365 millones de barriles de petróleo de este estado. Otros minerales como el oro, el cobre, el hierro, la arcilla y el bórax se encuentran entre capas de rocas y arena en California. El bórax es una sal que se usa para hacer detergentes para lavar la ropa y que se encuentra en el valle de la Muerte.

Los minerales son uno de los recursos naturales de California. Los materiales útiles que se encuentran en la naturaleza se llaman **recursos naturales**. El mapa indica dónde se encuentran algunos de los recursos naturales más importantes de California.

Los seres humanos también somos recursos, es decir, **recursos humanos**. Tú, como cualquier otra persona que pueda trabajar o prestar un servicio, eres uno de los recursos humanos de California. ■

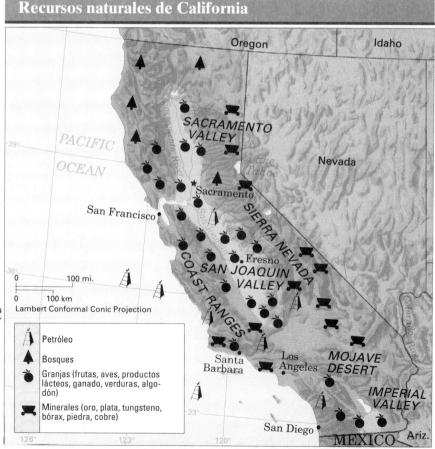

Recursos naturales de California

⚒ Petróleo

🌲 Bosques

🍎 Granjas (frutas, aves, productos lácteos, ganado, verduras, algodón)

⛏ Minerales (oro, plata, tungsteno, bórax, piedra, cobre)

100 mi.

100 km

Lambert Conformal Conic Projection

¿Sabías que tú eres un recurso? También lo son Nancy MacLean, la vigía del barco, y el jefe mojave Llewellyn Barrackman.

Has leído hace poco que hay muchos recursos naturales que utilizamos y de los que podemos disfrutar. ¿Pero sabías que todos nosotros somos también recursos? Cada persona es un recurso humano.

El término "recursos humanos" se refiere al valor o a la importancia de las personas. Cada persona tiene algún valor. Por eso todos los californianos son parte de los recursos humanos del estado. Esto nos incluye a todos: banqueros, apicultoras, científicos, bailarinas, carpinteros, niñas, niños, jugadores de básquetbol, dentistas y maestras. Algunos de los recursos humanos de California trabajan para desarrollar sus recursos naturales. Por ejemplo, hacen falta trabajadores para sacar petróleo de la tierra.

No hace falta que tengas un empleo para que seas un buen recurso. También somos

importantes por la ayuda que prestamos a nuestros amigos, familias o comunidades. Somos valiosos por las ideas, el sentido del humor, la amabilidad o la honestidad que tenemos. La mezcla tan interesante de personas que hay en California hace que el estado sea rico en recursos humanos.

Cómo cuidar los recursos de California

Probablemente en este mismo momento tienes cerca de ti algunos recursos naturales de California. Piensa en la luz del sol, por ejemplo. El sol, la tierra y el agua son recursos que los seres vivos necesitamos para crecer. Los seres vivos, incluyendo algunos animales y plantas, son recursos también. Algunos de estos recursos son importantes no sólo cuando los usas, sino cuando los dejas en paz. Los bosques de California son un buen ejemplo. Cada año miles de personas vienen a ver las enormes secoyas. Son uno de los árboles más grandes y más antiguos de la Tierra, y pueden alcanzar la altura de un edificio de 30 pisos y ser tan anchos como un camión. Algunas secoyas viven miles de años.

Los árboles no sólo son un espectáculo admirable, sino que también son el hogar de pájaros, venados, castores, osos y muchos otros animales silvestres. Cuando un incendio destruye un bosque, muchos animales se quedan sin hogar. En la página siguiente, en la sección titulada "En ese momento", leerás cómo los paracaidistas forestales arriesgan sus vidas para salvar árboles y animales.

Las piñas de las secoyas gigantes sólo miden dos o tres pulgadas de largo y sus semillas pesan menos que una pluma. De estas semillas diminutas crecen los árboles más grandes de la Tierra.

23

La geografía de California

Paracaidista forestal

4:13 P.M., 5 de julio de 1997
A 150 pies de altura, sobre el Bosque
Nacional Plumas de California

Paracaídas

Los bomberos no pueden ir en carro a estos incendios de las montañas, por eso bajan en paracaídas. Esta paracaidista, junto con otros nueve, tratará de impedir que se extienda el fuego.

Casco

Una ráfaga de aire caliente sopla a través de la máscara protectora de su casco. Ella escucha el crepitar y crujir de los pinos ponderosa al arder.

Paracaídas de repuesto

Si su paracaídas llegara a fallar, el de repuesto que lleva en esta bolsa puede salvarle la vida. Ella lleva, en total, unas 110 libras de equipo.

Ropa de trabajo

Bajo su traje de paracaidista lleva ropa a prueba de fuego. Cuando toque el suelo, en 10 segundos, se quitará el traje de paracaidista. Tendrá que conservar la calma aunque el aire lleno de humo está a más de 100 grados.

Bolsas de equipo

En estas bolsas puso provisiones para tres días: guantes, un casco protector, calcetines y una camiseta, una botella de agua y un cepillo de dientes.

La madera de los árboles es otro recurso natural. La madera se usa para hacer muchas cosas, desde casas hasta papel y lápices. Aunque necesitamos madera para muchos usos, es importante no destruir los bosques. Así, las personas en el futuro también podrán disfrutar de su belleza y tendrán bastantes árboles para obtener la madera que necesiten.

Agricultura y agua

Otro recurso importante de California es la agricultura. La agricultura produce más de 16 mil millones de dólares cada año para el estado. Este dinero proviene de las frutas y verduras, los productos lácteos, el algodón, el ganado, las nueces y los cereales. Las dos regiones agrícolas principales son el valle Central y el valle Imperial.

Los árboles, los cultivos, los animales y todos nosotros dependemos de uno de los recursos más importantes: el agua. Las personas usan agua para beber, bañarse, lavar la ropa y los platos y muchas otras cosas. California es un estado muy seco; por eso debemos tener cuidado de no desperdiciar el agua. De la misma manera que tenemos que cuidar los bosques para que otros los usen y disfruten en el futuro, también tenemos que cuidar y mantener limpia el agua. ■

■ *¿Por qué los árboles son un recurso que debemos proteger?*

R E P A S O

1. **TEMA CENTRAL** ¿Qué recursos naturales hay en California?

2. **RELACIONA** ¿Por qué es el clima de California un recurso natural?

3. **HISTORIA** ¿Por qué puedes encontrar conchas en la cumbre de algunas montañas de California?

4. **RAZONAMIENTO CRÍTICO** ¿Por qué crees que las personas podemos ser un peligro para los bosques de California?

5. **ACTIVIDAD** Trae a clase algo que esté hecho con un recurso natural de California y explica por qué lo escogiste.

¿Un valle o una represa?

> Me destroza el corazón ver la sierra y el hacha de las compañías madereras destruir las secoyas gigantes que existen desde antes de la llegada de los exploradores españoles.
>
> Naturalista John Muir

> ¿Tienen los habitantes de San Francisco que acortar el tiempo de su baño para que John Muir y sus amigos amantes de la naturaleza puedan pasear a gusto por los bosques? Nosotros creemos que no.
>
> S. F. Chronicle

▼ *En la foto vemos a John Muir* (a la derecha) *junto al presidente Theodore Roosevelt. Muir llevó a muchas personas importantes a visitar el valle de Yosemite. Escribió cartas a los periódicos para explicar la necesidad de conservar los recursos naturales de la nación.*

Infórmate

John Muir amaba tanto la naturaleza que en 1867 hizo un viaje de 1,000 millas a pie desde Indiana hasta el golfo de México. Por el camino recogió plantas, las dibujó y las describió en sus cuadernos. También hizo otros viajes por Norteamérica, Suramérica, Australia y África para estudiar la naturaleza.

A Muir se le conoce sobre todo por su trabajo en el valle de Yosemite de California. Sus estudios demostraron que todos los seres vivos dependen unos de otros. Él creía que si le haces daño a un ser vivo, a la larga puedes hacerle daño a todos los seres vivos. Muir vio que el valle de Yosemite estaba en peligro. Las compañías madereras cortaban secoyas gigantes que tenían cientos de años.

Muir comenzó un proyecto para declarar a Yosemite zona protegida. Como resultado, en 1890 Yosemite se convirtió en uno de los primeros parques nacionales del país.

Conflictos por el terreno

No todo el mundo pensaba igual que Muir acerca de cómo usar mejor el terreno y los recursos. En 1900, la ciudad de San Francisco pidió al gobierno de los Estados Unidos que construyera una represa en el valle de Hetch Hetchy en Yosemite. La gran represa de concreto encerraría las aguas del río Tuolumne. Así se crearía un depósito de agua tras la represa. San Francisco necesitaba el agua que se almacenaría en esa represa. La ciudad crecía y sus habitantes temían que no podrían sobrevivir sin las reservas de agua del valle de Hetch Hetchy.

Muir, por supuesto, se opuso con fuerza al plan. El agua encerrada inundaría el valle destruyendo el terreno y los árboles que daban refugio a millones de animales. Sugirió que la ciudad buscara otra fuente de agua. En 1908 los ciudadanos de San Francisco votaron a favor de la represa. El gobierno nacional también aprobó el plan. San Francisco obtuvo el agua para poder crecer, pero un hermoso recurso natural desapareció para siempre.

Hoy en día el valle Hetch Hetchy está inundado por las aguas del río Tuolumne.

Tu decisión

1. ¿Cuál era el argumento a favor de construir la represa?
2. ¿Cuál era el argumento en contra de construir la represa?
3. Si hubieras sido un ciudadano de San Francisco en 1908, ¿qué información hubieras buscado para votar?
4. Imagínate que tu comunidad se está quedando sin agua. Para encontrar nuevas fuentes de agua hay que destruir un recurso natural de la región. Como ciudadano, ¿qué crees que se debería hacer?

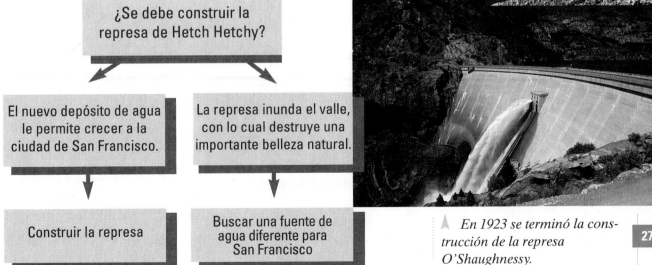

¿Se debe construir la represa de Hetch Hetchy?

El nuevo depósito de agua le permite crecer a la ciudad de San Francisco.

La represa inunda el valle, con lo cual destruye una importante belleza natural.

Construir la represa

Buscar una fuente de agua diferente para San Francisco

En 1923 se terminó la construcción de la represa O'Shaughnessy.

La geografía de California

Repaso del capítulo

Repaso de los términos clave

clima (p. 14)
continente (p. 5)
cordillera (p. 16)
frontera (p. 6)
geografía (p. 13)

globo terráqueo (p. 5)
mineral (p. 22)
recursos humanos (p. 22)
recursos naturales (p. 22)
región (p. 13)

A. Escoge el término clave que mejor completa cada oración.

1. En un ___ no puedes ver todos los continentes y océanos a la vez, porque es redondo.
2. La ___ entre California y México sigue la línea natural del río Grande.
3. El valle Central es una ___ donde se cultivan cientos de verduras y frutas.

4. Los desiertos llanos, las montañas elevadas y las costas rocosas son ejemplos de la ___ de California.
5. El bórax es un ___ que se encuentra en el valle de la Muerte.
6. Una ___ es una fila larga de montañas.

B. Escribe el término clave que describe cada grupo de palabras a continuación:

1. Norteamérica, Europa, África
2. frío y húmedo, cálido y soleado, caliente y seco
3. científicos, granjeros, niños
4. petróleo, madera, sol

Explora los conceptos

A. Copia esta tabla en una hoja de papel. Añade otra columna en la cual escribirás las respuestas a las preguntas sobre California.

Información acerca de California	
Ubicación	¿Dónde está California?
Regiones	¿Qué regiones tiene?
Clima	¿Cómo es su clima?
Recursos naturales	¿Cuáles son sus recursos naturales?
Recursos humanos	¿Cuáles son sus recursos humanos?

B. Escribe una o dos oraciones para contestar cada pregunta. Recuerda los detalles de este capítulo cuando respondas.

1. ¿Qué información te dan los mapas y globos terráqueos acerca de la Tierra?
2. ¿Cuáles son los dos países que tienen fronteras con los Estados Unidos?
3. ¿Por qué es cada una de las cuatro regiones geográficas de California un lugar especial?
4. ¿Cómo ha cambiado California por las poderosas fuerzas subterráneas?
5. ¿Qué recursos naturales necesita California para sus cultivos?

Repasa las destrezas

1. Lee el párrafo siguiente. ¿Qué oración expresa la idea principal del párrafo? ¿Qué oraciones te dan detalles que apoyan la idea principal?

   Las plantas y los animales del desierto de California obtienen el agua que necesitan de distintas maneras. Un arbusto llamado mezquite tiene raíces de casi 40 pies de largo que penetran profundamente en la tierra para buscar agua. La rata canguro recupera humedad de su propio aliento con su larga nariz. Otros animales del desierto obtienen agua de las plantas que comen.

2. Fíjate en el mapa de la vegetación de los Estados Unidos que aparece en la página 330 del Atlas. Este mapa indica el tipo de vegetación o plantas que crecen en cada región. Usa el mapa y su leyenda para contestar estas preguntas: ¿Cuántas regiones hay en el mapa? ¿Cómo lo sabes? ¿Qué color representa la región de pastos? ¿Qué color representa la región de bosques?

3. Una de las regiones de vegetación se llama tundra. ¿Qué libro te indicaría qué quiere decir la palabra *tundra?* ¿Dónde podrías buscar más información acerca de las plantas de esta región?

Usa tu razonamiento crítico

1. ¿Por qué es importante para los habitantes de California cuidar sus recursos naturales?

2. Miles de personas visitan California cada año. Explica por qué vendrían a visitar la región donde vives.

3. ¿Qué recursos naturales de California podrían usar otros estados?

4. El transbordador espacial aterriza en la Base Aérea de Edwards, en el desierto de California. ¿Por qué es el desierto un buen lugar para el aterrizaje?

Para ser buenos ciudadanos

1. **REDACCIÓN** Haz una tarjeta postal de un lugar de California que te gustaría visitar. Dibuja el lugar en una cara de la hoja, y escribe tres oraciones que lo describan en la cara de atrás. Escribe también el nombre y la dirección de una persona a quien le gustaría recibir tu postal.

2. **ACTIVIDAD ARTÍSTICA** Construye un modelo de plastilina de California. Primero dibuja el contorno de un mapa de California en un trozo de cartulina. Úsalo como base para el modelo. Construye los accidentes geográficos de California. Incluye montañas, desiertos, lagos y ríos. Fíjate en el mapa de California que aparece en la página 329 del Atlas si necesitas más información.

3. **TRABAJO EN EQUIPO** Trabaja con tu clase para hacer un juego sobre los mapas. Usen los mapas de los Estados Unidos de la página 322 a la 327 del Atlas. Cada alumno escribe dos preguntas acerca de los mapas, por ejemplo: ¿Qué estados están en la costa Oeste de los Estados Unidos? ¿Cuántos estados tienen fronteras con California? ¿Cuál es la capital de Montana? Escojan a una persona para que haga las preguntas. Los jugadores pueden mirar el mapa para contestar.

Capítulo 2

Los primeros californianos

La vida de los primeros pobladores de California estaba ligada a la naturaleza. Sus ceremonias celebraban las estaciones, el cielo y la tierra. Hoy en día, los científicos estudian objetos que usaron estos californianos para aprender más sobre ellos.

Las indígenas llevaban a sus nuevos hogares canastas y otros regalos que les hacían cuando se casaban. Las canastas eran objetos valiosos y algunas se usaban en las ceremonias.

Las primeras ceremonias se llevaron a cabo hace miles de años. Los jefes indígenas llevaban capas y sombreros de plumas en estas ceremonias.

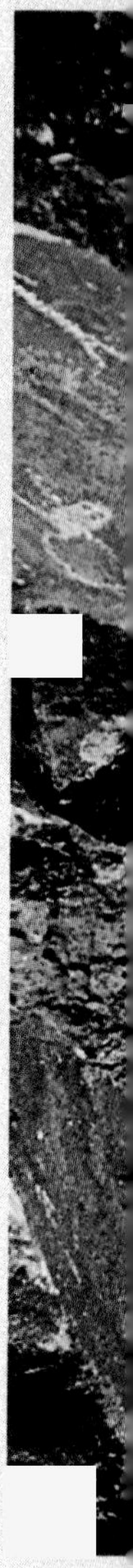

HACE 14,000 AÑOS	HACE 12,000 AÑOS	HACE 10,000 AÑOS	HACE 8,000 AÑOS

HACE 9,000 AÑOS, en el sureste de California vivían familias de cazadores.

30

HACE 14,000 AÑOS

Estas pinturas tienen 1,200 años. Nos dan pistas de cómo puede haber sido la vida de los primeros pobladores de California.

Esta figura de arcilla hecha por los mojave tiene 300 años y representa un bebé en su cuna tejida.

HACE 6,000 AÑOS	HACE 4,000 AÑOS	HACE 2,000 AÑOS	HOY

HACE 6,000 AÑOS, los indígenas de California usaban piedras para moler semillas para alimentarse.

1769

Los primeros pobladores de California

¿Cómo estudian los arqueólogos a los primeros pobladores de California?

Términos clave

- estrecho
- arqueóloga
- arqueólogo
- tribu

➤ *Un científico examina en un museo huesos del Período Glacial para una exposición en los pozos de La Brea.*

E stá amaneciendo. Las sombras de la noche comienzan a desaparecer del verde valle y la luz del sol se extiende sobre un gran lago. Un animal enorme sale de un matorral. ¿Qué animal será? Parece un enorme elefante color café, con pelo largo y colmillos grandísimos. Su larga trompa se balancea mientras avanza hacia el lago para tomar agua. El animal es un mamut. Cerca de allí, un rebaño de venados pasta pacíficamente.

De repente un gruñido rompe la paz. Un tigre de colmillos afilados ha venido a cazar. Sus dientes resplandecen con la luz. El mamut levanta la cabeza y con su trompa da la voz de alarma. El tigre sale de su escondite y se abalanza sobre los venados, pero éstos saltan y se alejan, escapando del tigre.

Hace 40,000 años animales como éstos vivían en el sur de California. Pero todavía no había seres humanos allí.

Llegan los primeros pobladores

Hoy en día es difícil imaginarse a California despoblada. Pero durante millones de años, en Norteamérica sólo vivieron animales. Después, hace unos 12,000 años, un grupo de cazadores llegó a lo que ahora es California. La línea cronológica de las páginas siguientes indica cuándo sucedió esto. Los cazadores primitivos eran descendientes de los que habían llegado a Norteamérica por tierra desde Asia.

Hoy en día no podrías hacer un viaje así. Asia y Norteamérica están separadas por una parte del océano Pacífico llamada el estrecho de Bering. Un **estrecho** es un pasaje angosto de agua que conecta dos masas grandes de agua. Durante el Período Glacial, un período de tiempo que duró desde hace casi dos millones de años hasta hace 12,000 años, el estrecho de Bering no existía. Una llanura unía los dos continentes. Los seres humanos, al igual que los animales, podían ir a pie de Asia a Norteamérica.

Las personas que cruzaron esta llanura desde Asia cazaban alces gigantes, antílopes y hasta mamuts. Se alimentaban de los animales que cazaban. Cuando los animales se trasladaban de un lugar a otro en Asia, los cazadores y sus familias los seguían. Cuando algunos de estos animales atravesaron la llanura para llegar a Norteamérica, algunos de los cazadores lo hicieron también.

Estos cazadores avanzaron lentamente hacia el sur de Norteamérica. Finalmente llegaron a diversas partes del continente, como puedes ver en este mapa. Algunos de ellos fueron los primeros pobladores de California. Se establecieron en las diversas regiones de California: en las montañas del norte, en los valles de los ríos, en la costa y así como en las zonas más secas del suroeste. ■

▼ *Los primeros cazadores de California usaban lanzas como ésta.*

▼ *¿Qué accidentes geográficos ves en este mapa?*

Movimiento humano hacia Norteamérica

ASIA

ARCTIC OCEAN

Bering Sea

Bering Strait

PACIFIC OCEAN

NORTH AMERICA

ATLANTIC OCEAN

Gulf of Mexico

SOUTH AMERICA

Extensión de la capa de hielo hace 18,000 años
Extensión de la capa de hielo hace 12,000 años
Senderos de emigración

0   1000   2000 mi.
0   1000   2000 km
Orthographic projection

■ *¿Por qué algunos habitantes de Asia cruzaron a Norteamérica?*

Huellas de la vida primitiva

▶ *Un descendiente de los primeros habitantes de Norteamérica talló en un hueso de ballena esta figura de una cazadora.*

No hay nada escrito acerca de la vida de estos primeros pobladores de Norteamérica. Pero dejaron muchas huellas de cómo vivían. Las **arqueólogas** y los **arqueólogos** son científicos que buscan huellas, o pistas, para comprender cómo vivía la gente hace mucho tiempo. Los arqueólogos excavan las capas de tierra con cuidado. Buscan cosas que los seres humanos hicieron y usaron hace muchos años. A veces encuentran trozos de cerámica, cuentas de collares o puntas de lanza. Luego se preguntan cómo se usaban esas cosas. Por ejemplo, una piedra afilada quizás servía para cortar carne o limpiar pieles de animales. Una olla de piedra quizás se usaba para moler semillas y nueces o para guardar comida. Un collar de conchas puede indicarnos cómo se adornaban las personas que lo hicieron y a qué le daban valor.

Los arqueólogos tratan de resolver misterios, igual que los detectives. Un arqueólogo llamado Stuart Streuver dirigió en 1970 una excavación en Illinois. Encontró grandes marcas redondas en la superficie de la tierra. Streuver había estudiado antes marcas como éstas. Sabía que indicaban los lugares donde antes estaban enterrados los postes de madera que sujetaban las paredes de las casas de los indígenas.

▶ *Durante cientos de años, los cazadores de la parte norte de Alaska han usado cuchillos como éste para cortar la carne.*

Hace 12,000 años	Hace 10,000 años	Hace 8,000 años

Hace 9,000 años aparecen en California los primeros cazadores. Hacen herramientas y puntas de lanza de piedra afilada.

Entre 15,000 y 12,000 años atrás, grupos de cazadores de Asia cruzan una llanura y llegan a Alaska. Son los primeros pobladores de Norteamérica y viajan hacia el sur.

Hace 7,000 años las tribus nómadas recogen plantas y semillas. Ya no dependen sólo de la caza para alimentarse.

Pero nunca antes había visto marcas tan grandes. Streuver les explicó a los trabajadores que lo ayudaron en la excavación la importancia de este hallazgo.

¿Se dan cuenta de que acaban de descubrir las primeras casas permanentes de Norteamérica? Se han encontrado moradas más antiguas, pero los agujeros eran muy pequeños y esto quiere decir que se usaban como refugio temporal. Los que construyeron estas casas en el año 5,000 a.C. (hace unos 7,000 años) cortaban árboles de ocho a diez pulgadas de diámetro para hacer estos postes. Nadie trabajaría tanto para construir un refugio temporal. ¡Estas casas tenían que durar muchos años!

Este descubrimiento ayudó a Streuver a comprender que estos indígenas habían dejado de ser errantes y de ir de un campo de caza a otro para establecerse en un lugar fijo.

A veces los arqueólogos se confunden con las pistas que descubren. En el desierto del sureste de California, encontraron que tienen unos círculos grandes de donde se han quitado las rocas. Algunos arqueólogos piensan que los círculos se usaban en las ceremonias religiosas. Otros piensan que eran campamentos para cazadores. Si se encuentran más pistas, quizás se resuelva el misterio de esos círculos. ∎

Los pobladores se agrupan en tribus

Los arqueólogos han estudiado los lugares donde habitaban las personas para saber cómo vivían. Los primeros pobladores de California vivían en pueblos junto a la costa o junto a ríos y arroyos.

Hace 6,000 años	Hace 4,000 años	Hace 2,000 años	Hoy

Hace 2,000 años los pueblos indígenas se agrupan en colonias permanentes. Hacen herramientas especiales con huesos y cuernos de animales.

Hace 500 años los yurok y otras tribus construyen baños de vapor en sus comunidades. Los indígenas se relajan en estos baños. Los ritos y el tiempo de descanso son algo importante para estas culturas. Cristóbal Colón descubrió las islas del Caribe y las llamó "las Indias". Los exploradores europeos llamaban indios a los habitantes de las islas.

Tribus indígenas de California

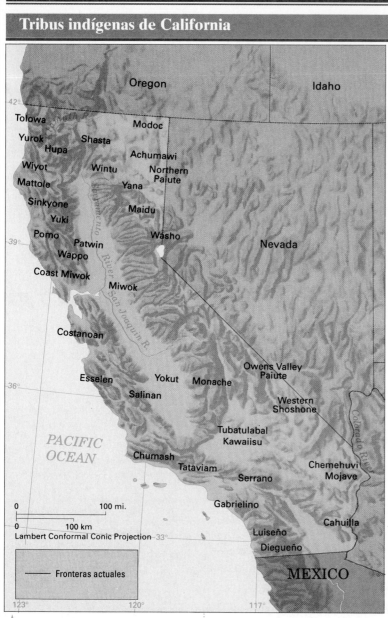

Oregon
Idaho
Tolowa
Modoc
Yurok
Shasta
Hupa
Achumawi
Wiyot
Wintu
Northern
Mattole
Yana
Paiute
Sinkyone
Maidu
Yuki
Washo
Pomo
Nevada
Patwin
Wappo
Coast Miwok
Miwok
Costanoan
Owens Valley
Paiute
Esselen
Yokut
Monache
Salinan
Western
Shoshone
PACIFIC
OCEAN
Tubatulabal
Kawaiisu
Chumash
Chemehuvi
Tataviam
Mojave
Serrano
Gabrielino
0   100 mi.
Cahuilla
0   100 km
Luiseño
Lambert Conformal Conic Projection
Diegueño
MEXICO
—— Fronteras actuales
123°   120°   117°

▲ *¿Qué tribus vivían cerca de donde tú vives ahora?*

■ *¿Qué es una tribu?*

Los primeros pueblos tenían entre 300 y mil habitantes. A medida que los pueblos crecían, no siempre encontraban suficientes animales y plantas para alimentarse. Por eso algunas personas se iban a construir nuevos pueblos donde pudieran conseguir más alimentos. Muchas veces, los hombres y las mujeres se casaban con alguien de otro pueblo cercano que pertenecía a la misma tribu. Una **tribu** es un grupo de personas que viven en la misma región y están relacionadas entre sí. La tribu yurok, por ejemplo, vivía en 50 pueblos repartidos a lo largo del río Klamath y de la costa del Pacífico. Los miembros de una tribu hablan el mismo idioma y tienen creencias religiosas similares.

En 1492 vivían en California más de 100 tribus, desde las montañas del norte hasta los desiertos del sur. El mapa muestra dónde vivían algunas tribus en California en aquella época. Los exploradores europeos pensaban que estaban en la India cuando llegaron a las Américas. Por eso llamaron indios a los pobladores que encontraron. Ahora no les llamamos indios, sino indígenas o amerindios.

R E P A S O

1. **TEMA CENTRAL** ¿Cómo estudian los arqueólogos a los primeros pobladores de California?

2. **RELACIONA** Compara el mapa de las tribus con el mapa de regiones de California del Capítulo 1. ¿En qué región vivían las tribus pomo y cahuila? ¿Qué recursos naturales tenía cada tribu?

3. **SISTEMAS SOCIALES** Casi todo el mundo hoy en día vive en grupos, pero pocos grupos se llaman tribus. ¿A qué grupos perteneces tú?

4. **RAZONAMIENTO CRÍTICO** ¿Qué pensarán los arqueólogos dentro de 1,000 años cuando estudien los objetos que usamos nosotros ahora?

5. **REDACCIÓN** Imagínate que eres uno de los primeros pobladores de California. Explica en una página de tu diario por qué has quitado todas las piedras de un círculo grande de tierra en el desierto.

L E C C I Ó N   2

Aprender de la tierra

*L*as Nuevas Personas que creó Coyote vieron que la tierra era buena y que había alimento abundante. Aprendieron a vivir observando a los animales. De la garza aprendieron a pescar. De la trucha aprendieron a nadar. El venado les enseñó a correr velozmente. Las hormigas les enseñaron a trabajar en grupo. Las mujeres indígenas aprendieron a tejer canastas observando cómo hacían sus nidos los pájaros.

Las Nuevas Personas aprendieron a vivir en la Nueva Tierra siguiendo el ejemplo de todos los animales, grandes y pequeños. Miraban al Sol y daban gracias por su luz y su calor y porque hacía crecer a las plantas. Y bailaban para dar gracias por el mundo en que vivían.

Helen Bauer, *California Indian Days*

T E M A
CENTRAL

¿Por qué los indígenas de California comerciaban con otras tribus?

Términos clave

- leyenda
- comerciar
- comunidad

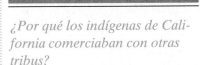

▲ *Escudo de indígenas suramericanos hecho con recursos naturales.*

Ésta es una de las muchas leyendas que los niños indígenas escuchan de sus padres y abuelos. Ya sabes que una leyenda es la parte de un mapa que explica el significado de los símbolos. En esta lección aprenderás que una **leyenda** es también una historia que las personas mayores cuentan a los niños a lo largo de los años. Las leyendas explican las creencias de un pueblo y cómo ese pueblo ve el mundo. Muchas leyendas tratan de la relación entre el ser humano y la naturaleza.

En esta lección aprenderás cómo usaron los recursos naturales los primeros pobladores de las regiones de California. Cada tribu vivía según las plantas, los animales y la geografía de su región.

37

Los primeros californianos

Los yurok: pescadores de salmón

En el rincón noroeste de California el río Klamath se precipita desde las montañas al océano. Las secoyas gigantes coronaban hace muchos años los pueblos de los yurok. La región ofrecía muchos recursos naturales a esa tribu. Los yurok buscaban almejas y pescaban en el mar. Recogían frutas y bellotas para comer. Otro alimento importante para los yurok era el salmón.

En la primavera, miles de salmones remontaban el río Klamath desde el océano. La primera persona que los veía daba la noticia a gritos. Entonces todos se preparaban para trabajar durante varios días. Los yurok usaban lanzas y encañizadas para atrapar los salmones. Una encañizada es una cerca de cañas. Los yurok ponían encañizadas de lado a lado del río para que los salmones no saltaran río arriba. Cuando había muchos salmones detrás de la encañizada, los yurok pescaban con lanzas. Las mujeres limpiaban el pescado, lo secaban al sol y lo guardaban en cestas. Después del trabajo, los yurok bailaban para dar gracias por la pesca.

Cuando terminaba la pesca, los yurok viajaban por la costa en canoas hechas con la madera de las secoyas para comerciar con sus vecinos. **Comerciar** quiere decir intercambiar, o dar algo a otra persona a cambio de otra cosa que esa persona nos da. Cuando los yurok comerciaban, daban salmón seco y recibían conchas de dentalio. Como era difícil encontrar esas conchas, los yurok las valoraban mucho.

Con ellas hacían cuentas que usaban como dinero. Entre los yurok una persona que tenía varias hileras de cuentas de concha de dentalio era rica. Los yurok intercambiaban las cuentas y el salmón por ollas de piedra o herramientas que no podían hacer con recursos que tenían. Otras tribus de California también usaban estas conchas como dinero.

En esta lección podrás leer una historia acerca de una hilera de cuentas de concha. Empieza con una muchacha yurok que intercambió sus cuentas por una flauta. Después de muchos intercambios, las

▲ *Las secoyas gigantes, llamadas en inglés redwoods, se encuentran en la costa noroeste de California. Los yurok cortaban planchas de madera para hacer sus casas. También excavaban troncos de estos abetos para hacer grandes canoas.*

➤ *Estas conchas de dentalio fueron halladas en la costa noroeste de California. Muchas tribus usaban cuentas de conchas como dinero. Las hileras más largas de cuentas eran muy valiosas.*

cuentas llegaron a manos de un jefe chumash. Leerás el resto de la historia a medida que estudies el comercio de varias tribus de aquella época en California. ■

■ *¿Cuáles eran los recursos naturales más importantes para los yurok?*

Los chumash: fabricantes de canoas

Los chumash vivían en pueblos de la costa de California, cerca de lo que es ahora la ciudad de Santa Bárbara. También pescaban en el océano para alimentarse, pero no salmón, sino cangrejos y almejas. Los chumash también cazaban nutrias que nadaban cerca de la costa. Intercambiaban las pieles de las nutrias que cazaban por herramientas o alimentos con otras tribus.

Los pueblos chumash variaban en cuanto al número de habitantes. En algunos vivían hasta mil personas. Cada pueblo grande elegía a un jefe. A veces varios pueblos pequeños elegían a un jefe común. Un grupo de personas que viven juntas y tienen el mismo jefe se llama **comunidad.** El jefe supervisaba todo lo que sucedía en la comunidad. Cuando las personas desconocidas querían cazar en las tierras de la comunidad, tenían que pedirle permiso al jefe. El jefe era generalmente un hombre que heredaba el puesto de su padre. Pero si un jefe chumash no tenía hijos varones, a su muerte una hija mujer podía ser la jefa de la comunidad.

Los chumash tenían un recurso especial que la mayor parte de las otras tribus no compartían. En algunas de sus tierras salía alquitrán, o brea, del suelo. Los chumash usaban el alquitrán para sellar las canastas para que no les entrara agua. También usaban alquitrán para sellar las grietas de sus grandes canoas de madera.

Entre todos los indígenas de California los chumash fueron los mejores fabricantes de canoas. Sus canoas, o *tomols,* eran como la que ves en esta página. Los chumash recogían trozos de secoya que encontraban en la orilla del mar. Con esta madera hacían tablas para construir las canoas y así podían remar por el canal de Santa Bárbara hasta llegar a islas que quedaban a 30 millas de distancia. Allí intercambiaban pieles de nutria por herramientas de piedra.

▼ *Los chumash hacían canoas con tablas de secoya que unían con cuerda de algodoncillo. Sellaban las uniones entre las tablas con alquitrán, o brea. Cada canoa tenía por lo menos un remo doble de abeto. Decoraban las canoas con pinturas de colores, representando leyendas de la tribu.*

Los primeros californianos

Un día el jefe chumash que tenía las cuentas de concha se enteró de que seis mojaves habían venido a su pueblo a comerciar. El jefe corrió a saludarlos, trayendo las cuentas de concha. Esperaba intercambiarlas por algo nuevo que trajeran los mojave. ■

Los mojave: agricultores del desierto

El jefe chumash sabía que los mojave vivían lejos del mar, en una región diferente de la de su tribu. Había oído historias de esa tierra caliente y arenosa que estaba al sureste. En los senderos y en los pueblos mojave crecían pinos chaparros y cactos. Los mojave construían casas grandes y rectangulares con techos de hierba cubierta de barro. El barro y la hierba protegían las casas del calor y las mantenían frescas durante el verano.

Aunque la región donde vivían era muy seca, los mojave tenían agua. El río Colorado, que pasaba por algunas de las tierras donde vivían los mojave, era un recurso muy importante. Cada primavera, el río inundaba sus orillas, dejando una fina capa de barro sobre la tierra que lo rodeaba. En este suelo tan rico, los mojave cultivaban calabacitas, melones, calabazas y maíz. Eran una de las cuatro tribus de California que cultivaban plantas junto a un río. Si durante una primavera no llovía y el río no se inundaba, los mojave pedían ayuda a uno de los miembros de la tribu, el brujo. El brujo reunía a la comunidad y pedía a los espíritus del cielo que hicieran llover para que crecieran las cosechas y hubiera así alimentos. El brujo cantaba y bailaba mientras que rezaba.

Los mojave no dependían solamente de sus cosechas. Pescaban en el ancho río y cazaban conejos,

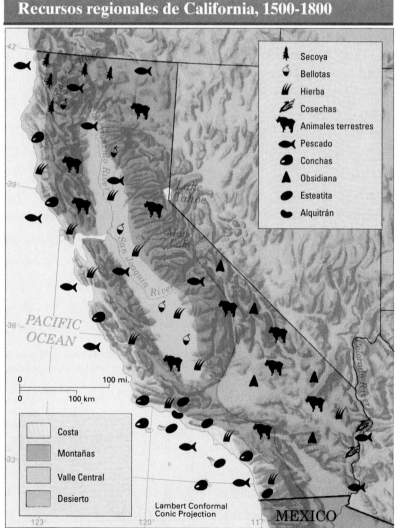

Recursos regionales de California, 1500-1800

Secoya
Bellotas
Hierba
Cosechas
Animales terrestres
Pescado
Conchas
Obsidiana
Esteatita
Alquitrán

Sacramento River
Lake Tahoe
Mono Lake
San Joaquín River
PACIFIC OCEAN
Colorado River
MEXICO

0   100 mi.
0   100 km

Costa
Montañas
Valle Central
Desierto

Lambert Conformal Conic Projection

▲ *¿Cuál de los recursos de los chumash sería difícil de encontrar en la región del desierto?*

◄ *Un agricultor de la tribu hopi de Arizona cultiva el maíz como lo hacían los mojave.*

cabras montesas, mapaches y zorrillos. También comerciaban con otras tribus las cosas que ellos no podían hacer con los recursos que tenían en el desierto, como ollas de madera, cucharas de cuerno y cuentas de conchas de dentalio.

El jefe chumash se reunió con los comerciantes que habían traído muchos alimentos de sus tierras en el desierto. Tenían calabacitas amarillas secas, maíz y calabazas. El jefe chumash intercambió las cuentas de conchas por dos canastas de calabaza seca, un alimento delicioso que los chumash no podían obtener en su tierra.

Los comerciantes mojave tenían que recorrer más de 150 millas a pie para regresar a su tierra en el sureste del desierto. A lo largo del camino se detenían para comerciar con otras tribus. Las cuentas de dentalio que habían viajado por la costa desde la parte noroeste de California hasta el jefe chumash, finalmente acabaron en manos de una tribu del sur que vivía cerca de los mojave. Las cuentas habían viajado de una tribu a otra, atravesando diversas regiones con recursos naturales diferentes. ■

■ *¿En qué se diferenciaban los mojave de otras tribus?*

R E P A S O

1. **TEMA CENTRAL** ¿Por qué los indígenas de California comerciaban con otras tribus?

2. **RELACIONA** ¿Cómo saben las arqueólogas de hoy que los yurok, los chumash y los mojave comerciaban entre sí?

3. **RAZONAMIENTO CRÍTICO** Fíjate en el mapa de recursos de la página 40. ¿Cómo usaban los indígenas de California los recursos naturales que ves en el mapa?

4. **GEOGRAFÍA** Sigue la ruta del collar de cuentas de dentalio usando el mapa de la página 328 del Atlas. Indica los nombres de algunas ciudades modernas en esta ruta.

5. **ACTIVIDAD** Inventa una leyenda que cuente cómo aprendieron los chumash a hacer canoas. Los personajes principales serán animales de la región. Cuéntales la leyenda a tus compañeros.

Los primeros californianos

Organizar información

¿Por qué?

En este capítulo has aprendido cómo usaban las tribus indígenas los recursos naturales de sus regiones. Si organizas esta información en una tabla, recordarás mejor lo que has aprendido.

¿Cómo?

Fíjate en la tabla de la derecha. Bajo el título "Tribu" aparecen los nombres de tres tribus. La próxima columna tiene el título "Alimentos". En esa columna ves los alimentos que comía cada tribu. Fíjate en la tabla para contestar estas preguntas: ¿Qué tribu comía verduras? ¿Qué tribus comían almejas?

Practica

Tú puedes hacer tus propias tablas para organizar, comparar y recordar información. Empieza por copiar la tabla de esta página. No olvides hacer casillas bastante grandes para poder escribir toda la información. Añade otras tres columnas con los títulos "Maneras de viajar", "Comercio: lo que daban" y "Comercio: lo que recibían". Ahora fíjate en las páginas 37 a 41. Lee y apunta datos para incluirlos en las columnas apropiadas de la tabla. Después contesta estas preguntas:

1. ¿Cómo viajaba cada tribu?
2. ¿Qué cosas comerciaba cada tribu con las demás para conseguir los objetos que quería?

Tribu	Alimentos
Yurok	Almejas, salmón y otros peces, frutas, bellotas
Chumash	Cangrejos, almejas
Mojave	Calabacitas, calabazas, melones, maíz, pescado, animales pequeños

3. ¿Cuál de éstos sería el mejor título para tu tabla?
   a. Así vivían los indígenas de California
   b. Tres tribus indígenas
   c. Maneras de vivir

Aplícalo

Imagínate que estás preparando un viaje a otro estado. Indica tres estados que te gustaría visitar en una columna titulada "Estado". Haz dos columnas más con los títulos "Clima" y "Lugares para visitar". Hallarás esta información en el Atlas o en una guía de viajes. Ponle un título a tu tabla. Basándote en lo que has aprendido, ¿cuál de los tres estados te gustaría más visitar?

1300   1400   1500   1600   1700   1800

c.1769

L E C C I Ó N 3

La vida en un pueblo indígena

Un grupo de niños se ha reunido alrededor de un círculo trazado en la tierra. Juegan con un palo que tiene punta de piedra y con dos aros. Un niño llamado Wokna le da vueltas al palo en las manos, preparándose para hacer un difícil lanzamiento. Finalmente alza el palo sobre el hombro, como una lanza. Dos niños parados en lados opuestos del círculo sostienen los aros. Al mismo tiempo, echan a rodar los aros uno hacia el otro. Wokna mira los aros que van a cruzarse en medio del círculo. Espera . . . espera . . . ¡AHORA! Arroja el palo con toda su fuerza. El palo pasa perfectamente a través de los dos aros a la vez. Los demás niños celebran la proeza de su amiguito. Wokna sonríe mientras pone una piedrita sobre una roca para marcar el tanto.

TEMA CENTRAL

¿Cómo aprendían los niños miwok de las personas mayores?

Términos clave

- ceremonia
- tradición

◄ *Los niños miwok jugaban a un juego con aros, como vemos en este grabado.*

43

Los primeros californianos

Actividades cotidianas

El juego con el palo y los aros preparaba a los niños para cazar con lanzas cuando fueran mayores. Los niños indígenas aprendían muchas cosas jugando o ayudando a las personas mayores.

Fíjate en el pueblo miwok del dibujo que aparece en la página siguiente y lee qué hacía la gente de ese pueblo hace 200 años. Este pueblo de Gualacomne se encontraba en la orilla este del río Sacramento, al sureste del territorio yurok y a unas 400 millas al noroeste del territorio mojave. El valle estaba bordeado por bosques de robles. Allí vivían casi 200 personas en casas de tierra con tejado redondo. Éstas estaban situadas alrededor de una casa comunal, grande y redonda, y también había una casa con un baño de vapor.

Algunos miwok tenían oficios especiales. Un hombre hacía puntas de flecha con una piedra negra brillante llamada obsidiana. Los niños miwok aprendían a hacer esas puntas afiladas de obsidiana observando cuidadosamente a ese hombre mientras que trabajaba. Otros hombres pescaban con lanzas, hacían cestas para atrapar peces o hacían arcos. Los muchachos aprendían todo eso también. Además aprendían a hacer sus propias flechas con tallos de hierba seca.

Las niñas miwok aprendían mientras que ayudaban a sus madres. Juntas recogían frutas y nueces en los prados y los bosques. Las madres enseñaban a las hijas qué plantas se podían comer y cuáles eran venenosas. El dibujo de la derecha muestra a las mujeres en la orilla enjuagando canastas llenas de bellotas molidas. Las lavan para quitarles el sabor amargo. Otras mujeres tejen canastas con hierbas y cañas que han recogido cerca del río. Usan las canastas para recoger, cocinar y guardar la comida. Las muchachas mayores ayudan a las madres a cuidar a las niñas y los niños pequeños. Las niñas juegan con muñecas hechas de paja y palitos.

▼ *Los indígenas de California hacían muchas clases de bellas y útiles canastas.*

Gorros de cesta Las mujeres miwok se protegían la cabeza con estos gorros para transportar cargas pesadas en la espalda y que balanceaban con una banda atada a la frente.

La canasta pomo de la izquierda tiene conchas y plumas.

La trampa pomo para pescar está hecha con palitos entretejidos.

Los niños miwok aprendían muchas cosas de sus actividades cotidianas. También aprendían en las ceremonias que celebraban durante el año. ■

▲ ¿Qué recursos naturales utilizan los miwok que ves en esta figura?

■ ¿En qué se diferencian las actividades de un pueblo mojave de las de un pueblo miwok?

Parte de la comunidad

En las ceremonias los niños aprendían muchas cosas acerca de su tribu y su modo de vida. Una **ceremonia** es un acto planeado que se celebra en una ocasión especial, como una boda o un día festivo. Los vecinos al norte de los miwok, los maidu, cantaban la siguiente canción durante el otoño. En una ceremonia especial, los maidu pedían a los espíritus que dieran su bendición a la cosecha de bellotas.

Las bellotas bajan del cielo.
Planto bellotas pequeñas en el valle.
Planto bellotas grandes en el valle.
Yo brotaré, yo, la bellota negra, brotaré.

Canción maidu de hace 100 años.

Los primeros californianos

Bellotas

En el otoño, las bellotas caen de los robles al suelo del bosque. Todos los miwok ayudaban a recoger bellotas porque eran un alimento importante para la tribu. Para prepararlas seguían estos pasos:

Las familias miwok recogían bellotas del suelo en estas canastas. En una hora, una familia de cuatro personas podía recoger más de 250 libras de bellotas.

Después de quebrar la cáscara, los miwok sacaban la pulpa de la bellota. La aplastaban entre dos piedras para hacer una pasta llamada "chemuck". Las mujeres ponían el chemuck en una canasta grande y lo enjuagaban con agua para quitarle el sabor amargo.

Para cocinar el chemuck, los miwok ponían piedras calientes y agua en la cesta. Tenían que revolver la mezcla muy rápido para que las piedras no quemaran la cesta. Finalmente, la familia comía de la cesta usando conchas o trozos de cuernos como cucharas. A veces comían el chemuck con piñones o frutas de junípero.

46

Igual que los maidu, todos los miwok se reunían para celebrar una buena cosecha, un nacimiento o una boda. En estas reuniones los niños aprendían las tradiciones de su comunidad. Una **tradición** es una manera de hacer las cosas que las personas mayores enseñan a las más jóvenes. Las diferentes formas de vestir o de celebrar las ceremonias son ejemplos de tradiciones. Las canciones, leyendas y creencias forman parte también de la tradición.

Varias veces al año, los miwok celebraban ceremonias religiosas con la esperanza de conseguir suficientes alimentos. La comunidad se reunía en una gran casa redonda como la que aparece en la página 45. En esa casa contemplaban las danzas ceremoniales que se hacían sobre el suelo de tierra cubierto de ramas de sauce. Los bailarines llevaban bandas de plumas de colores en la cabeza. Los indígenas se ponían plumas de ave para las ceremonias porque creían que los pájaros tenían poderes especiales. Los bailarines usaban sonajeros hechos con trozos de madera partidos por el centro. Las dos mitades chocaban cuando los bailarines las sacudían. Otras personas marcaban el ritmo de la danza golpeando tambores con los pies. Hacían los tambores poniendo tablas de madera sobre hoyos que cavaban en el suelo.

Durante cientos de años, los indígenas de California conservaron las tradiciones de sus comunidades. Ellos no podían imaginar entonces lo mucho que iban a cambiar sus vidas en muy poco tiempo. ■

En otros tiempos

Hoy en día muchos miwok viven en comunidades llamadas rancherías. La ranchería Tuolumne es un grupo pequeño de familias miwok que viven una vida moderna pero conservan muchas de sus tradiciones. La comunidad todavía utiliza una casa de baños de vapor y otra para sus danzas. Pero los miwok también han construido un edificio municipal para la tribu y una clínica médica y dental.

■ *¿Cómo reflejan las tradiciones y las ceremonias de los indígenas su relación con la naturaleza?*

R E P A S O

1. **TEMA CENTRAL** ¿Cómo aprendían los niños miwok de las personas mayores?
2. **RELACIONA** Si los arqueólogos descubrieran un pueblo miwok como el del dibujo de la página 45, ¿qué encontrarían?
3. **CULTURA** Describe los pasos que seguían los indígenas de California para preparar alimentos con bellotas.
4. **RAZONAMIENTO CRÍTICO** Piensa en una ceremonia a la que asistes con tu familia o en una tradición familiar. Describe esa ceremonia o tradición y compárala con las de las familias de tus compañeros.
5. **ACTIVIDAD** Fíjate en las canastas que aparecen en la página 44. Haz un dibujo que muestre cómo usarían los miwok una de estas canastas.

Cómo trajo Coyote peces al lago Claro

Anne Fisher

La tribu pomo vivía en el noroeste de California, como los miwok de los que trata la Lección 3.

sequía Un período largo sin lluvia.

¿De dónde vienen las estrellas? ¿Qué causa los terremotos? Las leyendas indígenas contestan éstas y muchas otras preguntas acerca de la vida humana y la naturaleza. Estas historias tienen miles de años. Cuando leas la historia de origen pomo sobre Coyote y los saltamontes, hazte la pregunta, "¿Qué nos explica esta leyenda sobre la naturaleza?"

Hace mucho tiempo hubo una sequía terrible. Los indígenas bailaron y bailaron para el Guardián de la lluvia, pero no pasó nada. Los brujos de la tribu cantaron pidiendo lluvia, pero la lluvia no llegó.

Se secaron los lagos. Se secaron los arroyos. Se secaron los ríos.

Los halcones volaban sedientos, con los picos abiertos de tanto calor.

Los arrendajos protestaban desde las copas de los árboles abrasados por el sol, porque no había agua.

Las ranas tenían las gargantas tan secas que no podían croar.

¡Por si fuera poco, llegó un gran enjambre de saltamontes ruidosos de color café! Llegaron tantos saltamontes que formaron una nube que tapó el sol y oscureció el cielo. Se frotaban las alas y las patas con un zumbido que asustaba a los bebés.

Los saltamontes cubrieron la tierra haciendo ruido y comiéndose toda la hierba, de modo que los indígenas no podían recoger las semillas que necesitaban para hacer una harina que llamaban *too*.

Los bebés lloraban de hambre. Los padres y las madres fueron a cazar y a buscar nueces y frutas. Pero las nueces y las frutas se habían secado. Los venados se habían marchado. No había peces porque los lagos y los ríos se habían secado.

Coyote recorría la tierra buscando comida y un sorbito de agua para su garganta reseca.

—Si esta sequía sigue y Sol arde tanto, los bigotes se me van a marchitar y a caer y la cola se me va a chamuscar y me veré espantoso.

chamuscar Quemar.

Cuando vio a los indígenas y a los bebés hambrientos, se olvidó de sus propios problemas. Coyote quería mucho a los indígenas y a sus niños.

—Tiene que haber algo que podamos hacer para encontrar comida —pensó. —No es posible que el Gran Espíritu quiera que todos pasemos hambre y sed.

Un día se sentó y miró hacia el cielo. Miró tan alto que se le estiró el cuello seis pulgadas más de lo normal.

Coyote preguntó al Gran Espíritu: —¿No podrías enviar a la tierra alimento y agua?— Y esperó a que el Gran Espíritu susurrara la respuesta en su gran oreja amarilla.

—Come saltamontes. Son muy ricos, aunque dejen manchas de jugo pardo en la hierba y hagan tanto ruido —dijo el Gran Espíritu.

—¡Puaj! A mí no me parecen ricos los saltamontes —se quejó Coyote.

—Los saltamontes son jugosos. No puedes juzgar el sabor de una cosa por su aspecto. Yo envié los saltamontes a la Tierra y yo nunca envío nada que no sea útil para algo. ¡Cómelos y verás! —susurró el Gran Espíritu.

Coyote sacudió la cabeza. Los saltamontes le parecían muy duros. —Me van a raspar la garganta al tragarlos —se quejó.

—¡Deja de pensar sólo en tu estómago! Recuerda lo mucho que quieres a los indígenas y que están pasando hambre y sed. Piensa en los niños. Quieres ayudarlos, ¿verdad? —dijo el Gran Espíritu.

Coyote tuvo que admitir que el llanto de los niños pomo no lo dejaba dormir por la noche y le daba mucha pena.

—Entonces, come los saltamontes por ellos al menos, si no por ti —dijo el Gran Espíritu a Coyote—. Los milagros suceden cuando los seres hacen algo que no quieren hacer y lo hacen por los demás.

En ese momento, Coyote oyó el llanto lastimero de un niño indígena que tenía hambre y sed.

Respiró hondo y se tapó su enorme nariz con una pata, mientras que con la otra agarraba unos pocos saltamontes ruidosos.

Rápidamente se metió al gaznate los ruidosos saltamontes y se los tragó enteros.

gaznate Garganta.

No eran tan malos después de todo y su estómago vacío se sintió mejor, pero raspaban y cosquilleaban en las entrañas.

—¡Come más saltamontes! —le ordenó el Gran Espíritu—. Cuantos más comas, más semillas crecerán para que los indígenas hagan su harina.

Coyote hizo una mueca, tomó aliento y agarró muchos más saltamontes y se los tragó hasta que tuvo el estómago bien lleno.

Los saltamontes se retorcían en su interior. Miró alrededor y vio algunos más. Pensó en los niños indígenas hambrientos, pero no le cabían más saltamontes en el estómago.

—He hecho todo lo que he podido por los indígenas comiendo saltamontes para que los saltamontes no se coman las semillas — dijo al Gran Espíritu—. Pero no puedo comer ni uno más.

El Gran Espíritu susurró de nuevo. —Has hecho bien, Coyote. No importa que queden unos pocos saltamontes. Mira hacia atrás y fíjate en el terreno árido, donde antes estaba el lago Claro.

Coyote estaba tan lleno que casi no podía moverse. Pero haciendo un esfuerzo, consiguió retorcerse y mirar hacia atrás, por encima de su hombro izquierdo.

Allí, en medio del hoyo seco que había sido un lago, había un brote de agua. ¡Una fuentecita burbujeando agua!

—Ahora excava en esa fuente. A medida que excaves, irá saliendo más agua para los indígenas pomo —le dijo el Gran Espíritu.

—¡Pero si no me puedo mover! —se quejó Coyote—. ¡Estoy lleno de saltamontes que me raspan el estómago!

—¡Otra vez pensando en tu estómago! No quieres a los pomo tanto como me hiciste creer, o te moverías para traerles agua y alimento —dijo tristemente el Gran Espíritu.

Justo entonces un bebé indígena, Kalot, se echó a llorar pidiendo agua y comida.

Coyote pensó en Kalot y se olvidó de que su estómago estaba lleno de saltamontes. Pensó en la cantidad de gente que podría ayudar si consiguiera llegar a la fuente y excavar.

Entonces se deslizó sobre el estómago, impulsándose con las patas. Hizo fuerza con todos sus músculos y lentamente, se fue acercando a la fuente.

Cuando Coyote pensaba en su estómago no se podía mover. Pero cuando pensaba en los pobres indígenas, sí podía hacerlo.

árido Seco.

Recuperaba nuevas fuerzas como si hubiera un espíritu misterioso dentro de su cuerpo.

—Así suceden los milagros. Yo sabía que tenías un gran corazón, Coyote. Tan grande que te podrías olvidar de ti mismo —susurró el Gran Espíritu.

Coyote se animó. Se retorció. Se arrastró. Avanzó con todas sus fuerzas hacia la fuente.

Finalmente, a la puesta del sol, después de mucho retorcerse y arrastrarse, Coyote llegó a la fuente. Aunque estaba exhausto, comenzó a excavar.

A medida que excavaba con las patas delanteras, sentía más fuerzas y podía excavar más. Pronto el agua comenzó a brotar formando un arroyo, y pudo beber.

Quería correr a decirle a los indígenas —¡Agua! ¡He encontrado agua!— Pero su estómago le pesaba mucho y estaba muy cansado de tanto trabajar.

—Tengo que llegar como sea hasta donde están los indígenas. Los pobres pomo necesitan agua.— Jaló y empujó pero tenía las patas tan débiles que no podía correr. Sólo pudo dar uno o dos pasos y cayó al suelo, agotado.

—Veo tu interés por los indígenas. Yo les avisaré y los dirigiré hacia el agua —dijo el Gran Espíritu—. Tú has hecho tu parte muy bien, Coyote.

Enseguida los indígenas llegaron a donde estaba el agua. Niños, niñas, hombres, mujeres, bebés, todos bebieron y se sintieron mejor. Coyote ya no sentía pena.

Cuando los indígenas regresaron a sus cabañas de tule y se hizo la calma, el Gran Espíritu se acercó a Coyote.

—¿Quieres ver magia? Mira lo que les sucede a esos pocos saltamontes que no te pudiste comer.

Coyote observó en silencio. Vio que los saltamontes venían al lago brillante que él había excavado para que los indígenas pudieran beber. Los saltamontes volaron sobre el lago zumbando y vieron su reflejo en el agua. ¡Saltaron al agua como flechas y se convirtieron en hermosos peces de colores!

exhausto Agotado.

tule Caña.

Repaso del capítulo

Repasa los términos clave

arqueóloga (p. 34)
ceremonia (p. 45)
comerciar (p. 38)
comunidad (p. 39)

estrecho (p. 33)
leyenda (p. 37)
tradición (p. 47)
tribu (p. 36)

A. Escribe el término clave que corresponde a cada definición:

1. pasaje angosto de agua que conecta dos masas grandes de agua
2. historia que los mayores cuentan a los niños a lo largo de los años
3. acto formal que celebra una ocasión especial
4. manera de hacer las cosas que pasa de los adultos a los niños
5. grupo de personas que viven en la misma región y están relacionadas entre sí
6. un grupo de personas que viven juntas y tienen el mismo jefe

B. Escoge el término clave que mejor completa cada oración.

1. Para una ___ los objetos enterrados son pistas de cómo vivían las personas en el pasado.
2. Los niños chumash escuchaban ___ acerca de cómo había aprendido su tribu a hacer canoas.
3. Cuando los indígenas de California ___, daban conchas a cambio de cosas que necesitaban.
4. Hoy en día, Asia y Norteamérica están separadas por el ___ de Bering.

Explora los conceptos

A. Completa este diagrama en otra hoja de papel. Añade otros dos detalles acerca de cómo usaba cada tribu los recursos naturales de su región.

B. Apoya cada una de estas oraciones con dos detalles de este capítulo.

1. La caza era una manera de vivir de los primeros pobladores de California.
2. Los arqueólogos usan huellas del pasado para comprender cómo vivía la gente hace mucho tiempo.
3. Los primeros indígenas de California vivían en tribus.
4. Aunque las tribus indígenas estaban separadas, tenían contacto entre sí.
5. Los indígenas transmitían su manera de vivir a los demás de su familia y su tribu.

Recogían frutos.
Pescaban salmón.
yurok
chumash
Uso de los recursos naturales de California
mojave
miwok

Repasa las destrezas

1. Copia esta tabla en una hoja aparte. Titula la tercera columna "Casas". Llena tu tabla con información de este capítulo. Contesta estas preguntas: ¿Cuáles eran las dos tribus que vivían en la región costera de California? ¿Qué tribu hacía casas de madera?

2. ¿Indica el capítulo qué tipo de casas hacían los chumash? ¿Dónde podrías encontrar esta información?

3. Lee otra vez el primer párrafo de la leyenda que aparece en la página 37. ¿Qué oración contiene la idea principal del párrafo? ¿Qué detalles dan las otras oraciones para apoyar la idea principal?

Tribu	Región	
Yurok		
Chumash		
Mojave		
Miwok		

Usa tu razonamiento crítico

1. Cada tribu indígena de California tenía una forma de vida diferente. Si fueras una indígena o un indígena de esa época, ¿en qué tribu te gustaría vivir? ¿Por qué?

2. Los miembros de las tribus indígenas dependían unos de otros. ¿Por qué los miembros de una familia hoy en día dependen unos de otros?

3. "La naturaleza lo es todo". ¿Qué significa esto para ti? ¿Qué significaba para los primeros pobladores de California?

Para ser buenos ciudadanos

1. **ARTE** Usa una caja vacía de zapatos para hacer un diorama de California durante el Período Glacial. Muestra en tu diorama cómo era la Tierra hace 12,000 años y qué animales vivían en esa época. La Lección 1 de este capítulo te da información acerca del mamut y del tigre. Busca en una enciclopedia cómo era cada animal.

2. **ENTREVISTA** Entrevista a un miembro mayor de tu familia acerca de una tradición familiar. Primero pídele que describa la tradición. Después pregúntale cuándo empezó la tradición, quién la empezó, por qué es importante para tu familia y cómo ha cambiado con los años. Cuéntale a tus compañeros lo que has averiguado durante tu entrevista.

3. **TRABAJO EN EQUIPO** Hagan un álbum titulado "Días especiales" para ilustrar las fiestas y otras ocasiones especiales que los alumnos celebran con sus familias y amigos. Primero hagan una lista de las celebraciones que van a incluir en su álbum. Después trabajen en grupos pequeños para ilustrar cada celebración. Incluyan las fechas y escriban un párrafo para cada dibujo que explique los detalles de la celebración. Pongan los dibujos en un cuaderno. Elijan un alumno para hacer la portada del álbum.

La California colonial

Cuando Colón llegó a América, España se imaginó un nuevo mundo bajo el poder español. Los exploradores españoles habían leído un cuento sobre una isla llamada California gobernada por la hermosa reina Califia. En la isla había animales extraños y muchas riquezas. Cuando los exploradores descubrieron la tierra que llamamos California, creyeron que era una isla. Por eso la nombraron igual que la isla del cuento.

1500

Mapa de Norteamérica hecho en Venecia, Italia, por P. Mró Coronelli en 1688. Departamento de Historia del Museo de Oakland, Oakland, California.

Sioux Lake

Nadouessis

Esana:

Eko:

Village

pes L.

Quivira

to

a Fe

exico

Nemepigon Lake

Minong

Upper Lake

Missilimakinac

villages

Puants R.

Kikapous

Otentas

Ienese

Ilinese

Otenta R.

Tamaroa

Zamaroa R.

Missouri R.

Many

villages

North R.

la Maligne

S. Trowis or

R. de las Nassas

MEXICO

Culiacan

C. Heritas

ritta Maria

Viners I.

English F.

Monsoni

Sauteurs

CANADA

Quebec

Trois

Rivers

Mon.

Huron Lake

Toronce

Bay

Fronten

ac L.

Clare

L.S.

Errie L.

Charlton

Y'ado

sa

N. Er

Iroquois Bo

Ne

Yo.

Pen

silva

Mary

Lan.

James T.

Savage

vil.

Oubach R.

Ilinese

F. de Mobile

F. Louis

FLOR ID A

Misisipi R.

R. Rouge

R. des Cone.

haques

S. Sancto R.

VIRGINI

Carolina

Charles

Town

Lookwo

Alton Hea

St. Matheo

S. Maria de

Palaxy

Pensacola

St. Au

gustin

Palaxy B.

Gulf of Florida

Bahan

Bah

E.

S. Trowis

Bernard B.

GULF of MEXICO

Tortugos

Andros

Sinaloa

Compo

S. Sebastian

S. Iago R.

tello

MEXICO

Tuspa

la Vera Cruz

Xiopa

Catalutla

Acapulco

P. Escondido

P. Angeles

Guatimala

S. Salvador

St. Michel

mella

rientes

Antonio

Zacatula

Panuco

C. Conducedo

Bay of

Campech

Campec

Merida

P. Royal

Sp. Sancto

or NEW

Trux illo

valladou

C. St. Antonio

Havana

CUBA

C. Catoche

Camanis

of Honduras

Camaron

Iamaica

P. Royal

SPAIN

Nicaragua L.

C. Dios

NOR

orrobel

Samblas

Calidon

Los exploradores y colonos españoles

Los indígenas de California vivieron pacíficamente en su tierra durante miles de años. De repente, todo cambió. Soldados y monjes españoles llegaron a California. Trajeron una religión y un modo de vida diferentes.

Poco después del año 1600, los indígenas del suroeste pintaron la llegada de los españoles. Los indígenas nunca antes habían visto caballos.

1500	1550	1600	1650

1519

1602 Sebastián Vizcaíno navega a lo largo de la costa de California buscando un puerto seguro.

Los indígenas conservaban muchas de sus tradiciones y creencias aun cuando vivían en misiones. Este cuadro de Ludovich Choris muestra una danza indígena.

En las misiones españolas, las campanas sonaban muchas veces al día. Anunciaban el principio de diferentes actividades.

Entre 1800 y 1850 en California se usaban distintas clases de monedas. Un indígena usó esta moneda inglesa para hacer un collar.

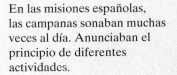

1750   1800   1850

1769 El Padre Serra funda la primera misión en San Diego.

1832

LECCIÓN 1

Los primeros exploradores

¿Por qué quería España explorar la costa de California?

Términos clave

- expedición
- colonia

➤ *Miguel González pintó este cuadro en 1698. Representa la entrada de Cortés a la capital azteca. Le sigue de cerca un monje español con un sombrero negro.*

En lo alto del mástil ondea una bandera española, tiene una cruz de oro rodeada de llamas blancas y azules. Esperando en la barandilla del barco, un grupo de marineros observa a su capitán Hernán Cortés, que está parado sobre un barril en el puente, mirando al mar. Una barba corta y el cabello oscuro le adornan la cara.

El libro *Aztecs and Spaniards* (Los aztecas y los españoles), de Albert Marrin, contiene el discurso de Cortés a su tripulación: "El corazón me dice que conquistaremos tierras vastas y ricas . . . Les ofrezco grandes recompensas, pero vendrán acompañadas de grandes dificultades. Si no me abandonan, yo no los abandonaré. Los haré los hombres más ricos que jamás hayan cruzado los mares".

Es el 10 de febrero de 1519. Cortés ordena levar las anclas. Sus 11 barcos parten de la isla de Cuba. Van hacia el oeste. Viajan a una tierra que sus habitantes llaman *México*.

Los marineros esperan servir a Dios, traer gloria al rey de España y a ellos mismos, y hacerse ricos.

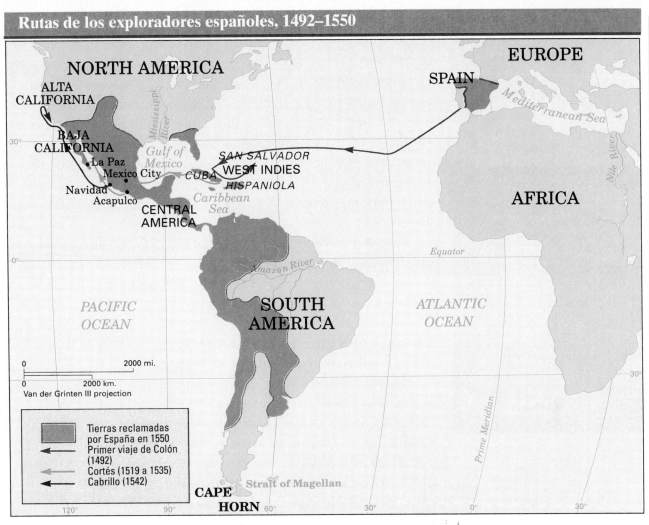

Rutas de los exploradores españoles, 1492–1550

EUROPE

SPAIN

Mediterranean Sea

NORTH AMERICA

ALTA CALIFORNIA

BAJA CALIFORNIA

La Paz

Mexico City

Navidad

Acapulco

Mississippi River

Gulf of Mexico

SAN SALVADOR

WEST INDIES

CUBA

HISPANIOLA

Caribbean Sea

CENTRAL AMERICA

Nile River

AFRICA

Amazon River

SOUTH AMERICA

PACIFIC OCEAN

Equator

ATLANTIC OCEAN

Prime Meridian

0   2000 mi.

0   2000 km.

Van der Grinten III projection

Tierras reclamadas por España en 1550

Primer viaje de Colón (1492)

Cortés (1519 a 1535)

Cabrillo (1542)

Strait of Magellan

CAPE HORN

España funda una nueva colonia

Entre 1504 y 1540, Cortés navegó y caminó por tierras desconocidas, así como otros exploradores españoles. Desde que Colón descubrió la isla de La Española en 1492, los españoles hicieron expediciones a Norteamérica y Suramérica. Llamamos **expedición** a un viaje de un grupo de personas hecho con un propósito definido.

La razón principal que tuvo España para enviar expediciones a México fue encontrar tierras ricas en plata, oro y otros recursos naturales. Los exploradores habían oído leyendas del pueblo azteca que vivía en México y esto los animó a buscar nuevas tierras. Una leyenda trataba de las siete ciudades de Cibola, que supuestamente estaban muy al norte de México. La leyenda decía que las ciudades eran tan ricas que las calles estaban pavimentadas con oro y plata.

Cortés encontró hermosos tesoros de plata y oro en las ciudades aztecas. El gobierno español fundó una colonia en México y mandó que todas sus riquezas se enviaran a España. Una **colonia** es un territorio gobernado por un país extranjero. España llamó a su colonia la Nueva España.

▲ *Este mapa muestra la tierra que reclamó España de Norteamérica y Suramérica en 1550. ¿Cómo ayudaron los viajes de Colón a Cortés y a Cabrillo?*

59

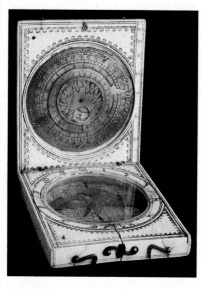

Entre los años 1500 y 1600, los exploradores españoles usaban instrumentos como esta brújula para orientarse.

En otros tiempos

Hoy en día el canal de Panamá es como un estrecho de Anián artificial. El canal ahorra a muchos barcos el viaje alrededor de la punta de Suramérica. Si lees la página 314 de la Minienciclopedia, encontrarás mayor información sobre el canal de Panamá.

■ *¿Por qué los exploradores españoles llegaron primero a Norteamérica y Suramérica?*

Cabrillo explora la costa

Los exploradores españoles habían escuchado otra historia acerca de un estrecho llamado Anián. La historia decía que este estrecho conectaba los océanos Atlántico y Pacífico. Como otros europeos, los españoles querían la seda, el té y las especias de Asia. Pero el viaje de Europa a Asia por tierra era peligroso y se demoraba años. España esperaba que por el estrecho de Anián, el camino hacia Asia y sus valiosas mercancías sería más corto.

El gobernador de la Nueva España le ordenó a un soldado español, Juan Rodríguez Cabrillo, que encontrara el estrecho de Anián. Cabrillo encabezó una expedición que navegó desde la costa oeste de la Nueva España hacia el norte en junio de 1542 buscando el estrecho. Durante muchos días navegaron contra fuertes vientos y corrientes. Finalmente sus dos barcos llegaron a puerto seguro en lo que ahora es San Diego.

Después de explorar el puerto durante varios días, los barcos se marcharon a seguir buscando el estrecho de Anián. Por el camino, Cabrillo descubrió algunas islas donde vivían indígenas. Cabrillo se rompió un brazo en la isla de San Miguel, pero la expedición continuó. Los barcos siguieron hacia el norte hasta lo que ahora es San Francisco. Cabrillo murió en enero de 1543 a causa de una infección en el brazo herido. El nuevo capitán cumplió los deseos de Cabrillo de seguir explorando hacia el norte. Finalmente los marineros regresaron a la Nueva España sin haber encontrado el estrecho de Anián. Pero sin quererlo, fueron los primeros europeos que visitaron la tierra que los españoles llamaron California.

Los galeones buscan riquezas

Unos veinte años después de la expedición de Cabrillo, mercaderes de la Nueva España empezaron a hacer viajes difíciles al sureste de Asia. Cruzaban el océano Pacífico hasta las islas Filipinas. Sus barcos se llamaban galeones. Los mercaderes cargaban los galeones con seda, té y especias de las islas. Luego emprendían el regreso de siete meses a la Nueva España. Los galeones iban hacia el norte desde las Filipinas para aprovechar los vientos que los llevaban por el Pacífico hasta California. Navegaban hacia el sur hasta un puerto al oeste en la Nueva España. Allí los mercaderes españoles conseguían precios muy altos por sus mercancías.

Durante estos viajes los marineros se enfermaban y a veces morían. Cuando los comerciantes llegaban a California necesitaban de una colonia donde abastecerse de agua fresca y alimentos. Pero en ese entonces no había colonias en California. ■

En un galeón

¡Icen las velas! En los galeones españoles trabajaban de 60 a 100 marineros, algunos no mayores de 12 años de edad. La vida en estos barcos era peligrosa. Un marinero podía perecer en una tormenta, en un accidente o incluso por los alimentos que comía.

Cuando la carne seca y los frijoles se terminaban, los marineros comían galletas secas. Como no había frutas ni verduras frescas, muchos marineros se enfermaban a causa de lo mal alimentados que estaban.

Después de remendar las velas los marineros permanecían vigilantes para proteger el barco y su cargamento de seda. Después los marineros bajaban a secar su ropa y a dormir unas horas.

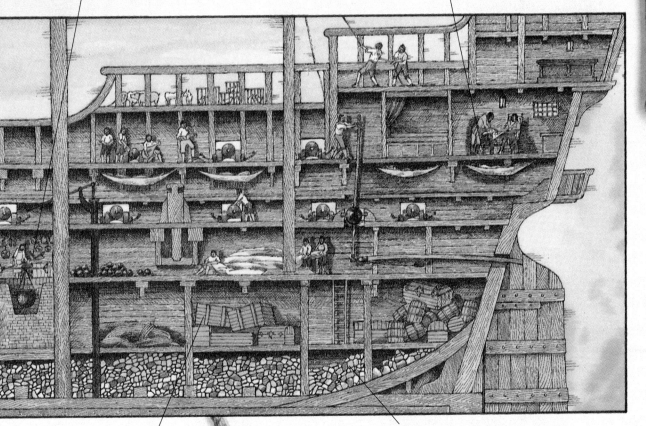

Las ratas y los gusanos se metían en los barriles de alimentos de la bodega. En esta sección del barco guardaban agua, cajas, cuerdas, velas e incluso basura. A veces, para castigar a los marineros más jóvenes, los encerraban aquí.

Estas piedras en el casco, llamadas lastre, impedían que el galeón se volcara durante las tormentas. El agua sucia del mar entraba en el lastre y los marineros tenían que sacarla.

Drake amenaza a la Nueva España

Después de 1570, Inglaterra comenzó a luchar con España por hallar el estrecho de Anián y por los tesoros que España había encontrado en México. La reina Isabel I de Inglaterra envió al capitán Francis Drake a atacar a los barcos españoles y a llevar sus tesoros a Inglaterra.

Drake pirateó los galeones españoles y las colonias de la Nueva España. Los españoles le llamaban el Dragón, por sus ataques rápidos. Una vez sacó de un solo galeón 26 toneladas de plata y 80 libras de oro.

Isabel, contenta con los tesoros que Drake llevó a Inglaterra, lo envió a un viaje alrededor del mundo. Drake luchó contra los fuertes vientos del estrecho de Magallanes cuando entró al océano Pacífico. Atacó a los galeones españoles cuando navegaba hacia el norte por la costa de Suramérica.

➤ *La reina Isabel I mostró su agradecimiento a Drake nombrándolo caballero.*

Finalmente, en 1579 Drake llegó a un puerto en el norte de California. Se apoderó de esa tierra en nombre de Inglaterra. Luego navegó al oeste a través del Pacífico y regresó a Inglaterra.

Este viaje amenazaba el dominio español en el océano Pacífico. Enseguida Inglaterra envió barcos al Pacífico para comerciar en Asia. Los españoles comprendieron que necesitaban puertos y defensas en California para proteger a sus colonias de los ataques de los barcos de Inglaterra. ■

■ *¿Por qué España se sentía amenazada por Francis Drake?*

R E P A S O

1. **TEMA CENTRAL** ¿Por qué quería España explorar la costa de California?

2. **RELACIONA** Compara el mapa de la página 59 con el de la página 328 del Atlas. Fíjate en el nombre de las islas cerca de la costa de California descubiertas por Cabrillo. ¿Qué tribu indígena vivía en la región de San Diego?

3. **ECONOMÍA** ¿Por qué quería España explorar la costa de California?

4. **RAZONAMIENTO CRÍTICO** ¿Por qué atacaba Inglaterra a los barcos españoles y no a los poblados aztecas?

5. **REDACCIÓN** Imagínate que eres un tripulante de un viaje de Cabrillo, navegando por la costa de California. Describe en tu diario lo que viste o hiciste en dos fechas durante el viaje.

Cómo usar la latitud y la longitud

¿Por qué?

Imagínate que quieres ubicar en un mapa o en un globo terráqueo algunos de los lugares que visitaron los exploradores españoles. Los globos y mapas modernos están marcados con líneas imaginarias de latitud y longitud. Si sabes usar estas líneas, podrás ubicar lugares específicos con mayor facilidad.

¿Cómo?

Desde el transbordador espacial la Tierra parece una esfera. Los globos terráqueos son modelos de la Tierra, por eso son esféricos. El punto más al norte de la Tierra es el Polo Norte. Busca los polos Norte y Sur en estos dos globos terráqueos. ¿Dónde estarían los polos Norte y Sur en un mapa del mundo?

Ahora busca la línea roja del globo de la izquierda. Es el ecuador. El ecuador es una línea imaginaria que rodea la Tierra de este a oeste. Esta línea divide la esfera terrestre en dos mitades, o hemisferios. Las porciones de tierra y de agua al norte del ecuador forman el Hemisferio Norte. Las porciones de tierra y de agua al sur del ecuador forman el Hemisferio Sur.

Otra línea imaginaria llamada primer meridiano va del Polo Norte al Polo Sur. Busca el primer meridiano en el globo de la derecha. Al lado opuesto del primer meridiano en el globo terráqueo está la línea horaria internacional. Esta línea, junto con el primer meridiano, forman un círculo que divide a la Tierra en otros dos hemisferios. Todas las porciones de tierra y de agua que se encuentran al oeste del primer meridiano y van hasta la línea horaria internacional forman lo que llamamos el Hemisferio Occidental. ¿Cómo crees que se llamará el hemisferio formado por las porciones de tierra y de agua que se encuentran al este del primer meridiano?

El ecuador es una línea que marca una latitud. Las líneas que miden la latitud se llaman paralelos. El ecuador no es el único paralelo. Busca el ecuador en el globo de la página siguiente. Después busca los otros paralelos.

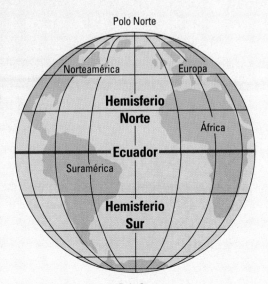

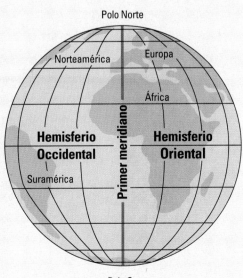

Los paralelos de los globos terráqueos y mapas están enumerados. El ecuador está marcado 0° (cero grados de latitud). Los números de los otros paralelos indican la distancia al norte o al sur del ecuador. En este globo el primer paralelo al norte del ecuador es el de 20°N (20 grados de latitud norte). El primer paralelo al sur del ecuador es el de 20°S (20 grados de latitud sur). ¿Cuáles son los otros paralelos al norte y al sur del ecuador?

El primer meridiano marca una longitud. Busca los otros meridianos en este globo. También están enumerados. El primer meridiano está marcado 0° (cero grados de longitud). El meridiano que sigue al este del primer meridiano es el de 20°E (20 grados de longitud este). ¿Cómo se llama el meridiano justo al oeste del primer meridiano?

Puedes ubicar cualquier lugar de la Tierra identificando su latitud y longitud. Busca en este globo terráqueo el lugar donde se cruzan 20° de latitud norte y 20° de longitud este. ¿En qué continente está ese lugar? ¿En qué continente está el lugar 20°S, 40°O?

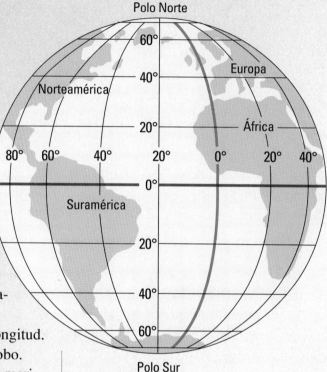

Practica

Los mapas también tienen líneas de latitud y longitud. Usa el mapa mundial de la página 320 para contestar estas preguntas:

1. En su expedición alrededor del mundo, Drake navegó desde Inglaterra, cruzó el Atlántico y le dio la vuelta a Suramérica hasta llegar a California. Sigue la ruta de Drake en el mapa. ¿Cuántas veces cruzó Drake el ecuador?

2. La colonia de Nueva España, ¿se encontraba en el Hemisferio Norte o en el Sur?

3. ¿Cuáles son los hemisferios en los que están España y las Filipinas?

4. Busca el lugar que está a 40° de latitud norte y 100° de longitud este. ¿En qué continente está?

5. Busca el lugar que está a 20°S, 140°E. ¿En qué continente se encuentra?

Aplícalo

Usa el mapa mundial de la página 320 del Atlas para planear un viaje alrededor del mundo. En una hoja de papel empieza a hacer una lista con la latitud y la longitud del lugar donde empezaría tu viaje. Después de esto, menciona las latitudes y longitudes de por lo menos otros tres lugares que desearías visitar. Cuando hayas terminado, puedes leer la lista en voz alta a tus compañeros de clase. Pídeles que indiquen en un mapa del mundo los lugares que deseas visitar.

L E C C I Ó N   2

Colonización europea

ace unos 200 años, soldados y monjes españoles comenzaron a colonizar California. Los soldados a caballo defendían la expedición. Usaban espadas, pistolas y lanzas de siete pies. Llevaban chaquetas gruesas de piel de venado y escudos de cuero de toro para protegerse de las flechas de los indígenas y de las garras de los pumas y los osos.

Filas y filas de soldados y monjes cruzaron desiertos y montañas. Avanzaban por una tierra extraña sin mapas ni senderos. A veces les faltaban la comida y el agua. Estas condiciones eran tan peligrosas para los soldados como los ataques de los indígenas.

T E M A
C E N T R A L

¿Por qué quería España colonizar a Alta California?

Términos clave

- misión
- península

◄ *Retrato de un soldado de una expedición a Alta California. Los caballos transportaban personas y provisiones para la expedición.*

España descubre de nuevo Alta California

Los soldados y monjes españoles tardaron casi 227 años en entrar a California después de que los exploradores la reclamaron para España. España tenía más interés en hallar una ruta para el comercio que en colonizar esta tierra. Por eso había perdido interés

Los exploradores y colonos españoles

en California cuando Cabrillo y otros exploradores no pudieron encontrar el estrecho de Anián. Pero en 1768 España se enteró de que Rusia también quería establecer una colonia en la región.

Entonces España actuó rápidamente y envió una expedición al mando de Don José de Gálvez, un oficial de la Nueva España, para colonizar la tierra que había reclamado. Gálvez quería construir fuertes y misiones cerca de los puertos de San Diego y Monterey. Una **misión** era un establecimiento donde los monjes católicos enseñaban su fe y sus creencias religiosas a los pobladores cercanos. Durante setenta años, los monjes habían enseñado el cristianismo en las misiones de la península de California llamada Baja California. Una **península** es una porción de tierra rodeada de agua por tres lados. Gálvez esperaba que al construir misiones y fuertes en las regiones superiores de California llamadas Alta California, Rusia y otros países no podrían reclamar la tierra.

Gaspar de Portolá era un gobernador de la Nueva España. Envió tres expediciones para construir colonias en Alta California, empezando por San Diego. La primera expedición salió en tres barcos hacia San Diego desde la península de Baja California en el mes de enero de 1769.

Las otras dos expediciones salieron hacia San Diego por tierra. El capitán Fernando de Rivera y su lugarteniente Pedro Fagés dirigían un grupo. Portolá y el padre Junípero Serra estaban encargados del otro.

▶ *Estas cruces doradas de madera tallada fueron hechas en México entre 1700 y 1800. Los padres llevaban cruces como éstas a las nuevas misiones de California.*

▼ *La costa rocosa de California ofrecía pocos refugios para los exploradores. Los barcos no tenían medios para conocer la profundidad del agua.*

Las dos expediciones viajaron hacia el norte por la península de Baja California, llevando suministros a lomo de mula. En 1769 el padre Serra describió así el viaje en su diario:

> Después de haber cruzado una montaña, otra se alzaba en nuestro camino. Subíamos las laderas esperando que desde la cumbre podríamos ver el océano, pero quedábamos defraudados. Todo lo que vimos desde la cima fue un valle poco profundo, unas colinas y luego otra cadena de montañas tan altas como las que acabábamos de cruzar.

Finalmente llegan a San Diego

El viaje era difícil también para las otras expediciones. Los barcos navegaban cerca de la costa, siempre en peligro de chocar contra las rocas. Durante el viaje un barco se hundió con todos sus hombres y sus provisiones. En otro barco murieron cuatro marineros. Finalmente, dos barcos cargados de hombres enfermos llegaron a San Diego en abril.

La expedición por tierra dirigida por Fagés y Rivera llegó a San Diego en mayo de 1769. Varios hombres habían muerto. Muchos estaban enfermos a causa del largo viaje por desiertos y montañas. Portolá y Serra fueron los últimos en llegar a San Diego a principios de julio. Para celebrar su llegada, el padre Serra construyó una cruz muy grande. En ese lugar se construyó la primera misión de California. El padre Serra le dio a la misión el nombre de San Diego de Alcalá, que es el nombre de un santo que vivió en España antes del año 1500.

Este mapa de 1776 representa la bahía de San Francisco. Esta gran bahía detuvo su avance. No se dio cuenta de que era la bahía de San Francisco.

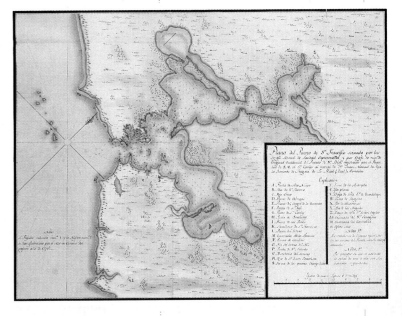

Descubren la bahía de Monterey

Portolá dejó descansar en San Diego a sus hombres y a sus mulas por poco tiempo y luego continuó hacia el norte con 61 hombres en busca de la bahía de Monterey. Pasó junto a la bahía sin darse cuenta de que ése era el lugar que buscaba. Días más tarde, como se estaban quedando sin provisiones, decidieron regresar pasando otra vez por la bahía. Levantaron una cruz y regresaron a la misión de San Diego. A la siguiente primavera Portolá viajó otra vez al norte. Esta vez descubrió que la misma bahía por la que habían pasado era la bahía de Monterey. ∎

■ *¿Por qué era importante para España y para la iglesia católica la expedición de Portolá?*

Los exploradores y colonos españoles

➤ *¿Por qué fueron tan lentas las expediciones de Portolá y Anza por tierra y por mar?*

San Francisco
SIERRA NEVADA
ROCKY MOUNTAINS
Monterey
ALTA
CALIFORNIA
MOJAVE
DESERT
Santa Barbara
San Diego
1769
1774-1776
Tubac
BAJA
CALIFORNIA
Gulf of California
SIERRA MADRE
Loreto
1769
La Paz
PACIFIC
OCEAN
Río Grande de Santiago
Mexico
City

Gaspar de Portolá
Juan de Anza
Barcos de provisiones enviados para la expedición de Portolá
Corriente de California

0   200 mi.
0   200 km
Lambert Azimuthal Equal Area Projection

¿Cómo lo sabemos?

HISTORIA *La mayoría de la información acerca de la expedición de Portolá viene de los diarios de Pedro Fagés, Portolá y el padre Serra. Todos describen las dificultades del viaje desde Baja a Alta California.*

▼ *Algunas de las provisiones de la expedición de Anza eran tejido de lino y frijoles.*

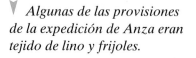

Anza toma otra ruta

Un joven soldado español llamado Juan Bautista de Anza oyó que el viaje de Baja a Alta California era muy difícil. Quería abrir una nueva ruta por tierra, hacia San Diego y luego hacia la bahía de Monterey. La ruta comenzaría en la región del desierto de Sonora de la Nueva España, donde ahora está Arizona. Anza organizó una expedición de 30 familias con la esperanza de conseguir tierras gratis en Monterey. La expedición contaba con 695 caballos y mulas y 355 cabezas de ganado. Los colonos y los animales se enfrentaron a tormentas del desierto a medida que cruzaban terrenos desconocidos.

A veces un sólido manto negro de polvo rugía a su alrededor. Entonces el capitán daba el alto. Fray Font rezaba en voz alta y todos repetían la plegaria . . . Los niños lloraban de miedo, los burros rebuznaban aterrorizados y los caballos cerraban los ojos y las narices, inclinando la cabeza ante el azote del viento.

Dorothy Erskine, *The Big Ride*, (El largo viaje), 1958

La expédición de Anza pasó mucha parte del viaje buscando agua en el desierto.

Finalmente, en marzo de 1776, los agotados viajeros llegaron a Monterey. Todos habían sobrevivido el difícil viaje. Habían recorrido 1,600 millas de grandes desiertos, ríos y montañas. Esta ruta por tierra desde Sonora era tan difícil como la de Baja California. Por eso, California permaneció apartada durante muchos años. Era difícil cruzar a pie el desierto y las montañas del sur. Había que enviar las provisiones por barco hasta San Diego y Monterey. ■

¿Por qué decidieron algunos emprender un viaje tan largo con el capitán Anza?

R E P A S O

1. **TEMA CENTRAL** ¿Por qué quería España colonizar a Alta California?

2. **RELACIONA** ¿Cuál era la diferencia entre la expedición de Anza y el viaje de los primeros cazadores que llegaron a California? ¿Por qué vinieron los dos grupos?

3. **GEOGRAFÍA** ¿Qué efecto tuvo la geografía en la colonización de Alta California?

4. **RAZONAMIENTO CRÍTICO** ¿Cuáles eran las ventajas de la ruta por tierra a Monterey? ¿Habrías preferido navegar? ¿Por qué?

5. **REDACCIÓN** Escribe una escena de una obra de teatro acerca de la expedición de Portolá a San Diego.

Los exploradores y colonos españoles

Cómo hacer una línea cronológica

¿Por qué?

Las lecciones 1 y 2 tratan de las primeras expediciones y de la llegada de los colonizadores españoles a California. ¿Te has puesto a pensar cómo podrías recordar mejor las fechas de estos sucesos?

La línea cronológica que aparece al principio de este capítulo indica en qué años ocurrieron los sucesos que se mencionan en este capítulo. Una línea cronológica te sirve para comprender mejor el orden de los sucesos históricos. Haz tu propia línea cronológica para organizar y recordar las fechas de sucesos importantes.

¿Cómo?

Primero decide cuántos años abarcará tu línea cronológica. La de esta página empieza en 1450 y termina en 1700. ¿Cuántos años son en total?

Luego traza una línea y divídela en secciones iguales con una regla. Indica cuántos años representa cada sección, marcando el principio de cada sección con la fecha adecuada. En esta línea cronológica cada sección representa 50 años. La primera sección comienza con la fecha de 1450. La próxima sección empieza 50 años más tarde. Cada división de una sección representa 10 años.

Ahora puedes añadir las fechas de sucesos importantes a tu línea cronológica. Cortés zarpó para la Nueva España en 1519. En la línea cronológica de esta página esa fecha está marcada justo antes de la línea de 1520. ¿Dónde está la marca del viaje de Colón?

Practica

Ahora haz tu propia línea cronológica. Copia la línea cronológica de abajo. Extiéndela hasta que termine en el año 1800. Cada pulgada representará 50 años y las secciones pequeñas representarán 10 años. Añade tres fechas importantes de las lecciones 1 y 2.

Aplícalo

Haz una línea cronológica con sucesos importantes de la historia de tu familia. Escoge los sucesos y averigua cuándo sucedieron. Decide cuántos años abarcará tu línea cronológica. Muéstrale esta línea cronológica a un amigo o pariente.

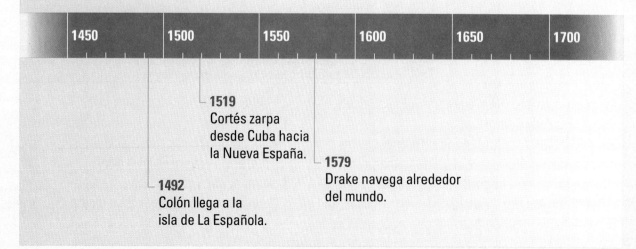

1450 | 1500 | 1550 | 1600 | 1650 | 1700

1519
Cortés zarpa desde Cuba hacia la Nueva España.

1579
Drake navega alrededor del mundo.

1492
Colón llega a la isla de La Española.

L E C C I Ó N   3

Presidios, misiones y pueblos

E

l capitán Gaspar de Portolá realizó una expedición por tierra en búsqueda de la bahía de Monterey en el otoño de 1769. Aun sin saber que la bahía que había pasado era la de Monterey, levantó allí una cruz. En mayo de 1770 Portolá y 12 soldados salieron de San Diego para buscar otra vez la bahía. Siguieron la misma ruta y llegaron al lugar donde habían levantado la cruz. Uno de los soldados se arrodilló y los demás lo rodearon mirando a la cruz extrañados. Bajo la cruz había carne, plumas y conchas esparcidas. Había flechas clavadas en el suelo y una hilera de sardinas. Los indígenas que vivían cerca habían dejado todas esas cosas.

Una semana más tarde, el padre Junípero Serra llegó en el barco *San Antonio*. Venía a fundar otra misión. El 3 de junio los españoles celebraron una ceremonia mientras los indígenas observaban en silencio desde el bosque. El padre Serra colgó campanas de los robles y el capitán Portolá lanzó un puñado de tierra al aire reclamando aquellas tierras para España. Los soldados dispararon sus armas e izaron las banderas. Los cañones tronaron desde el barco y los indígenas huyeron asustados al escuchar esos ruidos desconocidos que producían los españoles.

T E M A
C E N T R A L

¿Cómo se ayudaban entre sí las misiones, los presidios y los pueblos?

Término clave

- presidio

◀ *El padre Serra puso campanas en cada nueva misión de Alta California. Las campanas daban la bienvenida a los indígenas y les avisaban cuando era hora de ir a la iglesia.*

El padre Serra inicia la cadena de misiones

El padre Serra miró la cruz y a los soldados. Su sueño de servir a Dios en el nuevo mundo se hacía realidad. El gobierno español lo había escogido para fundar más misiones. Ahora sus monjes podrían traer las costumbres españolas a Alta California.

Los indígenas van a las misiones

Para el padre Serra la fundación de las misiones era la manera de convertir a los indígenas a la fe católica. Él creía que esta fe era algo maravilloso que se les ofrecía a los indígenas. A cambio, ellos abandonarían sus costumbres indígenas al vivir en la misión. El padre Serra también enseñaría a los indígenas a ser agricultores y artesanos para que pudieran ganarse la vida.

La misión fascinó a muchos indígenas porque era muy dife-rente a sus aldeas. Algunos indígenas sentían curiosidad por el hombre de la túnica larga que tocaba las campanas por la mañana y por la tarde. Nunca habían visto vacas ni ovejas como las que pastaban en las misiones. Los indígenas aceptaron nuevos alimentos y ropas que les ofrecían los padres. Muchos indígenas se quedaron en las misiones. Construían iglesias y edificios, araban los campos, recogían las cosechas y cuidaban de los animales. Las

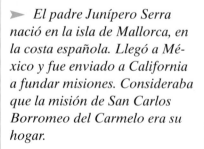

➤ *El padre Junípero Serra nació en la isla de Mallorca, en la costa española. Llegó a México y fue enviado a California a fundar misiones. Consideraba que la misión de San Carlos Borromeo del Carmelo era su hogar.*

misiones crecían gracias al trabajo de los indígenas.

El lema del padre Serra era: "Siempre hacia adelante. Nunca hacia atrás". Pidió a los funcionarios de la ciudad de México provisiones para fundar más misiones para continuar su labor. Las fundaba en lugares donde hubiera mucha agua fresca para las cosechas y tribus grandes de indígenas para convertirlos a la fe católica. Fundó otras siete misiones en los 13 años siguientes.

El plan español para colonizar a Alta California también incluía la construcción de fuertes y pueblos. Busca a San Diego, Santa Bárbara, Monterey y San Francisco en el mapa de la página 74. Los españoles construyeron fuertes, o **presidios,** en estos lugares para proteger la costa de las tropas extranjeras. Los soldados comían los alimentos producidos en las misiones y, a cambio, ellos protegían las misiones. También se construyeron ciudades o pueblos junto a las misiones para los colonos de México. Estos presidios, misiones y pueblos estaban unidos por una carretera llamada El Camino Real. ■

El Camino Real conecta las misiones

Imagínate que estás caminando por El Camino Real desde San Diego a Los Ángeles, de la misma forma como lo hicieron los padres, soldados, indígenas y otros viajeros hace más de 200 años. Puedes comenzar tu recorrido en el presidio que está situado en San Diego, en donde todo se encuentra protegido dentro de cuatro muros de tierra. Dentro de este presidio hay unas casas pequeñas situadas alrededor de un patio rectangular en el cual juegan los hijos de los soldados. Un soldado está arreglando uno de los dos cañones que sirven para proteger el presidio de los barcos extranjeros que llegan a la bahía. Otro soldado está en guardia vigilando la cárcel. Otros soldados con sus chaquetas de piel de venado están ensillando sus caballos. Están preparándose para realizar un viaje hacia una misión cercana. Sus esposas, mientras tanto, muelen maíz para la cena.

Alimento y protección de los colonos

protección   protección
alimentos   alimentos

▲ *Las comunidades de la misión y del pueblo producían alimentos para los presidios a cambio de protección. Los pueblos no aumentaron de tamaño hasta 1830.*

■ *¿Qué tenía que hacer el padre Serra cuando fundaba una misión?*

▼ *Cañones españoles como éste protegían los presidios de los ataques.*

73

Los exploradores y colonos españoles

La cadena de misiones y presidios

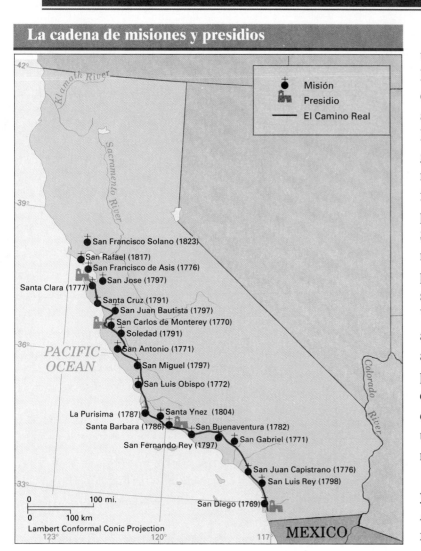

Leyenda:
- Misión
- Presidio
- El Camino Real

San Francisco Solano (1823)
San Rafael (1817)
San Francisco de Asís (1776)
San José (1797)
Santa Clara (1777)
Santa Cruz (1791)
San Juan Bautista (1797)
San Carlos de Monterey (1770)
Soledad (1791)
San Antonio (1771)
San Miguel (1797)
San Luis Obispo (1772)
La Purísima (1787)
Santa Ynez (1804)
Santa Bárbara (1786)
San Buenaventura (1782)
San Fernando Rey (1797)
San Gabriel (1771)
San Juan Capistrano (1776)
San Luis Rey (1798)
San Diego (1769)

PACIFIC OCEAN

Klamath River
Sacramento River
Colorado River

0   100 mi.
0   100 km
Lambert Conformal Conic Projection

MEXICO

▲ *¿Por qué están los presidios situados a lo largo de la costa de California?*

■ *¿Cuál era el propósito de El Camino Real?*

Por El Camino Real te tardarás unos cuatro días en llegar al pueblo de Los Ángeles, que queda a 140 millas de distancia. Cada noche te detendrás a dormir en una misión distinta. Después de caminar todo el día, llegarás con los pies muy cansados a la misión de San Luis Rey. Esta misión fue construida en 1798, después de las primeras misiones que fundó el padre Serra. Como tiene huertos y viñas, la misión de San Luis Rey parece un pueblito agrícola. La iglesia y el taller son los centros de mayor actividad. Verás a varios indígenas mezclando arcilla y paja para hacer ladrillos de adobe. Fíjate en las figuras de la página 99 para ver cómo se hacen estos ladrillos. El padre de la misión te da la bienvenida y te ofrece comida y una cama donde podrás dormir toda la noche.

Tendrás que caminar otros dos días y medio hasta llegar al pueblo de Los Ángeles. Allí viven 12 familias de México. El gobierno español le ha dado a cada familia dos terrenos, uno para vivir y otro para sembrar. A cambio, las familias entregan parte de sus cosechas a los presidios. El ganado y los caballos pastan en el terreno fuera del pueblo. Verás que la gente del pueblo es tan amable con los visitantes como los padres de las misiones. Te alegrarás de verdad cuando te ofrezcan un lugar donde puedas descansar. ■

R E P A S O

1. **TEMA CENTRAL** ¿Cómo se ayudaban entre sí las misiones, los presidios y los pueblos?

2. **RELACIONA** Compara las razones del padre Serra para fundar misiones con las razones del gobierno español para fundar colonias en Alta California.

3. **GEOGRAFÍA** Las misiones estaban construidas junto al agua potable. Fíjate en el mapa de misiones y presidios de esta página e indica cuatro misiones y los ríos o lagos que quedaban más cerca.

4. **RAZONAMIENTO CRÍTICO** ¿Por qué el padre Serra creía que podía ofrecer algo maravilloso a los indígenas que vivían en la misión?

5. **ACTIVIDAD** Usa el mapa de esta página como recurso. Haz tu propio mapa para trazar la ruta de El Camino Real que se describe en las páginas 73 y 74.

Capítulo 3

L E C C I Ó N   4

La vida en una misión

Si fueras un niño indígena en una misión alrededor del año 1800 ó 1810, uno de tus deberes podría ser recoger aceitunas. Este pequeño fruto verde era una de las cosechas importantes que se cultivaban en las misiones. Las lámparas ardían con aceite que se hacía aplastando y prensando las aceitunas. También se usaba el aceite en medicinas y para cocinar.

Los niños indígenas iban a recoger aceitunas de los olivos utilizando palos largos. Cuando golpeaban las ramas de los olivos, las aceitunas verdes les caían encima. Luego los niños se apresuraban a recogerlas en cestas.

En el patio de la misión, los niños vaciaban las cestas en el molino. Un molino de aceite era una máquina muy simple. Tenía un pozo recubierto de cemento y una piedra de moler muy grande en el interior. Una pequeña mula con los ojos tapados daba vueltas y vueltas alrededor del molino moviendo la piedra que aplastaba las aceitunas. Más tarde las mujeres indígenas sacaban los frutos aplastados y los echaban en sacos que metían en una prensa. La prensa aplastaba los sacos hasta que el aceite dorado caía en grandes tinas. Finalmente, guardaban el aceite en frascos tapados.

TEMA CENTRAL

¿Cuál era la rutina diaria en una misión española?

Términos clave

- agricultura
- ganadería
- cultura
- revuelta

◄ *Las aceitunas eran uno de los muchos productos que los españoles trajeron a California. Ésta es una prensa de aceitunas. El tornillo está unido a un bloque grande de madera. Echaban las aceitunas a la caja de madera. El tornillo giraba y movía el bloque que prensaba las aceitunas, extrayendo el aceite.*

Una rutina diaria

Recoger aceitunas no era el único trabajo agrícola de las misiones. La **agricultura,** que es el cultivo de la tierra, era una actividad importante en las misiones. Otra actividad importante era la **ganadería,** es decir, la crianza de animales, o ganado, como vacas y ovejas. Los españoles también criaban pollos y gallinas. Las cosechas y el ganado de las misiones proporcionaban casi todos los alimentos para los padres, los indígenas y los soldados.

Los padres enseñaron a los indígenas la forma en que los españoles practicaban la agricultura y la ganadería. Les enseñaron a criar reses, ovejas y gallinas, y a cultivar nuevas plantas que habían llegado de España. También les enseñaron a algunos indígenas a hablar español e incluso a entonar cantos cristianos en la iglesia. Los padres creían que los indígenas tenían que aprender la cultura española para ser buenos cristianos. Llamamos **cultura** a la manera de vivir y de pensar de un grupo humano.

El gobierno español había planeado que los padres convirtieran las misiones en pueblos después de diez años. Para entonces los indígenas serían buenos ciudadanos españoles. Pero no sucedió así porque los padres no creían que los indígenas estuvieran preparados para vivir por su cuenta en pueblos.

Trabajo por hacer

En 1812, el padre Cabot de la misión de San Antonio describió cómo empezaba el día para los indígenas de la misión. "La campana suena al amanecer y después de comer su desayuno de atole se reúnen en la iglesia". El padre Cabot relata cómo pasan el día. Los indígenas hacían todo el trabajo físico de la misión. A cambio, recibían alimentos, vivienda, ropas españolas e instrucción religiosa. Los indígenas cultivaban la tierra, construían y reparaban la misión y curtían el cuero. Los padres supervisaban el trabajo de los indígenas.

Después de desayunar y de ir a la iglesia, todos iban a trabajar. Algunos niños indígenas recogían aceitunas. Otros espantaban a los pájaros de los campos. Los mayores estaban encargados de cuidar los huertos y de recoger la fruta.

▲ *Los españoles introdujeron nuevas cosechas como cebada, avena y trigo en California. En las misiones cultivaban las uvas silvestres que crecían en California. Los españoles trajeron las primeras naranjas a Los Ángeles.*

➤ *En una misión típica encontrarías lo siguiente:*
1. Una plaza central con un patio, iglesia, habitaciones de los padres, talleres y almacenes.
2. Una curtiduría para hacer cuero.
3. Casas de los indígenas.
4. Un área para hacer ladrillos de adobe, jabón y velas.
5. Tierras de pastoreo para ganado, ovejas y caballos.
6. Jardines, huertas y viñas.

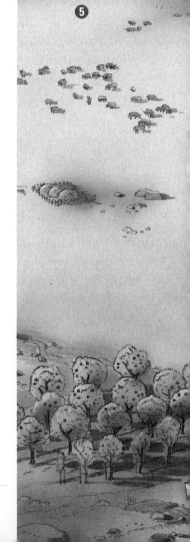

Población de misiones, 1782

Número de personas

1,400
1,000
600
200

Indígenas Españoles

En las misiones también criaban ganado. Los muchachos mayores se montaban a caballo para reunir el ganado que pastoreaba por las colinas cerca de la misión. Los hombres sacrificaban algunas cabezas de ganado para usar la carne y el cuero. Raspaban la grasa del cuero para hacer velas y jabón que vendían a los comerciantes que visitaban la misión.

A las once de la mañana las familias indígenas se reunían para comer más atole con carne, verduras y tortillas. Después de descansar, todos regresaban al trabajo. Los niños buscaban leña o limpiaban la paja de los montones de lana. Las mujeres hilaban la lana para hacer mantas y telas. Al final del día los indígenas se reunían para cenar y después iban otra vez a la iglesia a rezar. ■

◄ *La población indígena en 1782 era mucho mayor que la española. En aquella época, solamente 60 soldados servían de guardias en toda la región entre Monterey y San Diego.*

■ *¿Qué animales y cosechas crecían en las misiones?*

Problemas en las misiones

Aunque algunos indígenas estaban contentos en las misiones, a otros no les gustaba esta manera de vivir. En las misiones los indígenas renunciaban a su propia cultura, a la vida que habían conocido en sus tribus. Sólo podían salir de la misión con permiso de los padres. No eran libres de ir a cazar ni a recoger frutas cuando querían. No comían su comida ni llevaban sus ropas

ESTUDIEMOS LA CULTURA

Aprendes la cultura a través de tu madre, tu padre, tus demás familiares, tus maestras y maestros y tus amigas y amigos. La cultura incluye las creencias religiosas y las costumbres familiares y nacionales. También incluye la cocina, la literatura y las canciones del país. Pero no incluye el aspecto físico como el color de los ojos, ni el color del cabello ni de la piel.

Los padres trajeron la cultura española a Alta California. Enseñaron a los indígenas la religión cristiana, el cultivo de la tierra y la crianza de los animales. También trajeron alimentos como tortillas y chocolate de la cultura azteca de México.

A veces la geografía puede influenciar la cultura. Por ejemplo, las personas que viven en las islas del Japón se alimentan en gran parte del mar. Comer pescado es parte de la cultura japonesa.

La gente empieza a aprender su cultura desde muy joven. Por ejemplo, si aprendiste la canción "Naranja dulce, limón partido" o "La pájara pinta" cuando eras pequeño, aprendiste algo de la cultura hispana. Estas canciones son muy antiguas y las saben casi todos los niños de cualquier país donde se habla español. Sin embargo, un niño que habla el inglés como primer idioma aprende otras canciones. Por ejemplo, muchos niños que hablan inglés como primer idioma saben las canciones "Jack and Jill" y "Yankee Doodle". Éstas son canciones muy antiguas que forman parte de la cultura de los Estados Unidos y que vienen de los colonos que llegaron a Virginia y Nueva Inglaterra hace 300 años.

Los exploradores españoles trajeron su cultura a los indígenas que vivían en Alta California. Algunos indígenas aceptaron las creencias, las ropas y la manera de vivir de los españoles. Otros querían conservar su propia cultura que habían desarrollado por sí mismos durante miles de años.

tradicionales. Cuando preguntaron a los indígenas que se escaparon de la misión de San Francisco por qué lo hicieron, uno de ellos dijo que lo hizo porque lo habían golpeado por llorar por la muerte de un hermano.

Una vez que los indígenas aceptaban vivir en las misiones, no podían regresar a sus tribus. Algunos escaparon pero los soldados los hicieron regresar y muchas veces los azotaban. Otros querían provocar una **revuelta,** es decir, querían rebelarse contra los padres y los soldados de las misiones.

Algunos indígenas se rebelaron con violencia. La misión de San Diego fue atacada por indígenas seis años después de su fundación. La incendiaron y mataron a uno de los padres. En 1785 Toypurina, una mujer gabrielina de 24 años, ayudó a los guerreros de seis aldeas a rebelarse contra la misión de San Gabriel. Cuando la arrestaron y el gobernador la interrogó, ella respondió: "Odio a los padres y a todos ustedes por vivir en mi suelo, por traspasar la tierra de mis antepasados".

La gráfica muestra los cambios en la población indígena de una misión. Muchos indígenas murieron de enfermedades traídas por los españoles. Cuando la cosecha era mala, los indígenas no tenían suficiente comida. Algunos se enfermaron por el cambio de alimentación en la misión. Al final del período de las misiones, la población indígena de California se había reducido a la mitad de la que era cuando el padre Serra levantó la primera cruz en la misión de San Diego.

En 1832 el sueño del padre Serra de una cadena de misiones era realidad. Pero para los indígenas que habían vivido en California cientos de años antes de la llegada de los españoles, el aumento de las misiones fue trágico. Miles de indígenas murieron y para el año 1850 la cultura indígena había desaparecido en muchos lugares. ■

▼ *En cada misión guardaban documentos detallados de los nacimientos, las muertes y los bautismos. Muchas personas murieron de enfermedades que trajeron los españoles, como el sarampión y la viruela.*

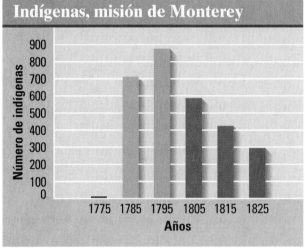

Indígenas, misión de Monterey

Número de indígenas: 900, 800, 700, 600, 500, 400, 300, 200, 100, 0

Años: 1775, 1785, 1795, 1805, 1815, 1825

■ *¿Por qué se rebelaron los indígenas contra la vida en las misiones?*

R E P A S O

1. **TEMA CENTRAL** ¿Cuál era la rutina diaria en una misión española?

2. **RELACIONA** ¿Cómo cambió la cultura indígena cuando los indígenas empezaron a vivir en las misiones?

3. **ECONOMÍA** ¿Qué producían las misiones? ¿Cómo usaban esos productos los padres y los indígenas?

4. **RAZONAMIENTO CRÍTICO** ¿Qué hubiera sucedido si los indígenas no hubieran vivido en las misiones?

5. **REDACCIÓN** Haz una lista de las razones por las que un indígena querría escapar de la misión. Haz otra lista de las razones por las que un indígena querría quedarse en la misión.

Los topónimos

¿**S**abes qué es un topónimo? Es el nombre de un lugar. ¿Te has preguntado alguna vez de dónde vienen los topónimos, o nombres, de las ciudades y pueblos de California? ¿Sabes si Tarzana, California, tiene algo que ver con Tarzán, el de las películas? La respuesta es que sí. Edgar Rice Burroughs, el escritor que creó a Tarzán, fundó ese pueblo. ¿Sabías que Alcatraz es también el nombre de un pájaro parecido al pelícano que se encuentra en la isla de la bahía de San Francisco? En estas dos páginas de "Explora" aprenderás otros datos interesantes acerca del topónimo de varios lugares de California.

Prepárate

Necesitarás un mapa del estado de California y uno de tu ciudad o pueblo. Consulta los mapas de las páginas 328 y 329. También necesitarás una enciclopedia y un diccionario. Consulta

➤ *Si te fijas en los nombres de muchos lugares de la región de Los Ángeles descubrirás gran parte de su historia.*

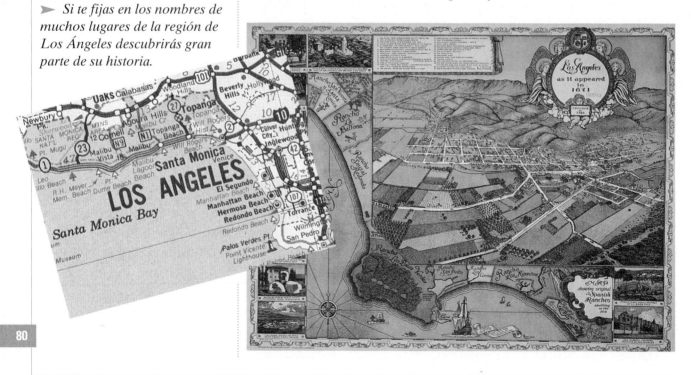

Capítulo 3

también libros, folletos y artículos sobre los topónimos de California. Después busca en el fichero de tu biblioteca bajo *place names*. Si tu biblioteca tiene libros en español, puedes buscar bajo *topónimos* o bajo *misiones*. También le puedes pedir ayuda a la bibliotecaria.

Descubre

Ahora busca el topónimo de varios lugares que te interesen. No será difícil. La próxima vez que viajes en un carro, presta atención a todo lo que ves. Escribe el nombre de ciudades, ríos, parques y montañas al pasar. Luego fíjate en los mapas. Haz una lista de 15 lugares con nombres interesantes que desees estudiar.

Sigue adelante

Ahora viene el trabajo de detective. Primero busca en los libros y en los otros materiales que has reunido. Mira si contienen información acerca de los lugares que te interesan. Busca también los nombres en el diccionario y en la enciclopedia. Luego visita o escribe a la sociedad histórica local del lugar que estás estudiando. La bibliotecaria puede ayudarte a encontrar los números y las direcciones.

Muchos topónimos te indican algo de las personas que le pusieron esos nombres a los lugares donde vivían. Esto te ayudará a hallar más información. Por ejemplo, el nombre *Salinas* quiere decir pantanos de sal en español. Esto te indica que las personas que le dieron ese nombre hablaban español. Algunos lugares de California todavía tienen nombres dados por los indígenas que vivieron en California hace mucho tiempo. Por ejemplo, *Yosemite* viene de la palabra indígena *uzamaite,* que puede ser el nombre del oso gris. Muchos otros topónimos de California vienen de diferentes idiomas indígenas. Con un poco de práctica y esfuerzo podrás descubrir estos topónimos indígenas y españoles.

Explora más

Empieza tu propio diccionario de topónimos y su historia usando los nombres que ya has estudiado. Añade nombres nuevos de ciudades, pueblos, calles, parques, escuelas y ríos a tu diccionario. Trata de hallar la razón por la que dieron ese nombre a cada lugar. Siempre que puedas, usa dibujos para ilustrar los lugares que escojas. Pronto tu diccionario de topónimos tendrá muchas historias interesantes acerca de tu pueblo y tu estado.

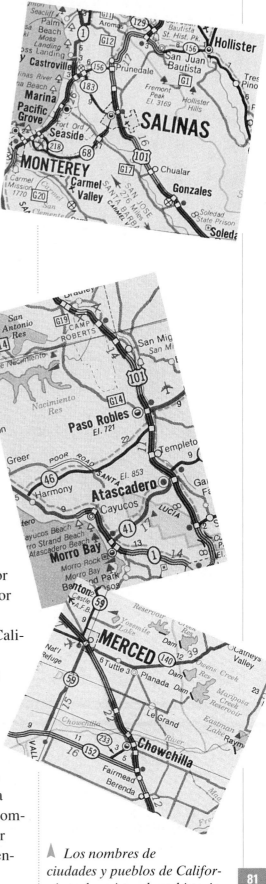

▲ *Los nombres de ciudades y pueblos de California te dan pistas de su historia.*

Los exploradores y colonos españoles

Repaso del capítulo

Repasa los términos clave

agricultura (p. 76)
colonia (p. 59)
cultura (p. 76)
expedición (p. 59)
ganadería (p. 76)

misión (p. 66)
península (p. 66)
presidios (p. 73)
revuelta (p. 79)

A. Escoge el término clave que complete mejor cada oración.

1. Durante 1760, España y Rusia querían construir una _____ en Alta California.
2. Una porción de tierra rodeada de agua por tres lados es una _____.
3. Los españoles construyeron _____ para protegerse de los ataques extranjeros.
4. Algunos indígenas querían provocar una _____ porque no estaban contentos en las misiones.
5. La _____ es el cultivo de la tierra.
6. Los padres querían que los indígenas de las misiones aprendieran la _____ y las tradiciones españolas.

B. Escribe una oración con cada uno de estos pares de palabras:

1. expedición, Cabrillo
2. colonia, Nueva España
3. misiones, indígenas
4. presidios, soldados
5. agricultura, españoles
6. cultura, padres

Explora los conceptos

A. Completa el cuadro siguiente en otra hoja. Indica para cada explorador la meta de su expedición y lo que logró.

Explorador	Meta	Logro
Cortés		
Cabrillo		
Portolá		
Anza		

B. Apoya cada una de estas oraciones con dos detalles del capítulo.

1. El comercio de especias, tejidos y té con Asia era importante para España.
2. Una leyenda indígena impulsó muchas expediciones españolas.
3. Entre los años de 1500 y 1600, Inglaterra y España competían entre sí.
4. Entre 1760 y 1770, España se preocupó porque Rusia quería establecer una colonia en Alta California.
5. Las expediciones de Portolá y Anza a Alta California fueron peligrosas.
6. Las misiones españolas de California cambiaron la manera de vivir de los indígenas.
7. Las misiones, pueblos y presidios de California estaban unidos por un camino.
8. Los indígenas y los padres de las misiones tenían creencias y tradiciones diferentes.

Repasa las destrezas

1. Fíjate en el mapa del mundo de la página 320. Menciona dos países del Hemisferio Norte y dos del Hemisferio Occidental.

2. Usa el mapa mundial otra vez. Halla el lugar que está a 60°N y 120°O. ¿En qué país está?

3. Imagínate que quieres saber más del trigo, una de las cosechas que los padres trajeron a California. ¿Hallarías más información en una enciclopedia o en un diccionario?

4. La línea cronológica de esta página indica las fechas de fundación de las misiones de California. Copia la línea cronológica en otra hoja. Luego, añade las fechas de la fundación de otras tres misiones. Puedes encontrar esa información en el mapa de la página 74.

5. Fíjate en el mapa climatológico de la página 330. ¿Cuántas regiones climatológicas se representan en él? Describe el clima del lugar donde estaba ubicada la primera misión.

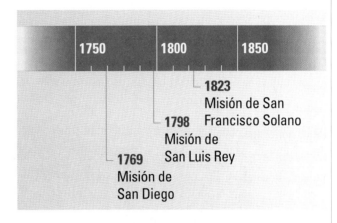

1750 1800 1850

1823
Misión de San
Francisco Solano

1798
Misión de
San Luis Rey

1769
Misión de
San Diego

Usa tu razonamiento crítico

1. ¿Por qué los primeros exploradores eran hombres y no mujeres? ¿Qué oportunidades tienen las mujeres hoy en día que no tenían hace mucho tiempo?

2. Cuando dos culturas se acercan, ambas aprenden algo de la otra. ¿Qué aprenderían los indígenas de los padres de las misiones, y qué aprenderían los padres de los indígenas? ¿Cómo aprendemos de otras culturas hoy en día?

3. Piensa en los hombres y las mujeres que han dirigido expediciones al espacio o bajo el mar. ¿Qué tienen en común con Colón, Cortés y Cabrillo?

4. Las misiones, los pueblos y los presidios de California dependían unos de otros para muchas cosas. ¿Cómo dependen las personas de tu comunidad entre sí?

Para ser buenos ciudadanos

1. **BUSCA INFORMACIÓN** Organiza en un cuaderno ejemplos de la cultura española en California hoy en día. Puedes incluir nombres, alimentos, ceremonias, arte o edificios. Haz un dibujo de cada ejemplo y escribe una oración para describirlo.

2. **TRABAJO EN EQUIPO** Trabajen en equipo para hacer una línea cronológica ilustrando los hechos históricos importantes que estudiaron en este capítulo. Empiecen con el año 1450 y terminen en 1850. Decidan qué hechos históricos incluirán y marquen sus fechas en la línea. Después trabajen en grupos pequeños para ilustrar cada hecho y escribir un párrafo describiendo por qué es importante. Pongan los dibujos junto a las fechas apropiadas en la línea cronológica.

Capítulo 4
La California mexicana

Los colonos de California recibieron ofertas de nuevas tierras y así comenzó la época de los ranchos ganaderos. Los nuevos propietarios trabajaban mucho para criar sus rebaños. Aunque estaban esparcidos por el campo de California, los unía una firme cultura española.

Los ciudadanos mexicanos reclamaban enormes extensiones de terreno. Para hacer una reclamación, había que dibujar un mapa o diseño de los límites del terreno.

Los rancheros usaban herramientas como éstas en los rodeos.

1800	1810	1820

1810 El 15 de septiembre, Miguel Hidalgo y Costilla inicia la guerra mexicana por la independencia.

1810

August Ferrán pintó este cuadro del trabajo diario en un rancho. Los vaqueros enlazan una res extraviada.

Los californianos esperaban la llegada de los barcos mercantes dos veces al año. Estos barcos traían desde abanicos chinos de plumas hasta calzado de cuero.

1830

1840

1850

1834 El gobierno mexicano aprueba una ley territorial que cierra las misiones en Alta California.

1850

LECCIÓN 1

Los comerciantes de California

➤ *El cuadro de la derecha muestra la bahía de Monterey en 1842. Los barcos mercantes extranjeros traían muchos productos a los californios. La tetera de estaño podría venir de Nueva Inglaterra y la montura de niño, de Chile.*

¡Pum! El disparo de un cañón desde el presidio anuncia que un barco mercante ha anclado en la bahía de Monterey. Hombres, mujeres y niños corren hacia la orilla. Todos esperan las barcas de remo que los llevarán al barco. Una muchacha se sienta entre su madre y su padre en una de las barcas. Va a comprar una pañoleta en la tienda del barco.

Richard Henry Dana navegó en un barco mercante de Boston en 1834. Describió la tienda del barco en su libro *Two Years Before the Mast* (Dos años ante el mástil): "Nuestro cargamento era variado; tenía de todo lo que se pudiera uno imaginar. Llevábamos . . . té, café, azúcar, especias, pasas, melazas, herramientas, cacharros de metal, de loza y de estaño, cuchillos, ropa de todo tipo, botas y zapatos . . ." El barco mercante traía todas estas mercancías para ofrecerlas a los ansiosos habitantes de Monterey. La tienda del barco tenía tantas pañoletas de colores brillantes que se hacía muy difícil decidir cuál comprar.

La guerra de México cambia a California

No siempre habían venido a California barcos mercantes como el que acabamos de describir. España no dejaba a otros países que comerciaran aquí. Pero en 1810 un suceso importante puso fin al control de España sobre el comercio en California.

Los habitantes de la parte de Nueva España que hoy en día es México estaban inquietos bajo el dominio español. Los españoles nacidos en México no podían tener los mismos empleos que los españoles que habían llegado de España para gobernarlos. Los españoles nacidos en México y los indígenas mexicanos deseaban la **independencia.** Querían gobernarse por sí mismos y no tener un gobierno del exterior. En 1810, el pueblo mexicano decidió luchar contra España por lograr su independencia.

Compara este mapa de Norteamérica con el de la página 6. ¿Cómo presenta cada mapa su información?

Llegan los barcos mercantes

Durante los 12 años siguientes todo México luchó en la guerra de la independencia mexicana. Los habitantes de Alta California, que se llamaban californios, no tomaron parte en las batallas. Los californios ni siquiera se enteraron de que los mexicanos habían obtenido la independencia de España hasta un año después de que acabara la guerra. Pero la guerra también trajo muchos cambios para los californios. A causa del costo tan alto de la guerra, el gobierno español no podía enviar barcos con provisiones para Alta California.

Cuando España dejó de enviar provisiones, otros países aprovecharon la oportunidad para comerciar con los californios. Rusia, por ejemplo, construyó el fuerte Ross al norte de San Francisco para comerciar con pieles. Los rusos llegaron a California a cazar focas y nutrias. Cambiaban ropas y herramientas por comida que era producida en las misiones. España no tenía suficientes barcos ni soldados para impedir que otros países comerciaran en California. Pronto Inglaterra y los Estados Unidos comenzaron a enviar barcos mercantes también. Los californios necesitaban provisiones así que comerciaron con los extranjeros. Cuando terminó la guerra, los nuevos gobernantes mexicanos alentaron a los extranjeros a comerciar con California. ■

■ *¿Por qué los mexicanos querían ser independientes del dominio español?*

Comienza el comercio del cuero y del sebo

Durante la década de 1840, cada año llegaban a California alrededor de dos docenas de barcos mercantes. Traían mucha variedad de **productos,** o cosas que producen la naturaleza, las personas o las máquinas. La mayoría de los barcos venían de Boston a comprar cuero barato para las fábricas de calzado de Nueva Inglaterra *(New England)*. Los barcos navegaban a lo largo de la costa de California. Los capitanes cambiaban productos como calzado, ropas y especias por pieles de reses para hacer cuero. Cuando se hace un intercambio de productos sin usar dinero, lo llamamos **trueque.**

Un barco podía transportar cientos de libras de pieles. Los californios también trocaban el sebo (la parte más pura de la grasa del ganado) por otros productos de los barcos. El sebo se usaba para hacer jabón y velas.

Cuando los barcos estaban cargados de pieles y sebo, regresaban a Boston. Se detenían en Suramérica para vender sebo a las fábricas de velas y jabón de Chile. Sigue el recorrido del barco desde San Diego en el cuadro titulado "Comercio de pieles y sebo" que aparece en la página 89. ■

■ *¿Para qué usaban los californios las pieles y el sebo?*

ESTUDIEMOS EL TRUEQUE

Antes de que se usaran billetes o monedas, se practicaba el trueque para obtener lo que uno necesitaba. Hace cuatrocientos años los indígenas no tenían billetes ni monedas. Aunque a veces usaban cuentas de concha como monedas, casi siempre trocaban unas cosas por otras. Por ejemplo, se podía hacer el trueque de una flecha por una piedra de moler o de una piel de venado por una olla de jabón. El trueque es una manera de conseguir las cosas necesarias sin usar dinero.

Trocar no es comprar. Si compras un lápiz por 25 centavos, no es un trueque. Pero si cambias dos estampas de béisbol por un sándwich con un amigo, eso sí es un trueque. Naturalmente debes ponerte de acuerdo con tu amigo sobre lo que es un trueque justo.

A veces las personas no se pueden poner de acuerdo sobre el valor de las cosas que quieren trocar. Esto puede causar conflictos y discusiones. ¿Cambiarías dos estampas de Orel Hershiser por un sándwich de queso? ¿Quién cambiaría una piel de res por una tetera de estaño y una pañoleta china?

Los californios de los que trata esta lección trocaban pieles de res por mercancías. No necesitaban dinero. Simplemente trocaban las pieles y sebo de su ganado por mercancías que traían los barcos mercantes de Nueva Inglaterra a Monterey y San Diego.

❶ California

En San Diego un californio mata una res.

Deja secar la piel estirada al sol.

Un indígena hierve el sebo y lo mete en una bota.

Un comerciante de Boston hace un trueque con el californio: el sebo por un chal que vale $2 y la piel por especias que valen $2. El comerciante trueca también con muchos otros californios.

❷ Chile

A la mañana siguiente el barco zarpa rumbo a Suramérica. En Chile un mercader local va al barco mercante.

Ese mercader compra muchas botas de sebo a $3 cada una. Con una bota se pueden hacer

20 pastillas de jabón y 60 velas. Él vende las velas a 10¢ y las pastillas de jabón a 15¢.

❸ Nueva Inglaterra

El barco mercante bordea el cabo de Hornos y sigue rumbo a Boston. Allí el dueño de una fábrica de calzado compra la piel por $3.

Los trabajadores de la fábrica hacen zapatos con la piel.

Otro comerciante compra los zapatos a $4 el par. Luego navega hacia el sur, bordea el cabo de Hornos y sigue hacia el norte hasta llegar a San Diego. En San Diego trueca con un californio: un par de zapatos por 2 botas de sebo y 2 pieles.

R E P A S O

1. **TEMA CENTRAL** ¿Por qué el comercio extranjero era importante para los californios?

2. **RELACIONA** Describe las semejanzas y las diferencias entre el comercio de sebo y pieles de los californios y los trueques que hacían los indígenas para conseguir lo que necesitaban.

3. **GEOGRAFÍA** Usa el mapa mundial de las páginas 320 y 321 del Atlas para averiguar por cuántos continentes pasaba un barco que navegaba de Boston a San Diego.

4. **RAZONAMIENTO CRÍTICO** ¿Por qué los californios y los comerciantes extranjeros se necesitaban unos a otros?

5. **ACTIVIDAD** ¿Has hecho un trueque alguna vez? Haz una caricatura describiendo tu experiencia.

L E C C I Ó N 2

De las misiones a los ranchos

Términos clave

- concesión de tierras
- vaquera
- vaquero
- ranchera
- ranchero

◄ *Las reatas son cuerdas que a veces se hacen de pelo de caballo trenzado.*

Es una tarde calurosa. Tan lejos como alcanza la vista, el pasto seco cubre la tierra. Sólo un bosquecillo de robles ofrece algo de sombra.

Cuatro jinetes, tres hombres y una mujer, aparecen a lo lejos cabalgando hacia donde están los árboles. Uno de ellos sujeta un extremo de una cuerda enrollada, llamada reata. Deja caer el rollo al suelo y avanza hasta que la cuerda está derecha. Ha terminado de medir la última sección de tierra. Cuando los jinetes llegan a la sombra, el hombre da la reata a la mujer y examina un mapa hecho a mano.

"Según el mapa, este bosquecillo marca la esquina noroeste de su rancho", dice a la mujer. "Hemos medido tres mil reatas desde las rocas grandes de la esquina suroeste. Será un rancho enorme, Señora".

"Podré criar miles de cabezas de ganado y caballos", responde la mujer.

El final de las misiones

A partir de 1834 se veían muchas escenas parecidas cerca de los pueblos y misiones de California. Los alcaldes de los pueblos ayudaron a muchos de los nuevos propietarios a medir los terrenos para sus ranchos de ganado.

Al terminar la guerra de la independencia mexicana, los nuevos gobernantes mexicanos querían librarse de todo lo que formara parte del antiguo gobierno español. Los nuevos gobernantes ordenaron que se cerraran las misiones españolas en Alta California. Muchos de los padres regresaron a México o a España. Algunos se quedaron para servir en las iglesias, pero ya no gobernaban las misiones. El gobierno mexicano dividió las tierras

y el ganado de las misiones entre los indígenas, los californios y los nuevos colonos mexicanos.

No todos recibieron lo mismo. Los californios y los nuevos colonos recibieron más de ocho millones de acres en **concesiones de tierras** del gobierno. Las familias californias y mexicanas tenían que preparar sus propios mapas a mano, llamados diseños, y probar que eran ciudadanos mexicanos si querían conseguir estas concesiones.

Tiempos difíciles para los indígenas

Los nuevos gobernantes también dieron a cada indígena de las misiones algo de tierra y de ganado, pero pocos indígenas llegaron a ser verdaderamente dueños de sus tierras. Algunos regresaron a las montañas y a los desiertos de donde habían venido sus antepasados. Otros perdieron sus tierras a manos de colonos poco honrados.

Para muchos indígenas fue difícil sobrevivir. Los que habían crecido en las misiones se habían acostumbrado a comer, a vestirse, a criar el ganado y a cultivar la tierra como los padres españoles. Cuando tuvieron que abandonar las misiones, no sabían buscar alimentos en las montañas y los desiertos como habían hecho sus antepasados.

Algunos indígenas buscaron trabajo en los ranchos. Los que aprendieron en las misiones a montar a caballo trabajaban como **vaqueros** o **vaqueras** y se ocupaban de cuidar a caballo el ganado. Las mujeres indígenas trabajaban en las casas de los **rancheros** y las **rancheras,** es decir, los dueños y dueñas de los ranchos o granjas. Lavaban y cosían la ropa, cuidaban a los niños, cocinaban para las familias y los trabajadores de los rancheros. Los indígenas no encontraron la libertad cuando se cerraron las misiones. Simplemente cambiaron de patrón. Ahora el patrón era el ranchero. ■

Los seres humanos cambian la tierra donde viven. Los indígenas, los padres y los colonos mexicanos construían diferentes tipos de casas. Fíjate en los dibujos de izquierda a derecha. ¿Sabes quién construyó cada casa?

En otros tiempos

Después del 1834 nadie se ocupó de las misiones. Algunas fueron destruidas por los terremotos. Al principio de este siglo la gente comenzó a reparar las misiones de California. Ahora esas misiones son una atracción para los turistas.

■ *¿Qué dificultades encontraron los indígenas cuando se cerraron las misiones?*

Ranchos y rancheros

Las primeras concesiones de tierras fueron dadas a hombres que ya vivían en California. Casi todos eran oficiales o soldados de los presidios o amigos y parientes de los gobernantes. Más tarde, otros ciudadanos mexicanos solicitaron concesiones de tierras. Juana Briones de Mirande fue una de las 26 mujeres que recibieron concesiones de tierra en California. Por muchos años fue dueña de un rancho cerca de San Francisco. Las mujeres de México y de California podían poseer tierras independientemente de sus maridos, como las mujeres españolas.

La mayoría de los ranchos estaban situados en las praderas que se extendían por millas sobre las colinas de California. ¿Por qué crees que no hubo muchas concesiones de tierras en las regiones noroeste y sureste de California?

Los nuevos rancheros criaban ganado para poder comerciar con el cuero y el sebo. Este mapa les muestra el área que el gobierno mexicano dividió y concedió para hacer ranchos. En la ilustración puedes ver cómo era un rancho. Muchos de ellos tenían 75 millas cuadradas de extensión. Esta área es mucho mayor que la de algunos pueblos y ciudades modernas. Cuando se cerró la misión de San Gabriel, que abarcaba 2,400 millas cuadradas, la tierra se dividió y fue concedida convirtiéndose en 24 ranchos.

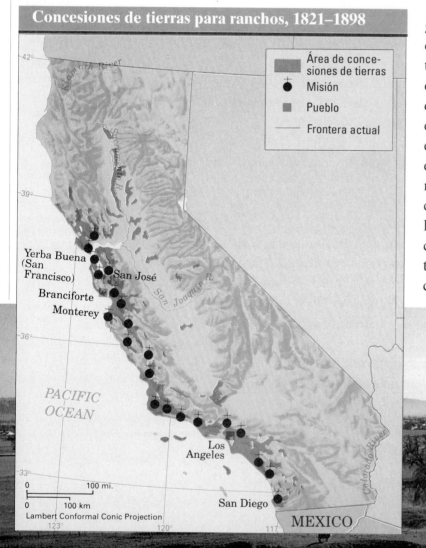

Concesiones de tierras para ranchos, 1821–1898

- Área de concesiones de tierras
- Misión
- Pueblo
- Frontera actual

Klamath River

Sacramento R.

Yerba Buena (San Francisco)
San José
Branciforte
Monterey
San Joaquin R.

PACIFIC OCEAN

Los Angeles

Colorado River

San Diego

MEXICO

0   100 mi.
0   100 km
Lambert Conformal Conic Projection

En las tierras sin cerca vagaban miles de cabezas de ganado que se alimentaban de los abundantes pastos silvestres. Cincuenta vacas podían comerse el pasto de más de una milla cuadrada cada año. Por eso los ranchos eran tan grandes.

Los rancheros ricos mantuvieron las costumbres de las familias españolas y mexicanas. Vivían en casas grandes de adobe, o ladrillos de arcilla, como la que puedes ver en la página 91. En muchos de estos ranchos vivían juntos todos los parientes del ranchero. A veces se juntaban hasta 30 personas en un rancho. En esos hogares tan grandes había mucho trabajo que hacer. Los sirvientes indígenas hacían este trabajo.

Los rancheros eran hospitalarios. Daban la bienvenida a cualquiera que necesitara albergue. Algunos de los rancheros más ricos ponían un tazón lleno de dinero en las habitaciones de los huéspedes para ellos.

La vida difícil en los ranchos

Pero no todos los rancheros eran ricos. Algunos tenían que luchar mucho para ganarse la vida con poco ganado o con tierras pobres. Vivían en casas pequeñas de adobe con piso de tierra, pocas ventanas y puertas de cuero. Ellos mismos hacían gran parte del trabajo del rancho. Además todos los rancheros vivían a muchas millas de distancia de sus vecinos. Normalmente para llegar al pueblo o rancho más cercano, muchos tenían que viajar un día entero a caballo. ■

◀ *Este cuadro de James Walker presenta a un jinete en un rancho. Fíjate en los adornos de plata de las bridas del caballo y de la ropa del jinete.*

■ *Explica por qué muchos ranchos eran muy grandes.*

R E P A S O

1. **TEMA CENTRAL** ¿Cómo afectó el cierre de las misiones a los indígenas, a los padres y a los nuevos colonos mexicanos?

2. **RELACIONA** Fíjate en la figura de la página 92 de esta lección. Explica cómo usaban las tierras de California los indígenas, los padres y los rancheros.

3. **CULTURA** ¿Cómo fue que se hicieron ricos los rancheros?

4. **RAZONAMIENTO CRÍTICO** ¿Cómo se enteraban los rancheros de lo que sucedía en otros ranchos y en otras partes del mundo?

5. **ACTIVIDAD** Ahora eres un mexicano en 1834. Imagina recibir una concesión. Haz un dibujo indicando las fronteras de tus tierras. Usa símbolos para indicar colinas, ríos y bosques.

Identifiquemos causas y efectos

¿Por qué?

Los sucesos históricos casi siempre están relacionados por una cadena de causas y efectos. Por ejemplo, el cierre de las misiones cambió la vida de muchas personas en California. Este suceso causó otros sucesos. Si identificas las relaciones de causa y efecto comprenderás mejor cómo están relacionados los sucesos históricos.

¿Cómo?

Un suceso que produce otros sucesos es una causa. Los sucesos que ocurren como resultado de la causa son efectos.

El diagrama siguiente indica que el cierre de las misiones fue una causa. Produjo otros sucesos. Al cerrarse las misiones, algunos indígenas huyeron a las montañas y a los desiertos. Este suceso fue un efecto. ¿Qué otros efectos aparecen en el diagrama?

Si quieres identificar causas y efectos, haz las preguntas adecuadas. Pregúntate, "¿Por qué sucedió?" Por ejemplo, "¿Por qué

casi todos los padres regresaron a México y España?" Después piensa en los sucesos anteriores. ¿Explica alguno de ellos por qué regresaron los padres? Si lo hace, es una causa. Para descubrir los efectos de un suceso, pregúntate: "¿Qué sucedió como resultado?"

Hay palabras que te ayudarán a identificar causas y efectos. Las palabras *porque, puesto que, ya que, para*, casi siempre se usan para indicar que lo que se va decir es una causa. Las palabras, *por eso, por lo tanto, como resultado*, casi siempre indican que lo que se va a decir es un efecto.

Practica

Haz un cuadro con dos encabezamientos: "Causas" y "Efectos". Lee los ejemplos siguientes. Escribe las causas y los efectos en las columnas apropiadas de tu cuadro. Busca palabras que te ayuden y pregúntate: "¿Por qué sucedió?" y "¿Qué sucedió como resultado?"

1. En 1810 los mexicanos decidieron luchar contra España porque querían la independencia.
2. Los fabricantes de Nueva Inglaterra necesitaban cuero para hacer calzado, por eso compraban pieles de los californios.
3. Los rancheros hacían rodeos para clasificar su ganado.

Aplícalo

Recuerda una historia que hayas leído. Piensa en algo que hizo el protagonista. Pregúntate "¿Por qué?" para descubrir la causa de lo que hizo el protagonista. Pregúntate, "¿Qué sucedió como resultado?" para saber cuáles son los efectos de lo que hizo.

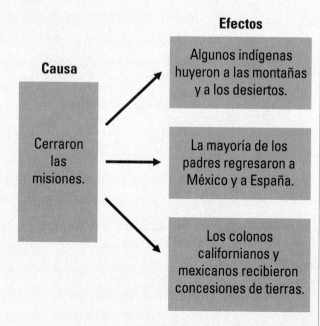

Causa

Cerraron las misiones.

Efectos

Algunos indígenas huyeron a las montañas y a los desiertos.

La mayoría de los padres regresaron a México y a España.

Los colonos californianos y mexicanos recibieron concesiones de tierras.

LECCIÓN 3

Ranchos y pueblos

Una puerta se abre y docenas de becerros asustados entran al corral. El aire está lleno de polvo y del olor del ganado. Un vaquero florea su reata en el aire y laza a un ternero. Otros dos vaqueros lo derriban al suelo rápidamente y el tercero imprime con un hierro al rojo vivo la marca del rancho en la piel del animal. Luego aflojan la cuerda y el ternero se apresura a reunirse con el rebaño.

Desde el amanecer los vaqueros han estado clasificando ganado que han traído de los pastos. El ganado ha vagado libre por varios meses. Las reses de diferentes ranchos se han mezclado y han nacido nuevos becerros. Ahora los vaqueros se tienen que poner a separar el ganado y agruparlo en rebaños. Primero separan los becerros de las madres y después los marcan con el hierro del rancho al que pertenecen.

El alcalde del pueblo ha proclamado dos días de fiesta para el **rodeo,** que es cuando se reúne al ganado. Todos los habitantes del pueblo han venido a ayudar con el trabajo. Después que terminen de clasificar y marcar el ganado, habrá que sacrificar y desollar a cientos de reses.

TEMA CENTRAL

¿Por qué los pueblos dependían de los ranchos?

Términos clave

- rodeo
- plaza
- concejo municipal

▼ *Los españoles introdujeron el uso de los hierros de marcar en California.*

La California mexicana

Vida en el rancho

Los rodeos se hacían en enero y en abril. Durante el resto del año los rancheros dirigían a los vaqueros y sirvientes indígenas que trabajaban en los ranchos. Vamos a volver al pasado, a visitar un rancho en un día cualquiera de 1840.

Sobre una pequeña colina hay una casa de adobe con techo de tejas. Desde el porche del frente puedes ver tierras y ganado dondequiera que mires. Si sigues los sabrosos olores que llegan a tu nariz llegarás a una cocina al aire libre en donde una mujer indígena está preparando el almuerzo. Una sabrosa cazuela de carne condimentada y verduras llena el aire con su delicioso olor. Entra a la casa. Oyes las voces de los niños recitando una lección. Como no hay escuelas cerca, un tutor viene al rancho unas cuantas veces al año y se queda por una semana para enseñar a los niños del ranchero. Después de la clase los niños van a montar a caballo. Los caballos están libres y en manadas, como el ganado. Las muchachas y los muchachos pueden montar en el primer caballo que ven. Estos niños son buenos jinetes desde antes de los 10 años.

Sal a los cobertizos al otro lado de la casa. Allí verás que los hombres indígenas reparan las carretas y las herramientas mientras las mujeres indígenas tejen la lana para hacer tela. Si sigues más allá, en otro cobertizo hierven el sebo en tinas enormes para hacer jabón y velas. Los rancheros necesitan a los sirvientes y obreros indígenas para hacer todo el trabajo del rancho. Si quieres saber más sobre cómo hacían su trabajo los vaqueros indígenas, pasa a la página siguiente y lee la sección titulada "En ese momento". ■

■ *Describe la vida diaria en un rancho.*

El trabajo de una vaquera

3 de octubre de 1830, 2:00 P.M. Un rodeo cerca del rancho Sal Si Puedes.

La reata

La vaquera florea la reata trenzada y trata de enlazar el cuello del ternero. Cuando lo haga caer al suelo, otros vaqueros le pondrán la marca MM.

Carne seca

Lleva medio trozo de carne seca en su bolsa de cuero. Se comió la otra mitad para el almuerzo sin desmontar.

Chaparreras

Las espinas desgarraron estas cubiertas de cuero cuando la vaquera persiguió al ternero por la maleza espesa.

Silla

La vaquera aprieta las rodillas contra la silla. Su padre se la regaló por ser la primera mujer del rancho que trabajaba con los vaqueros.

Potro

También llamado *mustang*, sus cascos golpean el valle. La vaquera domó a este caballo salvaje, enseñándole a detenerse, dar la vuelta y galopar.

97

La vida en un pueblo

Este cuadro titulado Carrera de caballos *de Ernest Narjot muestra a los habitantes de un pueblo reunidos para una ocasión especial. Los jinetes son indígenas, probablemente vaqueros de un rancho cercano.*

Aunque los rancheros estaban a muchas millas de los pueblos, formaban parte de la vida de los mismos. Cada pueblo tenía unos cientos de casas de adobe agrupadas alrededor de un centro muy amplio, llamado la **plaza.** Alrededor de la plaza estaban la alcaldía, la iglesia y las casas de los rancheros. Los rancheros vivían en estas casas cuando venían al pueblo a hablar con los comerciantes de pieles y sebo y a registrar sus marcas con el alcalde.

En los pueblos vivían y trabajaban los talabarteros, los herreros, los posaderos y los peones. Éstos se ganaban la vida trabajando para los rancheros y los comerciantes.

Los ciudadanos del pueblo elegían un **concejo municipal.** El concejo municipal era un grupo de funcionarios que se ocupaba de los asuntos del pueblo. El concejo elegía a un alcalde que también actuaba como juez.

Los pueblos eran la sede del gobierno y donde se celebraban las fiestas. Éstas tenían lugar después de los rodeos o como celebración de una boda o festividad religiosa. En las fiestas todo el pueblo se reunía en la plaza. Había carreras de caballos y otras actividades al aire libre. Las parejas jóvenes disfrutaban y daban vueltas mientras bailaban el fandango. Los californios conservaron sus tradiciones españolas por mucho tiempo, pero luego llegaron gentes de otros lugares y esto cambiaría la manera de vivir que era tradicional hasta entonces. ■

➤ *El sombrero y el sarape del ranchero eran prendas de ropa comunes que llevaban los californios para el trabajo y las fiestas.*

■ *¿Por qué los ranchos eran importantes para los pueblos?*

R E P A S O

1. **TEMA CENTRAL** ¿Por qué los pueblos dependían de los ranchos?

2. **RELACIONA** Compara el trabajo de un vaquero con el de un marinero en un galeón español. ¿Ves algún parecido?

3. **ECONOMÍA** Describe los diferentes trabajos que se hacían en los ranchos durante el dominio mexicano.

4. **RAZONAMIENTO CRÍTICO** ¿Qué causaba que los rebaños crecieran o disminuyeran? ¿Cómo afectaban estos cambios la vida de los ranchos y los pueblos?

5. **REDACCIÓN** Imagínate que eres un reportero del periódico de un pueblo alrededor del año 1840. Escribe tres preguntas que le harías a un ranchero y al alcalde.

Dar instrucciones orales

¿Por qué?

Imagínate que te dan instrucciones de cómo hacer ladrillos de adobe para construir casas de rancheros, pero los pasos que te dan están desordenados. Sería difícil que hicieras la tarea correctamente. Es importante que sepas dar instrucciones orales, dentro y fuera de la escuela.

¿Cómo?

Estudia estas reglas para dar instrucciones orales.

1. Explica el propósito de tus instrucciones.
2. Indica un paso a la vez y en el orden a seguir. Usa palabras clave como *primero, después, a continuación.*
3. Incluye suficientes detalles para que todos los pasos estén claros.
4. Habla con claridad para que los que te escuchen comprendan lo que dices.

Cuando te den instrucciones orales, escucha atentamente. Pregúntate, "¿Están los pasos en el orden a seguir? ¿Me los puedo imaginar?" Si no comprendes, haz preguntas.

Practica

Las figuras y leyendas siguientes indican los pasos para hacer ladrillos de adobe. Pero están desordenadas. Estudia las instrucciones. Pregúntate, "¿Cuál sería el orden a seguir de estos pasos? ¿Puedo añadir palabras o detalles que permitan comprender mejor las instrucciones?" Cuando termines de cambiar las instrucciones, dilas en voz alta a tus compañeros. Pregúntales, "¿Hablé con claridad? ¿Están los pasos en el orden a seguir? ¿Comprendieron con facilidad?"

Aplícalo

Escoge una tarea, como cambiar la rueda desinflada de una bicicleta o tomar una fotografía con una cámara. Prepara las instrucciones para llevar a cabo esta tarea. Da las instrucciones orales a tus compañeros. Pídeles que opinen sobre el orden de los pasos a seguir. Pregúntales si hay suficientes detalles para que puedan imaginarse los pasos a seguir. Invítalos a hacer preguntas acerca de tus instrucciones.

Pon los ladrillos al sol y deja que se cuezan hasta que estén duros.

Llena los moldes de madera con la mezcla de arcilla, agua y paja.

Mezcla la arcilla y el agua con un poco de paja.

Al secarse los ladrillos, sácalos de los moldes.

Carlota

Scott O'Dell

> Carlota de Zubarán vive en el rancho de su familia con su hermana menor Iris, su padre Don Saturnino, su abuela Doña Dolores y su sirviente Rosario. Su padre ha arreglado el matrimonio de Iris y Don Roberto, el hijo de su vecino Don César. A Doña Dolores no le gusta el matrimonio. En esta escena, Doña Dolores discute el problema con Don Saturnino. Mientras lees pregúntate, "¿Cómo se sentiría Carlota al escuchar a su padre y su abuela discutiendo acerca del matrimonio?"

Llueve —dijo él.

—¡A buena hora! —dijo la abuela.

—¿Buena para qué? No necesitamos inundaciones.

—Para la boda —respondió Doña Dolores. —Da tiempo para hacer cambios. Roberto se puede casar con Carlota en lugar de con Iris.

—Don César y yo ya lo hemos pensado. Llevamos cinco años hablando de esta boda.

—No está bien que la hija más joven se case primero.

—Don César y yo lo hemos pensado todo. Eso también. No estará bien, pero es lo mejor para Iris y Carlota.

Mi abuela suspiró con calma. Movió los pies, miró a ver si veía a Rosario pero Rosario no había regresado. Estaba afuera, bajo el portal dando de comer al águila que pertenecía a mi padre.

—Carlota y Don Roberto —dijo el padre desdeñosamente, tirando de su barba puntiaguda—. ¿Les has pedido permiso?

—Sabes muy bien que no hace falta su permiso —replicó Doña Dolores.

—Sin embargo sería prudente —dijo Don Saturnino con calma. —Carlota no es Iris. Es una auténtica de Zubarán.

—Es una gran diferencia —dijo mi abuela—. Eso lo admito. Ya te has ocupado tú de eso. Has criado a Carlota como a un vaquero. No piensa más que en los caballos. Caballos grises, caballos bayos, caballos blancos, caballos moteados,

portal Un porche cubierto.

prudente Inteligente y práctico.

caballos palominos. ¡Caballos! No es capaz de dar cincuenta pasos caminando. Prefiere montarse en un caballo para recorrer esa distancia.

Lo que decía era verdad. Es cierto que me habían criado como a un vaquero. Era tan buen jinete como cualquier hombre del rancho. Mi padre incluso me puso el nombre de Carlota en honor a su hijo, Carlos, quien fue asesinado por los piutes.

—Iris es una muchacha de salón, sabe coser y tocar la viola —dijo Doña Dolores—. No es la mujer para Don Roberto.

—Tampoco lo es Carlota. Ninguna mujer es adecuada para Don Roberto. La desgracia es que Don César sólo tenga un hijo.

—Ese gusano peludo —dijo mi abuela—. Tú eres el culpable de todo. Podrías haberla casado con uno de los Bandini, o incluso uno de los Yorba. O en último caso, con uno de los Palomares.

Doña Dolores se levantó de la silla y se fue cojeando hasta la ventana para ver caer la lluvia. Vi que se santiguaba y comprendí que estaba rezando para que la lluvia no se acabara nunca. Caminé hacia la puerta dejando que continuaran su charla, que subiría de tono antes de terminar.

No me preocupaba. No pensaba casarme con Don Roberto, con los cachetotes y las manitas regordetas. Por mucho que amenazara Doña Dolores con eso de que ella era la única dueña del Rancho de los Dos Hermanos de cuarenta y siete mil acres, como hacía algunas veces cuando tenían peleas . . . Por mucho que amenazara, mi padre nunca consentiría a arreglar ese matrimonio.

Más aún, él iba a tratar de conservarme a su lado tanto tiempo como pudiera. Y me parecía bien. Me gustaba cabalgar con los vaqueros. Me gustaba ir con mi padre y hacer cosas con él. La verdad era que como decía mi abuela a cada rato, yo sólo pensaba en los caballos de todas las razas y los colores. Nada me gustaba más que montar sobre mi silla cordobán con las grandes espuelas de plata en mis talones.

piutes Una tribu indígena de California.

muchacha de salón Una muchacha bien educada y con buenos modales.

viola Un violín.

Bandini, Yorba, Palomares Familias que viven cerca de los Zubarán.

Repaso del capítulo

Repasa los términos clave

concejo municipal
(p. 98)
concesión de tierras
(p. 91)
independencia (p. 87)
plaza (p. 98)

productos (p. 88)
ranchero (p. 91)
rodeo (p. 95)
trueque (p. 88)
vaquero (p. 91)

A. Escribe el término clave para cada una de estas definiciones:

1. persona que se ocupa de cuidar a caballo el ganado
2. el centro de un pueblo
3. el dueño de un rancho o una granja grande
4. ocasión en que se reunía el ganado
5. terreno regalado por el gobierno
6. comerciar sin usar dinero

B. Escoge el término clave que completa mejor cada oración.

1. Los barcos navegaban a California llevando especias, calzado y otros ___.
2. Los mexicanos luchaban por su ___ del gobierno español.
3. El ___ se ocupaba de elegir al alcalde del pueblo.
4. Después de la guerra, los colonos mexicanos recibieron ___ del gobierno mexicano.
5. En el centro del pueblo se encontraba la ___.
6. Los californios ___ pieles por las mercancías que traían los barcos mercantes.

Explora los conceptos

A. Termina el cuadro de la derecha en otra hoja, indicando dos efectos causados por cada suceso de la primera columna.

B. Justifica cada oración con dos detalles de este capítulo.

1. Los mexicanos querían ser independientes de España.
2. Al cerrar las misiones cambió la vida de los padres y de los indígenas de las misiones.
3. Los californios dependían del comercio con otros países.
4. El nuevo gobierno mexicano dividió las tierras de las misiones en concesiones.

Suceso (causa)	Efecto 1	Efecto 2
Guerra mexicana de la independencia		
Cierre de las misiones		
Comienzo de los ranchos		

5. Muchos rancheros conservaron las tradiciones de las familias españolas y mexicanas.
6. Los pueblos y los ranchos dependían unos de otros.
7. Muchos indígenas trabajaban en los ranchos.

Repasa las destrezas

1. Lee esta oración: Los rancheros marcaban el ganado para saber qué reses les pertenecían. La palabra *para*, ¿indica una causa o un efecto?

2. Las instrucciones siguientes son para hacer salsa de chile, pero los pasos están desordenados. Pon los pasos en orden y añade palabras clave que hagan más fácil seguir las instrucciones. Escríbelas en otra hoja.

   A. *Cocina a fuego lento durante una hora.*

   B. *Pon todos los ingredientes en una olla grande.*

   C. *Necesitas 12 tomates, 3 cebollas, 3 pimientos verdes, 1 pimiento chile rojo, 3 cucharadas de azúcar, 2 tazas de vinagre, sal y pimienta.*

   D. *Corta los tomates, las cebollas, los pimientos verdes y el chile en trocitos pequeños.*

3. Alrededor del año 1820 Rusia comerciaba con los californios. Ahora Rusia es parte de la Unión Soviética. Busca la Unión Soviética en el mapa de la página 320. ¿Cuáles son los dos hemisferios en que se encuentra?

4. Si deseas ubicar lugares de California y México en el mismo mapa, ¿qué tipo de mapa usarías, uno mundial o uno de Norteamérica?

Usa tu razonamiento crítico

1. ¿En qué cambiaría la vida hoy en día si la gente usara el trueque en lugar de comprar las cosas con dinero?

2. Muchas personas quieren trabajar para ganarse la vida y sentir que han logrado algo. Si hubieras vivido en un rancho o en un pueblo, ¿qué trabajo te habría gustado hacer? ¿Por qué?

3. Pocos indígenas poseían tierras. Si los indígenas hubieran recibido concesiones de tierras, ¿cómo hubieran cambiado sus vidas?

Para ser buenos ciudadanos

1. **ACTIVIDAD ARTÍSTICA** Haz un hierro que puedas usar para marcar tus cosas. Usa cualquier combinación de letras, números o formas que desees.

2. **ACTIVIDAD DE GRUPO** Trabaja en un grupo pequeño para planear un Día de Trueque en clase. Pídeles a tus compañeros que traigan objetos baratos para cambiar. Decidan en grupo qué objetos pueden trocar y cómo harán el trueque. Haz una lista de reglas para que el trueque sea justo. Presenta tu plan al resto de la clase.

3. **TRABAJO EN EQUIPO** Como proyecto de clase, hagan un mural que represente la vida diaria en un rancho y en un pueblo. Trabajen en dos equipos, uno para que haga el rancho y otro para que haga el pueblo. Busquen información en este capítulo para ilustrar el paisaje, las personas y las actividades del rancho y del pueblo. Todos los miembros de los equipos deben participar en planear y hacer los dibujos. Cuando terminen el mural, un portavoz de cada equipo explicará la ilustración del grupo.

Unidad 3

Los recién llegados cambian a California

Era hora de que ocurriera un cambio y de tomar decisiones. California estaba libre del dominio español y pronto empezaron a llegar colonos en busca de oro y de sueños. El pintor de este cuadro, Ernest Narjot, fue uno de ellos. Vino de Francia en busca de oro, junto a miles de personas de todo el mundo. Esta gente y sus ideas cambiaron a California para siempre.

1820

Lavadero de oro en Foster's Bar
por Ernest Narjot, 1851. Biblioteca Bancroft

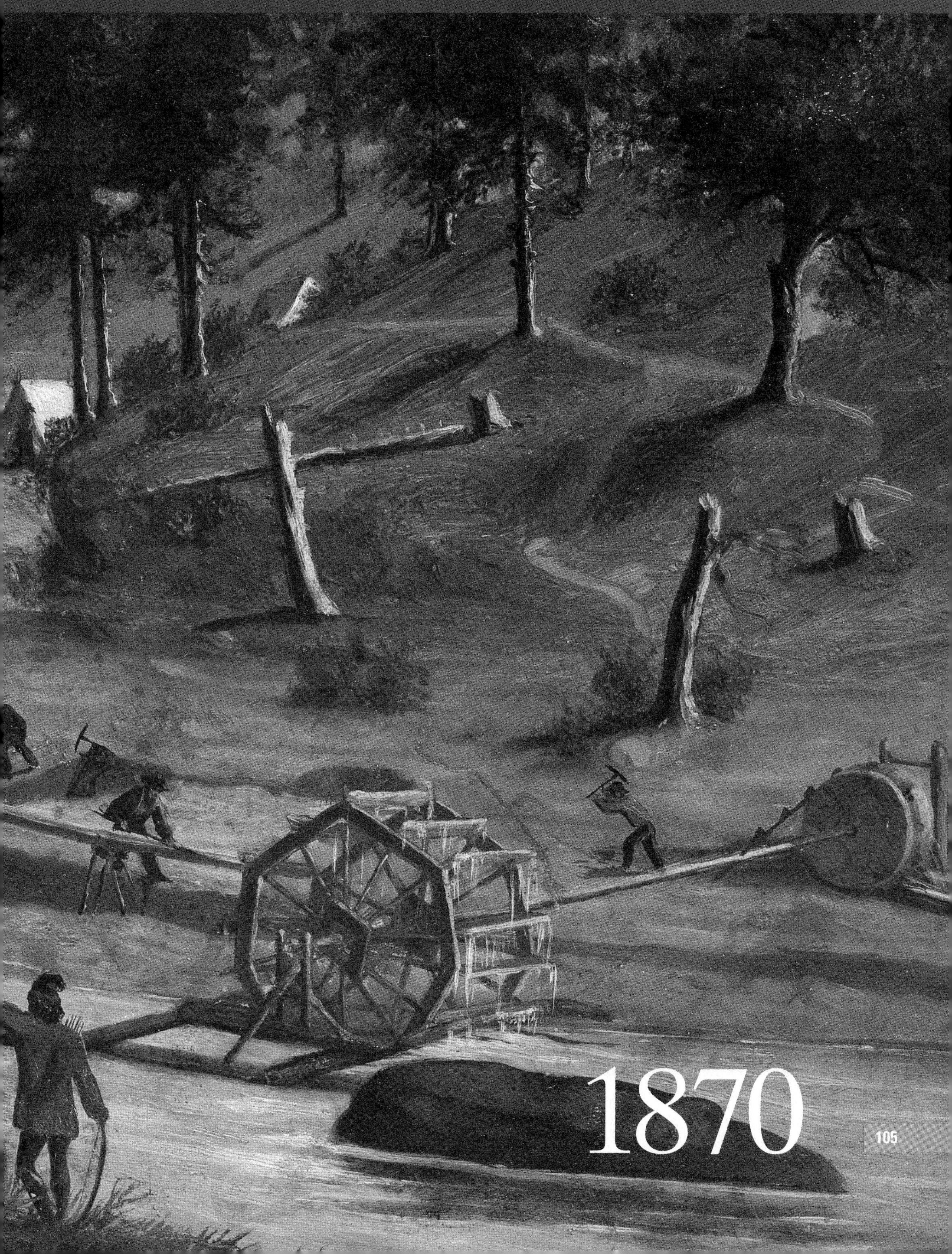

1870

Capítulo 5

Recién llegados de los Estados Unidos

Poco después de 1820 los Estados Unidos comenzaron a interesarse por California. Un grupo de viajeros se arriesgó a emprender el viaje al Oeste. Para el año de 1850 muchos ya habían recorrido el camino a California. Miles de personas de todo el mundo viajaban a California.

Jessie y John Frémont despertaron el interés por California con su *Reports*, un libro famoso acerca del viaje de John al Oeste.

La historia de California cambió para siempre con el descubrimiento de oro en el río American.

1810	1820	1830

1820

1826 Jedediah Smith es la primera persona de los Estados Unidos que viaja por tierra a California.

El banjo era parte del equipo básico de muchos viajeros a California.

1849 Los mineros buscan fortuna en California, como se ve en la foto de arriba.

1840   1850   1860

1839 John Sutter llega a California. Más tarde construyó un aserradero donde se descubrió oro por primera vez.

1856

LECCIÓN 1

Los pioneros en California

El viento azotaba el cuerpo cansado de Jedediah Smith y sus dos amigos. Allá en las montañas despobladas, a cientos de millas de un lugar habitado, los acechaban el hambre, el frío y la muerte.

Unos pocos días antes, Smith y sus hombres disfrutaban de la paz y la belleza del valle de San Joaquín. Habían encontrado miles de castores, justo lo que iban buscando. Atraparon cientos de animales para vender sus valiosas pieles. La caza fue tan buena que Smith decidió viajar a su campamento del Gran Lago Salado para buscar más tramperos. Pero para llegar hasta ese lugar, tenía que cruzar estas montañas.

Smith y sus hombres avanzaban con dificultad sobre ocho pies de nieve. Cada paso era un gran esfuerzo, pero continuaban subiendo la montaña lentamente. Cuando se quedaron sin comida, tuvieron que comerse los caballos. Al fin, después de varios días de viaje, Smith y sus hombres cruzaron las montañas y comenzaron a bajar. ¡Habían llegado al otro lado! Fueron las primeras personas de los Estados Unidos en cruzar la imponente Sierra Nevada.

Crece el interés por California

El viaje de Smith sucedió en el año de 1826. En aquella época muchos barcos mercantes de New York, Boston y otras ciudades de los Estados Unidos llegaban al estado de California. Pero Smith, así como otros aventureros, no sólo quería pasar unos días en la costa de California, sino que también quería explorar esta nueva tierra.

El primer viaje por tierra

Smith era un trampero de castores, pero hacia el año de 1825 cada vez era más difícil encontrar esos animales en los Estados Unidos. Smith decidió ir a California a buscar castores y nuevas aventuras.

➤ *Entre las pocas cosas familiares que Smith vio durante su viaje estaba el coyote.*

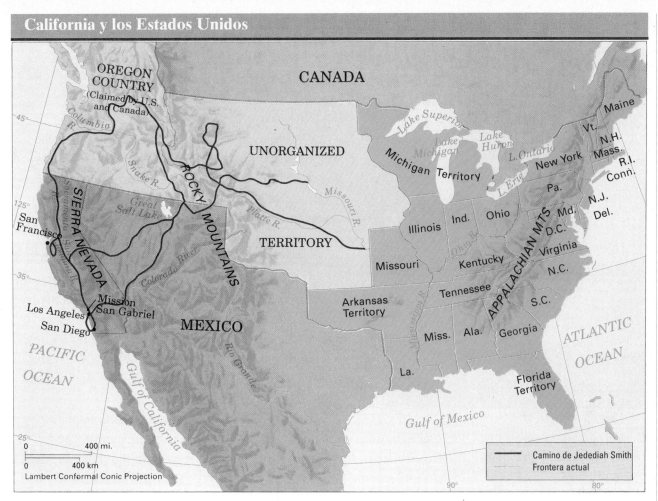

Llegar a California iba a ser un gran reto pues nadie de los Estados Unidos se había arriesgado a viajar tan lejos al oeste por tierra. Frente a Smith se extendía una región escarpada, desconocida incluso para sus guías indígenas. Así que, al cruzar el ardiente desierto Mojave, Smith fue el primer habitante de los Estados Unidos en llegar a California por tierra.

Cuando Smith y sus amigos llegaron a California, los funcionarios del gobierno mexicano no les dieron la bienvenida. Ellos querían que los Estados Unidos comerciaran con California por mar, no por tierra. Además, tenían miedo de que los Estados Unidos invadieran a California. Creyeron que Smith era un espía de los Estados Unidos y le ordenaron que se marchara. Smith huyó hacia el norte, al valle de San Joaquín, cazando castores en el camino. Finalmente se dirigió hacia el este e hizo historia al cruzar la Sierra Nevada, como leíste al comienzo de esta lección.

Para los Estados Unidos, Smith fue un **pionero**. Los pioneros eran personas que viajaban a tierras nuevas, mostrando el camino para que otros los siguieran después. Pero para los funcionarios del gobierno mexicano de California, Smith no era tan sólo un pionero. Para ellos su visita demostraba que los Estados Unidos tenían

▲ ¿Por qué nadie había viajado de los Estados Unidos a California por tierra?

▲ Los pioneros llegaron a California buscando aventuras y riqueza. Smith, por ejemplo, iba buscando valiosas pieles de castor.

109

Recién llegados de los Estados Unidos

South Dakota Art Museum, Brookings

Este cuadro de Harvey Dunn, Jedediah Smith en las Badlands, *muestra la ruta escarpada hacia California.*

■ *¿Por qué el gobierno mexicano recibió bien a Abel Stearns y no a Jedediah Smith?*

interés en California. Ese interés en su tierra los preocupaba mucho.

Un pionero en los negocios

El gobierno mexicano tenía una actitud más amigable hacia Abel Stearns, otro pionero de los Estados Unidos que llegó a California por mar. En el año de 1828 Stearns navegó hacia California desde su estado de Massachusetts. Stearns venía con la idea de abrir un negocio en Los Ángeles. Al igual que Jedediah Smith, Stearns vio la oportunidad de hacerse rico en California. Pero Stearns, al contrario de Smith, respetaba al gobierno mexicano. Con sus conocimientos de negocios, ayudó a los californios a mejorar sus métodos comerciales. Al mismo tiempo, Stearns tuvo tanto éxito en su negocio que llegó a ser el hombre más rico de Los Ángeles.

Stearns se hizo ciudadano mexicano, se casó con una mujer de California y aprendió a hablar español. Los funcionarios del gobierno mexicano le regalaron muchas tierras porque respetó su gobierno y colaboró con él. Los mexicanos comprendieron que Stearns no ponía en peligro el control que ellos tenían sobre California. ■

Llegan otros a California

A Smith y Stearns los siguieron muchos estadounidenses. Durante los siguientes 20 años hicieron el viaje a California cientos de colonos que querían explorar aquella tierra que todavía estaba sin colonizar. A esas tierras del Oeste, que tanto atraían a los colonos, las llamaron la **nueva frontera.**

Fuerte Sutter

Una de estas personas fue John August Sutter. En 1834 Sutter llegó a los Estados Unidos desde Suiza buscando fortuna. Después de fracasar en dos negocios, decidió ir a California a comenzar una nueva vida.

Como Abel Stearns, Sutter se hizo ciudadano mexicano. A cambio, el gobierno mexicano le dio 30,000 acres de terreno en el valle de Sacramento. Hoy en día ese terreno es parte de la ciudad de Sacramento.

Con ayuda de cientos de indígenas, Sutter construyó una enorme colonia en sus tierras. La aldea tenía un fuerte, talleres y granjas. La llamó New Helvetia, o Nueva Suiza. La colonia de

Sutter se convirtió en un sitio importante donde se detenían otros exploradores y colonos de los Estados Unidos.

El grupo Donner

Entre los años de 1840 y 1849 partieron las primeras caravanas de carretas hacia California. Pero sólo los colonos más fuertes terminaron el peligroso viaje a través de la Sierra Nevada.

En 1846 un grupo de 87 colonos dirigido por la familia Donner corrió grandes peligros camino a California. El grupo tomó un atajo para llegar más pronto y se apartó del camino. Pero en vez de ahorrar tiempo, se perdió. Cuando finalmente la caravana llegó a la Sierra Nevada en octubre, la nieve les había bloqueado el camino.

El grupo tuvo que acampar durante el invierno al lado de un

lago que ahora se llama el lago Donner. Nevó tanto que ni siquiera podían cazar. Se acabaron los alimentos y el grupo estaba cada vez más hambriento. En diciembre varios hombres partieron a pie para buscar ayuda. Finalmente una expedición de rescate llegó al lago Donner desde el fuerte Sutter. El grupo Donner había estado atrapado en la nieve durante siete meses. Sólo quedaban vivas 47 personas.

Historias como la del grupo Donner desalentaron a muchas personas que querían viajar a California. Sin embargo, una gran cantidad de colonos seguían partiendo para la costa oeste cada mes. Así fue aumentando el número de colonos de los Estados Unidos que poco a poco llegaban a California. ■

¿Cómo lo sabemos?

HISTORIA *Eliza P. Donner Houghton, una niña superviviente del grupo Donner, escribió en 1911 un libro sobre su viaje. Se llamaba* Expedition of the Donner Party and Its Tragic Fate *(La expedición del grupo Donner y su trágico destino).*

◄ *La historia del grupo Donner recordó al país que el viaje a California era muy peligroso.*

■ *¿Qué has aprendido de los viajes a California poco después de 1840 al leer sobre la experiencia del grupo Donner?*

R E P A S O

1. **TEMA CENTRAL** ¿Por qué California atraía a los pioneros de los Estados Unidos?
2. **RELACIONA** Busca en tus lecturas anteriores un ejemplo de otros pioneros de California.
3. **ECONOMÍA** ¿Por qué el gobierno mexicano quería que visitaran California los barcos y no los exploradores de los Estados Unidos?
4. **RAZONAMIENTO CRÍTICO** ¿Crees que el gobierno mexicano tenía razón de temer la llegada de colonos de los Estados Unidos? Explica tu respuesta.
5. **REDACCIÓN** Imagínate que eres un colono que viaja a California en 1846. Escribe un párrafo explicando por qué decidiste hacer el viaje.

Cómo medir distancias en un mapa

¿Por qué?

Fíjate en el tamaño del estado de California en los diferentes mapas del Atlas. En el mapa del mundo de la página 320, California aparece pequeña. En los mapas de los Estados Unidos y de California, aparece más grande.

El tamaño del estado en la realidad nunca cambia. California aparece de diferentes tamaños porque los mapas tienen diferentes escalas. Por ejemplo, en un mapa una pulgada puede representar 50 millas, mientras que en otro puede representar 1,000 millas.

Imagínate que quieres saber qué distancia tiene que recorrer una familia de pioneros para ir de Iowa a California por el sendero de Oregon. Para calcular la distancia que hay entre dos lugares, tienes que usar la escala de un mapa.

¿Cómo?

El Mapa A indica las rutas y los senderos que usaron los primeros pioneros de los Estados Unidos. Ahora busca la escala del mapa. La escala de un mapa es una línea recta que tiene marcadas las distancias. Cada sección representa cierto número de millas. En el Mapa A cada sección de la escala representa 50 millas.

La escala de este mapa te sirve para medir la distancia entre las ciudades de Sacramento y Carson City. Alinea el borde de un papel con los puntos de las dos ciudades.

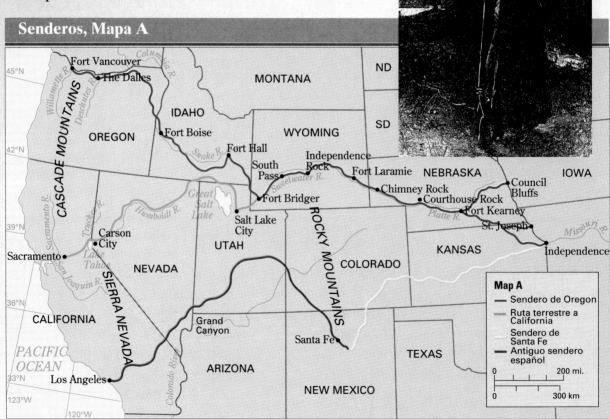

Senderos, Mapa A

45°N — Fort Vancouver, The Dalles, Columbia R., MONTANA, ND

Willamette R., Deschutes R., CASCADE MOUNTAINS, IDAHO, Fort Boise, WYOMING, SD

42°N — OREGON, Snake R., Fort Hall, South Pass, Independence Rock, Sweetwater R., Fort Laramie, NEBRASKA, IOWA, Council Bluffs

Sacramento R., Great Salt Lake, Fort Bridger, Chimney Rock, Courthouse Rock, Fort Kearney, Platte R., St. Joseph, Missouri R.

39°N — Truckee R., Humboldt R., Salt Lake City, ROCKY MOUNTAINS, Carson City, UTAH, KANSAS, Independence

Sacramento, Lake Tahoe, NEVADA, San Joaquin R., SIERRA NEVADA, COLORADO

36°N — CALIFORNIA, Grand Canyon, Santa Fe, TEXAS

PACIFIC OCEAN, Colorado River, ARIZONA, NEW MEXICO

33°N — Los Angeles

123°W, 120°W

Map A
— Sendero de Oregon
— Ruta terrestre a California
— Sendero de Santa Fe
— Antiguo sendero español
0 ___ 200 mi.
0 ___ 300 km

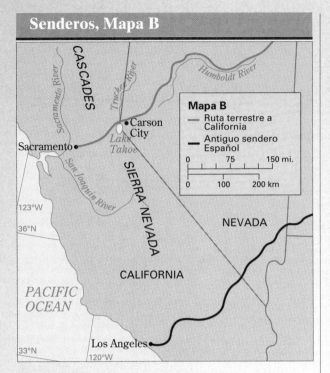

Senderos, Mapa B

Mapa B
— Ruta terrestre a California
— Antiguo sendero Español

```
0        75      150 mi.
0      100    200 km
```

CASCADES
Sacramento River
Truckee River
Humboldt River
Carson City
Sacramento
Lake Tahoe
San Joaquin River
SIERRA NEVADA
123°W
36°N
NEVADA
CALIFORNIA
PACIFIC OCEAN
Los Angeles
33°N
120°W

Esos puntos indican la ubicación de las ciudades. Haz una marca con lápiz en el papel en el punto que representa a Sacramento y otra marca en el punto que representa a Carson City.

Ahora pon el papel sobre la escala del mapa. Coloca la primera marca sobre el 0. Verás que la segunda marca indica unas 100 millas. Esto significa que la distancia entre Sacramento y Carson City es de unas 100 millas.

Ahora compara el Mapa A con el Mapa B. Notarás que el Mapa B tiene una escala diferente. El Mapa B tan sólo indica los lugares de California donde terminaban los senderos. Busca a Sacramento y Carson City en el Mapa B. La distancia entre las dos ciudades parece más grande en este mapa que en el Mapa A. Pero si usas las escalas de ambos mapas para calcular la distancia entre las dos ciudades, verás que en ambos mapas es de unas 100 millas.

No te dejes engañar por el tamaño de un mapa porque sólo se trata de una representación gráfica. Las distancias entre lugares pueden parecer mayores en un mapa que en otro porque los mapas están dibujados a escalas diferentes. Usa siempre la escala del mapa para averiguar las distancias.

Practica

La pionera Catherine Haun y su esposo salieron de la ciudad de Clinton, Iowa, el 24 de abril de 1849 y llegaron a Sacramento seis meses después. Siguieron el sendero de Oregon y se detuvieron por el camino en Council Bluffs y en otros lugares indicados en el Mapa A.

Usa la escala del mapa para medir la distancia entre cada uno de los dos lugares que aparecen en la siguiente lista.

1. Council Bluffs y el fuerte Kearney.
2. El fuerte Kearney y Courthouse Rock.
3. Courthouse Rock y el fuerte Laramie.
4. Chimney Rock y el fuerte Laramie.

Compara la distancia que hay entre Sacramento y Los Ángeles en los dos mapas. Usa las dos escalas de los mapas para medir la distancia entre las dos ciudades. ¿Representan la misma distancia el Mapa A y el B?

Aplícalo

Imagínate que estás planeando un viaje de vacaciones con tu familia a un parque nacional de California. Usa el mapa de la página 329 del Atlas. ¿Cuántas millas representa cada sección de la escala? Calcula cuántas millas tendrías que viajar desde la ciudad donde vives hasta el Parque Nacional de las Secoyas. ¿Cuántas millas hay entre el Parque Nacional de las Secoyas y el Parque Nacional Volcánico Lassen?

113

La muñeca de Patty Reed

Rachel Laurgaard

En el museo histórico del fuerte Sutter hay una muñeca de madera que fue de una niña llamada Patty Reed en 1846. En este cuento, la muñeca de Patty relata las aventuras del grupo Donner durante su viaje de Illinois a California. Lee cómo subieron los pioneros por la Sierra Nevada durante una peligrosa tormenta de nieve. Mientras lees, piensa: "¿Qué sentían estos pioneros al cruzar las montañas?"

¿Recuerdas al grupo Donner de la Lección 1? Aquellos pioneros sufrieron muchas dificultades al atravesar la frontera del Oeste.

Mientras subíamos hacia el lago Truckee, comenzó a nevar. Cuando las nubes se apartaron de la cumbre de las montañas y los pioneros vieron que estaban cubiertas de nieve, empezaron a asustarse.

—Oh, sería terrible que nos detuviera la nieve —dijo Patty a Puss.

—No te asustes. Papá vendrá pronto para reunirse con nosotros —respondió su hermana confiada.

Junto a la orilla del lago Truckee las mulas avanzaban con dificultad por la nieve blanda y profunda.

—¡Mira, una cabaña! —gritó Patty. La mula y el indio con quienes caminábamos eran los más rápidos, por eso nos habíamos adelantado a los demás.

extraviarse Quedar abandonado o perdido.

—Me han dicho que la construyó un grupo que se extravió aquí hace unos años —dijo el Sr. Stanton—. Sólo nos faltan unas tres millas para llegar a la cumbre.

Continuamos con esfuerzo bajo la luna llena hasta que los indios le dijeron al Sr. Stanton que la nieve había cubierto el sendero y que estábamos perdidos. Retrocedimos hasta la cabaña de la que ya había tomado posesión la familia Breen.

tomar posesión Ocupar un lugar.

Sin embargo esta familia no estaba en mejores condiciones que los que estaban amontonados en las demás carretas. La lluvia aquella noche entraba por el tejado de cepos de pino, igual que por la lona rota de las carretas.

cepos Ramas.

—La lluvia derretirá la nieve, ¿verdad? —preguntó la madre de Patty.

—No sabemos si llueve en el paso —contestó preocupado el Sr. Stanton—. Dicen que cuando llueve aquí abajo, nieva allá arriba.

Tenía razón. Al día siguiente sólo pudimos avanzar una milla o dos a tropezones antes del anochecer. Mojados y helados por la nieve, todos nos reunimos asustados aquella noche alrededor de una fogata a consultar.

—Tendremos que abandonar las carretas, sin duda —dijo alguien. —Si atamos las provisiones a los lomos de los bueyes, a lo mejor tendremos suficientes para llegar.

—Los niños van muy despacio —dijo otra persona—. Cada adulto tendrá que cargar a un niño. La nieve es tan profunda que los pequeños no pueden caminar.

Al día siguiente trataron de llevar a cabo su plan. Los bueyes no cooperaban. Los niños reían viéndolos revolcarse en la nieve. Pero los hombres no se reían; estaban tratando de recobrar suficiente comida para que las familias pudieran cruzar las montañas.

Era ya tarde cuando partimos y Patty y yo íbamos a la cabeza, con Salvador y el burro, marcando el camino para la fila de los que iban detrás. En algunos lugares la nieve llegaba a la cintura. Entre el peso de los niños y la desobediencia de los bueyes, avanzábamos a paso de tortuga. Finalmente la nieve se hizo tan profunda que la mula en que íbamos se cayó de cabeza en una hondonada llena de nieve. A Patty la levantaron y el Sr. Stanton y los indios trataron de encontrar el camino, mientras los demás esperaban detrás.

Cuando regresaron, las familias mojadas y desalentadas estaban acurrucadas alrededor del fuego que ardía en un pino seco lleno de resina. Los bueyes se habían quitado la carga frotándose contra los árboles y todos estaban demasiado cansados para seguir el camino.

El Sr. Stanton trató de convencerlos de continuar. Si no nevaba más, podrían pasar.

consultar Discutir.

provisiones Utensilios y comida.

recobrar Recuperar.

resina Savia espesa que arde fácilmente.

LECCIÓN 2

Fin de la guerra con México

TEMA CENTRAL

¿Cómo le quitaron los Estados Unidos a México el control de California?

Términos clave

- rebelde
- nación
- tratado

¿Qué podría ser? ¡No había amanecido todavía! El general Mariano Vallejo saltó de la cama para ver de dónde venía aquel ruido. Desde su ventana vio unos 30 hombres de aspecto rudo reunidos en la calle. A la escasa luz del amanecer observó que eran colonos de los Estados Unidos. Parecía que buscaban pelea.

Francisca Benicia, la esposa de Vallejo, también se había despertado. Sabía que aquellos hombres buscaban a su esposo, quien estaba al mando de la vieja base militar mexicana de Sonoma. Francisca le pidió a su esposo que escapara. No, respondió Vallejo. Hablaría con ellos cara a cara. Valerosamente, abrió la puerta delantera.

Revuelta y guerra

Era la primavera de 1846 y en California había unos 2,000 colonos de los Estados Unidos. Los colonos no se llevaban bien con los californios y las tensiones entre ambos grupos habían venido aumentando. Muchos californios no querían a aquellos colonos en su tierra a menos que accedieran a vivir como ellos. Los colonos no estaban dispuestos a marcharse sin luchar. Ambos lados estaban furiosos y se habían hecho amenazas. Por eso, cuando Vallejo vio al grupo de colonos fuera de su casa con ganas de pelear, no sabía qué iba a pasar.

La revuelta de la bandera del oso

Vallejo oyó que aquellos hombres iban a ocupar la base militar y que lo iban a hacer prisionero. Pero Vallejo sabía que no había que temer a esos colonos. Ni siquiera le quitaron la espada. Y Sonoma, la base militar que iban a capturar, tenía pocas armas y ningún soldado. ¡Estaba llena de pulgas! Por eso Vallejo decidió no pelear con los rebeldes. Las personas que luchan contra el gobierno son **rebeldes.** En vez de alterarse, Vallejo los invitó a su casa y les ofreció refrescos.

Después de la bienvenida que les dio Vallejo, los rebeldes comenzaron su tarea. Izaron en Sonoma una bandera con un oso gris y las palabras "República de California". Los rebeldes decían que estaban creando una nueva **nación** y que iban a formar un nuevo gobierno de acuerdo a sus propias ideas y creencias. Anunciaron que la República de California estaba en guerra con México. Pero hasta entonces había sido una "guerra" pacífica. En realidad los rebeldes y Vallejo se habían portado de manera bastante amistosa.

Pero a otras personas no les gustó lo que estaba sucediendo en Sonoma. Los funcionarios del gobierno mexicano estaban furiosos y se preparaban para luchar, mientras que por su parte los colonos de la región corrieron a defender la República de California en Sonoma. Sin esperar las órdenes de su gobierno, un oficial del Ejército de los Estados Unidos llamado John C. Frémont tomó el mando de los rebeldes y ordenó meter a la cárcel a Vallejo.

En poco tiempo 300 colonos se unieron a los rebeldes. En aquella época esto era una fuerza importante en California. Los rebeldes de la bandera del oso podrían haber derrotado al gobierno mexicano en California, pero no tuvieron la oportunidad de hacerlo. Antes de que comenzara la revuelta de la bandera del oso, el gobierno de los Estados Unidos en Washington, D.C., le había declarado la guerra a México. La noticia de la guerra no llegó a

▼ *La bandera del estado de California se parece a la de los rebeldes de la bandera del oso.*

La bandera original de la República de California, que creó el rebelde William C. Todd, era de algodón dibujada a mano. La estrella de la esquina superior izquierda y el oso gris estaban teñidos con jugo de zarzamora. En 1911 California decidió usar la bandera de Todd como modelo para la bandera actual del estado.

◄ *Los rebeldes de la bandera del oso anunciaron que iban a formar una nueva nación según sus propias ideas y creencias.*

117

Recién llegados de los Estados Unidos

los rebeldes hasta el 9 de julio de 1846. Aquel día el ejército de los Estados Unidos llegó a Sonoma y se hizo cargo de la guerra contra el gobierno mexicano.

Guerra en California

Alrededor del año 1845, en los Estados Unidos muchas personas creían que su nación debería gobernar todo el territorio que se extiende entre las costas este y oeste. México poseía parte de esas tierras. Por eso los Estados Unidos decidieron entrar en guerra con México y conquistar esa región.

Gran parte de la guerra con México tuvo lugar en Texas y México, pero en California se dieron dos batallas importantes: una en San Pascual y otra en San Pedro. Los soldados californios lucharon con bravura. Un general del ejército de los Estados Unidos, Stephen W. Kearny, admiró la habilidad de esos soldados a

ESTUDIEMOS LAS NACIONES

Cuando sucedió la revuelta de la bandera del oso, California era parte de la nación de México. Los rebeldes no querían ser parte de México porque no se sentían satisfechos con el gobierno mexicano. Por eso decidieron crear una nación nueva basada en sus propias creencias.

Qué es una nación

Una nación es un grupo de personas que vive en cierto lugar, unido bajo un gobierno único. Ese gobierno crea las leyes de la nación y satisface las necesidades de los ciudadanos.

Tú vives en la nación llamada los Estados Unidos de América. Tu gobierno te protege y defiende la nación. También proporciona servicios importantes a sus ciudadanos. Por ejemplo, da préstamos para construir casas y para la educación.

Creencias y valores comunes

Pero una nación es más que un grupo de personas con un solo gobierno. El pueblo de una nación comparte su historia y sus tradiciones. Por ejemplo, en los Estados Unidos celebramos nuestra independencia de Inglaterra el 4 de julio. Y cada año recordamos a nuestros líderes en fiestas como el Día de los Presidentes y el Día de Martin Luther King, Jr. Los niños en las escuelas de toda la nación cantan el himno de los Estados Unidos, *The Star Spangled Banner,* que quiere decir "la bandera plegada de estrellas". También recitan el juramento a la bandera, que en inglés se llama *The Pledge of Allegiance.* Al compartir todas estas tradiciones nos sentimos parte de algo muy importante.

Una nación no se crea en un día. Los sentimientos y las creencias que hacen parte de una nación se van formando a lo largo de mucho tiempo y se vuelven más profundos a medida que pasan los años. Los rebeldes de la bandera del oso no tuvieron tiempo para que esos sentimientos y creencias se profundizaran. Por eso su nación, la República de California, desapareció pronto.

caballo. Dijo que los californios eran "los mejores jinetes del mundo". Sin embargo, el ejército mexicano no tenía suficientes soldados para luchar durante mucho tiempo en California. En enero de 1847 los ejércitos de los Estados Unidos echaron a los últimos soldados californios de Los Ángeles. Los soldados en retirada encontraron a Frémont y sus tropas en el paso de Cahuenga y se rindieron sin luchar. Desde aquel día Frémont se dio el título de "Conquistador de California", a pesar de que no había luchado ni una sola vez. ∎

■ *Los 300 rebeldes de la bandera del oso podrían haber conquistado a California. ¿Qué te indica esto de cómo era California alrededor del año 1846?*

Conquista de California

Los Estados Unidos conquistaron a California en el año de 1847, pero la guerra mexicana continuó hasta el invierno de 1848. Finalmente México y los Estados Unidos acordaron dejar de luchar. El 2 de febrero de 1848 las dos naciones firmaron un tratado en el pueblo mexicano de Guadalupe Hidalgo que puso fin a la guerra. Un **tratado** es un acuerdo oficial que se firma entre dos o más naciones.

▼ *Al terminar la guerra, los Estados Unidos se habían extendido de costa a costa.*

El tratado que firmaron México y los Estados Unidos recibió el nombre de Tratado de Guadalupe Hidalgo, en honor al pueblo donde se firmó. En ese tratado México acordó dar, o ceder, una porción grande de su territorio a los Estados Unidos. Este territorio se llama la cesión mexicana y lo puedes ver en el mapa de esta página. El tratado acordó reducir el tamaño de México casi a la mitad. Desde entonces California pasó a ser propiedad de los Estados Unidos, aunque en ese entonces todavía no era un estado.

Territorio cedido por México en 1848

CANADA

Tierras perdidas por México

México después de la guerra

Los Estados Unidos en 1848

Columbia R.

Oregon Territory

UNITED STATES

Great Salt Lake

Unorganized Territory

Mexican Cession (Treaty of Guadalupe Hidalgo)

Colorado R.

Gila R.

PACIFIC OCEAN

Texas

Río Grande

MEXICO

Gulf of California

0   200 mi.

0   200 km

Lambert Conformal Conic Projection

El cambio del poder

El tratado no complació a todos, a pesar de haber sido aprobado por ambas naciones. Algunos californios no estaban

En el Tratado de Guadalupe Hidalgo, México y los Estados Unidos acordaron poner fin a la guerra.

contentos de que California perteneciera a los Estados Unidos e hicieron planes para luchar y recobrar su tierra. Pero esos planes nunca se llevaron a cabo.

La mayoría de los californios aceptaron el Tratado de Guadalupe Hidalgo porque pensaron que les brindaría protección. El tratado prometía que los californios que poseían tierras antes de la guerra podrían quedarse con ellas. También hacía a los californios ciudadanos de los Estados Unidos para que pudieran tener los mismos derechos que otros ciudadanos.

A muchos californios no les molestaba que California se hubiera convertido en parte de los Estados Unidos ni les molestaba el cambio de gobierno. Al principio los nuevos gobernantes de los Estados Unidos no cambiaron la vida en California. Conservaron la vieja forma de gobierno que existía antes de la guerra. Incluso muchos alcaldes californios pudieron conservar su puesto, de tal forma que el control del gobierno en muchas ciudades siguió en manos de californios.

La mayor parte de la gente de California sintió pocos cambios en su vida diaria. Indígenas y californios continuaron viviendo como antes. La vida de los pocos colonos de los Estados Unidos que había en California tampoco cambió mucho. La mayoría de estos colonos lo único que querían era seguir viviendo en paz como antes de que todo esto ocurriera.

■ ¿Por qué algunos colonos de los Estados Unidos querían que California siguiera siendo como era antes de la guerra?

Pero los californios no se imaginaban lo que iba a suceder. Pronto su tierra cambiaría para siempre y nadie podría evitarlo ya. ■

R E P A S O

1. **TEMA CENTRAL** ¿Cómo le quitaron los Estados Unidos a México el control de California?

2. **RELACIONA** Busca, en tu lectura anterior, otro ejemplo de una revuelta en California.

3. **GEOGRAFÍA** ¿Por qué crees que los rebeldes de la bandera del oso tardaron tanto en enterarse de que los Estados Unidos y México estaban en guerra?

4. **RAZONAMIENTO CRÍTICO** ¿Qué querían conseguir los rebeldes de la bandera del oso al crear su nueva nación?

5. **ACTIVIDAD** Compara los mapas de las páginas 119 y 324 y busca los estados que existen hoy en las tierras de la cesión mexicana.

LECCIÓN 3

La fiebre del oro

E ra una mañana de enero como otra cualquiera. James W. Marshall fue al río American a examinar el aserradero que estaba construyendo para John Sutter.

De repente, un destello de luz a la orilla del agua llamó la atención de Marshall. Después vio otro destello y otro más. Marshall se detuvo con curiosidad a observar y, sorprendido, vio docenas de chispitas que brillaban bajo el agua, que en ese lugar era poco profunda. Metió la mano en el arroyo helado y sacó un puñado de arena. En la arena había varias hojuelas amarillas que brillaban al sol. ¿Podría ser lo que imaginaba?

Marshall contempló un largo rato la arena resplandeciente. No podía creer lo que tenía ante sus ojos. Pero cuanto más miraba las hojuelas que brillaban en su mano, más convencido estaba de lo que había imaginado. Finalmente, Marshall no pudo seguir guardando el secreto por más tiempo y gritó emocionado: "¡Lo encontré!" Aquel día de 1848 se descubrió oro en California por primera vez. El hallazgo de Marshall dio comienzo a la fiebre del oro.

¿Qué era la fiebre del oro y qué significó para los Estados Unidos y para el resto del mundo?

Términos clave

- fiebre del oro
- viajeros del 49
- istmo

◀ *En esta foto, James W. Marshall aparece frente al aserradero de Sutter, donde hizo el descubrimiento que inició la fiebre del oro de California. Abajo se ve la pepita de oro que encontró aquel día de 1848.*

Comienza la fiebre

Marshall decidió mostrar el oro a su jefe, John Sutter. Si pudieran encontrar mucho oro, los dos serían ricos. Cuando Marshall y Sutter regresaron al aserradero, encontraron muchas más hojuelas y pepitas. De repente oyeron gritos de "¡Oro, oro, oro!" Otro trabajador del aserradero también había encontrado oro. El

Recién llegados de los Estados Unidos

descubrimiento de Marshall ya no era un secreto.

En menos de seis semanas todos los trabajadores del fuerte Sutter se marcharon a buscar oro. Este descubrimiento trajo cambios asombrosos al resto de California.

Rumores de riquezas

Los rumores del oro que fue hallado cerca del fuerte Sutter comenzaron a circular por San Francisco. Cuando los californianos se convencieron de que los rumores tenían algo de cierto, muchos se apresuraron a viajar a las zonas donde había oro. Eran tantos los que fueron a las minas, que el 17 de mayo de 1848, un periódico llamado *San Francisco Californian* publicó este informe:

> **M**ercaderes y mecánicos cierran sus puertas, abogados y alcaldes dejan sus oficinas, los granjeros abandonan sus cosechas y familias enteras olvidan sus hogares bajo los efectos de esta fiebre.

Al final de 1848, los rumores del oro habían llegado al este de los Estados Unidos. En diciembre el presidente James K. Polk habló en un discurso del oro de California. Los periódicos de todo el mundo publicaron la noticia.

¡La fiebre del oro!

La **fiebre del oro** comenzó en el año 1849. A partir de ese año, muchísimos mineros viajaron a California en búsqueda del oro. Miles de personas, la mayoría hombres jóvenes, hicieron el equipaje para viajar a California soñando con hacerse ricos.

▲ *Cuando se propagó el rumor del oro, personas de todo el mundo hicieron el equipaje y viajaron a California.*

➤ *Este dibujo ilustra lo fuerte que era el afán de llegar a California durante la fiebre del oro.*

A mediados de enero de aquel año, uno de cada cinco hombres de Plymouth, Massachusetts, había dejado su hogar para buscar oro. Y lo mismo sucedía en ciudades y pueblos de todo el mundo. A esos buscadores de oro tan osados se les llamó en inglés los *forty-niners,* es decir, **los viajeros del 49,** porque comenzaron su viaje en busca del oro en 1849. ■

■ *¿Qué te dice el dibujo de la página 122 acerca de los viajeros del 49?*

◄ *En aquellos años los pioneros viajaban en grandes grupos de carretas cubiertas. Recorrían de 15 a 20 millas al día.*

Por tierra y por mar

Pero antes de hacerse ricos con el oro de California, los viajeros del 49 tenían que llegar. El viaje a California en aquellos tiempos, por tierra o por mar, era muy arriesgado.

El viaje por tierra

La manera menos costosa de llegar a California era viajar por tierra. A diferencia del grupo Donner y de otros viajeros anteriores, los viajeros del 49 tenían varios caminos para escoger y contaban con la ventaja de haber escuchado las experiencias de otros. Pero aun así el viaje era peligroso. Había que atravesar ríos caudalosos, desiertos ardientes y pasos de montaña muy elevados. Muchos viajeros no iban bien preparados para el viaje de seis meses. Llevaban demasiadas cosas y los animales que tiraban de las carretas se agotaban con esta carga tan pesada.

Otro problema era encontrar agua potable. Un viajero dejó este mensaje al principio de un desierto, para alertar a los que venían detrás de él: "Prepárense para cruzar el peor desierto que jamás hayan visto y verán que es peor de lo que esperaban. Traigan agua, mucha agua". Cuando los viajeros del 49 encontraban agua, casi nunca era potable. Muchos murieron de enfermedades causadas por el agua.

¿Cómo lo sabemos?

HISTORIA *Los artículos y los anuncios de los periódicos propagaron la fiebre del oro a través de la nación y de todo el mundo. Muchos de estos periódicos se conservan en bibliotecas y museos donde se pueden leer hoy en día.*

El viaje por mar

Los viajeros del 49 también llegaron a California por mar. Los barcos partían de la costa este de los Estados Unidos, le daban la vuelta a Suramérica y navegaban hacia el norte hasta San Francisco. Los barcos iban llenos y durante los seis meses que duraba el viaje los pasajeros iban aburridos y mareados. En el cabo de Hornos, que es la punta de Suramérica, había tormentas temibles con mucha frecuencia. Una canción de aquella época, "A orillas del Sacramento", relata la historia:

*A*lrededor del Cabo en setenta días,
alrededor del Cabo es un viaje muy largo.
Cuando navegaba alrededor del cabo de Hornos,
pensaba que ojalá no hubiera nacido.

Sopla, sopla, sopla, hacia California,
donde dicen que hay montones de oro
a orillas del Sacramento.

Cientos de barcos navegaron alrededor del cabo de Hornos durante la fiebre del oro. A veces los barcos hacían agua. Algunos capitanes no tenían los conocimientos necesarios para el viaje.

■ *¿Cuáles eran las ventajas y los inconvenientes de viajar a través del istmo de Panamá?*

La ruta de Panamá

La manera más rápida de llegar a California era tomar un barco de vapor desde uno de los puertos de la costa este hasta Centroamérica. Después los viajeros cruzaban por tierra las 75 millas del istmo de Panamá. Un **istmo** es una franja estrecha de tierra que une dos masas de tierra. Después de cruzar el istmo, los viajeros del 49 navegaban a lo largo de la costa de México hasta California en barcos de vapor. Si el pasajero tenía la suerte de conseguir boleto, el viaje podía demorar hasta un mes. Los boletos eran caros y, como si fuera poco, la comida era mala. Un pasajero escribió: "El cerdo está rancio, la carne podrida, el pan medio crudo y cada frijol tiene dos gusanos".

Aunque el viaje a California estaba lleno de dificultades, los aventureros tenían esperanzas de encontrar oro. Por eso cada día aumentaba el número de viajeros y cada vez llegaba más gente a California. ■

R E P A S O

1. **TEMA CENTRAL** ¿Qué era la fiebre del oro y qué significó para los Estados Unidos y para el resto del mundo?

2. **RELACIONA** ¿Qué ventaja tenían los viajeros del 49 que viajaban por tierra sobre los viajeros anteriores como el grupo Donner?

3. **ECONOMÍA** ¿Cómo afectó la fiebre del oro a ciudades como Plymouth, Massachusetts?

4. **RAZONAMIENTO CRÍTICO** Se decía que los viajeros del 49 tenían la fiebre del oro. ¿Por qué crees que le llamaban "fiebre"?

5. **ACTIVIDAD** Fíjate en el dibujo de la página 122 y dibuja tu propia máquina para viajar en busca de oro.

1848   1856

L E C C I Ó N   4

Las minas de oro

"¡Encuentran oro!" "¡Nueva mina de oro!" Cada día los periódicos publicaban las últimas noticias de la fiebre del oro. ¿Por qué estaba todo el mundo tan interesado?

Hay quien dice que el brillo del oro siempre ha vuelto loca a la gente. El oro es muy hermoso y vale mucho dinero. Hoy en día una onza de oro puede costar 400 dólares o más. Durante la fiebre del oro, su precio era de 16 dólares la onza, lo que en ese entonces era muchísimo dinero.

Para los buscadores de oro, encontrar una onza del valioso metal tomaba todo un día de trabajo duro. Pero en las ciudades mineras no se podía comprar mucho con 16 dólares. Un desayuno normal para dos personas podía costar hasta 43 dólares. Había tan poca comida en California, y llegaba tanta gente todos los días, que los restaurantes y las cafeterías sencillamente cobraban lo que querían. Además, la ropa y todas las provisiones eran muy caras.

Naturalmente, algunos mineros afortunados encontraban mucho más de una onza de oro al día. Pero otros no tuvieron la misma suerte y tenían que trabajar muchas horas para encontrar tan sólo unas pocas pepitas de oro.

▲ *Los mineros pesaban con ansiedad el oro que encontraban para ver cuánta riqueza habían conseguido.*

El hallazgo de una mina

Lo primero que tenía que hacer un minero era encontrar un terreno donde buscar oro. Cuando un minero declaraba que un terreno le pertenecía, ese terreno se llamaba **denuncio.** Los mineros buscaban sus denuncios junto a los muchos ríos que bajan

T E M A
C E N T R A L
¿Cómo era la vida de un minero durante la fiebre del oro en California?

Términos clave

- denuncio
- tecnología

125

Recién llegados de los Estados Unidos

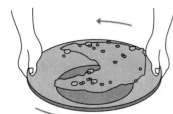

▼ *Los mineros usaban vasijas como ésta para separar el oro de la arena.*

■ *¿Por qué los mineros tenían que cercar sus denuncios?*

de la Sierra Nevada. En estas corrientes se había acumulado el oro durante miles de años. Cuando la lluvia y la nieve derretida corrían monte abajo, el agua arrastraba pepitas de oro incrustadas en la roca. El oro es pesado y por eso se va acumulando en la arena de los ríos.

La mayoría de la tierra donde estaban las minas era propiedad de los indígenas. Pero esto no impidió que los mineros reclamaran sus denuncios. Los mineros echaron a los indígenas y hasta llegaron a matarlos para conseguir su tierra.

Si en una zona había muchos mineros, los denuncios medían sólo unos cuantos pies de ancho. Si había pocos mineros, los denuncios podían medir cientos de pies. Los mineros colocaban estacas alrededor de sus denuncios para que no entrara nadie. Eso era "cercar un denuncio". Pero algunos mineros trataban de apoderarse o de "saltar" los denuncios de otros. En la sección "En ese momento" de la página siguiente aprenderás algo más sobre los viajeros del 49. ■

La extracción del oro

Una vez que el minero encontraba oro y cercaba un denuncio, comenzaba el trabajo duro. A diferencia de James Marshall, casi todos los mineros tenían que hacer mucho más que recoger el oro del suelo.

El método de las vasijas

El método más antiguo y más sencillo de extraer oro era usar vasijas. El minero llenaba una vasija de fondo plano con tierra y agua del fondo del río. Después movía el agua en círculos. El oro, por ser más pesado, se separaba de la arena y la tierra. El minero sacaba el oro depositado en el fondo de la vasija.

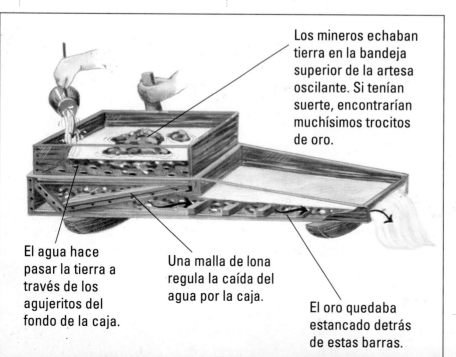

Los mineros echaban tierra en la bandeja superior de la artesa oscilante. Si tenían suerte, encontrarían muchísimos trocitos de oro.

El agua hace pasar la tierra a través de los agujeritos del fondo de la caja.

Una malla de lona regula la caída del agua por la caja.

El oro quedaba estancado detrás de estas barras.

La artesa oscilante

La artesa oscilante era otro instrumento antiguo de minería y permitía trabajar mucho más de prisa.

Para usar una artesa oscilante, los mineros trabajaban en parejas. Primero echaban la tierra en una pequeña bandeja. Un minero echaba agua sobre la tierra mientras otro movía la artesa hacia delante y hacia atrás.

Un minero del 49

2:30 P.M., 15 de agosto de 1850
Un arroyo en las montañas cerca de Sacramento

Manos con ampollas

Al minero le han salido más ampollas en las manos por cavar con el pico desde el amanecer. Antes trabajaba de contador en Maine y este trabajo de excavar es más duro de lo que esperaba.

Uvas silvestres

Encontró estas uvas junto al arroyo, cuando se alejaba de los otros mineros. Come casi siempre lo mismo: tortas y tocino.

Mochila

Compró esta mochila en San Francisco por 50 dólares, 10 veces lo que hubiera pagado en Maine. Lleva sujetas con una correa las primeras cartas de su familia.

Pepita de oro

"¡Por fin! ¡Esto es lo que estaba buscando!" Es la pepita más grande que ha encontrado y ahora acampará aquí, construirá un pequeño refugio y reclamará este terreno.

Vasija

Desde que comenzó a trabajar por la mañana, ha llenado veintiséis vasijas de tierra. Hasta ahora, cada vez que el agua turbia se aclara, sólo ha visto hojuelas de oro en el fondo de la vasija.

Botas

Tiene los dedos de los pies fríos y apretados por el cuero húmedo. Estas botas no se han secado en varias semanas.

127

Después de extraer mucho oro del fondo de los ríos, los mineros usaron minería hidráulica para desenterrar más oro.

El agua pasaba por la tierra y salía de la caja. Las barras de madera del fondo de la artesa atrapaban el oro cuando pasaba el agua.

Minería a gran escala

Hacia el año 1855 los mineros habían extraído casi todo el oro de los ríos y ya no encontraban casi nada con las vasijas y las artesas oscilantes. Por eso empezaron a usar una **tecnología** nueva para conseguir su meta. Es decir, descubrieron métodos y equipos mejores para aplicar la ciencia. Parte de esta tecnología consistía en usar enormes mangueras para lanzar chorros de agua contra las orillas de los ríos y las laderas de los montes. El fuerte chorro de agua desprendía toneladas de arena, tierra y grava. Este método, llamado minería hidráulica, permitía a los mineros sacar el oro enterrado en la tierra.

Pero esta nueva tecnología perjudicaba la tierra. Las enormes pilas de grava desprendidas por la minería hidráulica cortaban el paso de los ríos y éstos se desbordaban sobre las granjas. Los peces y los animales silvestres también sufrían las consecuencias. Como resultado, los indígenas también sufrieron porque se quedaban sin pesca ni caza para alimentarse. ■

■ *¿Por qué los mineros empezaron a usar máquinas más complicadas para extraer oro?*

La vida en las minas

Los mineros de California gastaban mucha energía y tiempo buscando oro. Algunos viajeros del 49 se hicieron muy ricos y vieron recompensados todos sus esfuerzos. Otros pescaron la fiebre del oro para toda la vida y pasaron el resto de sus días buscando oro por toda Norteamérica. Pero para la mayoría de los mineros, los sueños que los trajeron a California se desvanecieron enseguida. Todo el dinero que ganaban lo gastaban, pues en los pueblos mineros la vida era muy cara.

Una vida difícil

Como si fuera poco, los mineros llevaban una vida muy dura en las minas. En una carta de 1852, Mary Ballou escribía: "No aconsejo a ninguna dama que venga y sufra el trabajo y la fatiga que he sufrido yo por un poco de oro; no aconsejo a nadie que venga".

Un minero llamado Charles Bennett escribió a un amigo acerca de la falta de comida en su campamento. Como otros muchos, Bennett se enfermó por no comer bien y tuvo que dejar los campos donde estaba el oro. En su carta Bennett le decía a su amigo que la mejor manera de hacerse rico era cultivar alimentos para la gran cantidad de mineros hambrientos.

▼ *Familias enteras hicieron el duro viaje a California para buscar oro.*

Después de las minas

A causa de estos problemas, la mayoría de los mineros ya habían dejado las minas hacia el año de 1855. Algunos regresaron a sus hogares. Muchos se quedaron en California a trabajar en granjas, ranchos, tiendas y otros negocios. Fundaron nuevas ciudades y formaron nuevas familias. Su habilidad y su energía tuvieron un papel importante en el crecimiento de California durante muchos años. Los años siguientes serían tan interesantes como los días locos de la fiebre del oro. ■

■ *Además de encontrar oro, ¿qué aportaron a California los viajeros del 49?*

R E P A S O

1. **TEMA CENTRAL** ¿Cómo era la vida de un minero durante la fiebre del oro en California?

2. **RELACIONA** ¿En qué otro lugar has leído acerca de que los recién llegados les quitan sus tierras a los indígenas?

3. **ECONOMÍA** ¿Por qué la artesa oscilante per-

mitía trabajar más de prisa que la vasija?

4. **RAZONAMIENTO CRÍTICO** ¿Por qué crees que venían tantas personas a California si pocos se hacían ricos?

5. **REDACCIÓN** Imagínate que vas a buscar oro. Escribe una carta a tu familia acerca de tu vida en los campos mineros.

Recién llegados de los Estados Unidos

Repaso del capítulo

Repasa los términos clave

denuncio (p. 125)
fiebre del oro (p. 122)
istmo (p. 124)
nación (p. 117)
nueva frontera (p. 110)

pionero (p. 109)
rebelde (p. 117)
tecnología (p. 128)
tratado (p. 119)
viajeros del 49 (p. 123)

3. Un grupo de personas unidas bajo un gobierno es una ___.

4. Cuando se hizo más difícil encontrar oro, los mineros usaron una nueva ___ para sacar el oro enterrado en la tierra.

A. Escoge el término clave que mejor completa cada oración.

1. Los de la bandera del oso eran ___s que querían formar su propia nación.

2. Cuando los Estados Unidos y México firmaron un ___, la tierra de California pasó a ser parte de los Estados Unidos.

B. Escribe una oración con cada par de las siguientes palabras:

1. pionero, nueva frontera
2. denuncio, mineros
3. viajeros del 49, fiebre del oro
4. istmo, Panamá
5. guerra con México, tratado

Explora los conceptos

A. Termina el cuadro de la derecha en una hoja aparte. Usa la información de este capítulo.

B. Escribe una o dos oraciones para contestar acada pregunta. Usa detalles que has leído en este capítulo para apoyar tus respuestas.

1. ¿Por qué el viaje de Jedediah Smith a través de la Sierra Nevada fue importante para los siguientes pioneros?

2. ¿Qué dificultades encontraron los colonos camino a California?

3. ¿Por qué los funcionarios del gobierno mexicano se preocuparon cuando empezaron a llegar los colonos de los Estados Unidos a California?

4. ¿En qué no estaban de acuerdo los colonos de los Estados Unidos y los californios?

Grupo que llegó	Ejemplos de personas que llegaron	Año en que llegaron	Razones por las que llegaron
Primeros pioneros			
Colonos			
Mineros en busca de oro			

5. ¿Cómo afectó el Tratado de Guadalupe Hidalgo a las tierras que controlaban los Estados Unidos y México?

6. ¿Cómo afectó el descubrimiento de oro en California al resto del país?

7. ¿Qué métodos usaban los mineros para buscar oro?

130

Repasa las destrezas

1. ¿Para qué sirve la escala de un mapa?
2. Imagínate que eres un minero o una minera que quiere viajar desde Salt Lake City, Utah, hasta Sacramento, California. Usa el mapa de la página 112 para saber cuántas millas recorrerás.
3. Ahora fíjate en el mapa de California de la página 324. ¿Es la distancia real entre Salt Lake City y Sacramento la misma en este mapa? ¿Por qué la distancia parece diferente en los dos mapas?
4. Las carreteras no siguen siempre una línea recta para ir de un punto a otro. Si fueras a hacer un viaje en carro, ¿qué mapa te ayudaría a escoger la ruta más corta entre dos lugares: un mapa del tren subterráneo *(subway)*, un mapa de población o un mapa de carreteras?
5. Imagínate que un minero de la costa este te pregunta cómo llegar a California cruzando el istmo de Panamá. Prepara instrucciones para llegar desde la costa este a California pasando por Panamá. Usa información de la Lección 3 y sigue las reglas para dar instrucciones orales. Después dales tus instrucciones a tus compañeros. Pídeles que tracen la ruta en un mapa siguiendo las instrucciones que les darás.

Usa tu razonamiento crítico

1. Para los primeros pioneros, el viaje por tierra a California era largo y peligroso. ¿Por qué es más fácil el viaje con los transportes modernos?
2. Entre los años de 1840 y 1850 la parte oeste de los Estados Unidos era la nueva frontera del país. Ahora ya se ha explorado gran parte del Oeste. ¿Qué nuevas fronteras exploramos hoy en día?
3. Muchos gobiernos han entrado en guerra para apoderarse de otras tierras. ¿Por qué crees que los Estados Unidos querían poseer toda la tierra que se encuentra entre las costas este y oeste?

Para ser buenos ciudadanos

1. **ACTIVIDAD ARTÍSTICA** Para los que tenían la "fiebre del oro", viajar a California era un reto. Haz un cartel anunciando un viaje a California por tierra o por mar. Usa palabras e ilustraciones para indicar las ventajas del método de viaje que escojas.
2. **REDACCIÓN** Imagínate que vas al Oeste con tu familia por el sendero de Oregon. Escribe en tu diario tres aventuras que sucedieron durante el viaje.
3. **ACTIVIDAD EN GRUPO** Muchas canciones cuentan historias o hablan sobre personas que hicieron algo especial durante su vida. Trabaja con un compañero o una compañera y escriban una canción sobre alguno de los siguientes grupos: los pioneros, los rebeldes de la bandera del oso o los mineros de California. Pueden inventar la música o usar una melodía que les guste. Grábenles o cántenles su canción al resto de sus compañeros de clase.
4. **TRABAJO EN EQUIPO** Jedediah Smith, Abel Stearns y John Sutter viajaron a California buscando una vida mejor. Dividan la clase en tres equipos para representar tres relatos acerca de estos pioneros. Cada equipo escogerá estudiantes que estarán encargados de escribir el relato, actuar, diseñar los trajes y dirigir la representación. Los relatos deben mostrar el esfuerzo de cada pionero por llegar a California y sobrevivir en una tierra extraña.

California se convierte en estado

La fiebre del oro y la invasión de mineros cambiaron a California para siempre. Miles de recién llegados trataron de crear una nueva California más adecuada a sus necesidades. Mientras tanto los californios veían que con el cambio, ya no tenían lugar en esta tierra.

El nuevo gobierno de California se trasladó varias veces antes de instalarse en Sacramento.

No todos los viajeros del cuarenta y nueve hicieron dinero buscando oro. Estos músicos se ganaban la vida tocando el violín.

Mariano y Benicia Vallejo usaron esta copa en los años de calma antes de la fiebre del oro.

1845   1850   1855

1856 Los ciudadanos de San Francisco forman un grupo para resolver el problema del crimen en la ciudad.

1849

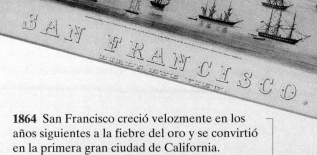

1864 San Francisco creció velozmente en los años siguientes a la fiebre del oro y se convirtió en la primera gran ciudad de California.

1860	1865	1870

1862 Muchas de las tierras donde estaban los ranchos todavía están bajo pleito.

1870

L E C C I Ó N   1

Después de la fiebre

Términos clave

- delegados
- convención

▼ *Durante la fiebre del oro, miles de mineros acampaban en las afueras de San Francisco.*

¡Ay! Los ojos de Walter Colton se llenaron de lágrimas mientras la navaja sin filo del barbero luchaba con su áspera barba. Después de varias pasadas dolorosas de navaja, Colton pensó que hubiera sido mejor no afeitarse, pero ya era demasiado tarde. Como escribiría Colton después: "Ya me había afeitado un lado de la cara y no tenía más remedio que seguir sufriendo el resto". Así que Colton dejó terminar al barbero. Pero cuál no sería su sorpresa cuando éste le dijo el precio del afeitado: ¡Cuatro dólares! Era más de lo que algunos mineros ganaban en una semana de duro trabajo buscando oro.

Colton acababa de volver de San Francisco después de haber pasado varias semanas buscando oro. Necesitaba un buen afeitado, pero la experiencia fue una verdadera tortura. El barbero no afiló la navaja como debía. Apenas le dio unas pasadas por la caña de su bota polvorienta y empezó a afeitarlo. El barbero estaba demasiado ocupado para importarle lo que pensaba Colton.

Invasión de mineros

A pesar de sus precios altos y del mal servicio, el barbero de Colton tenía muchos clientes. El número de habitantes de San Francisco crecía rápidamente. En 1847 vivían 500 personas en

la ciudad. Para 1850, el número de residentes había aumentado a 35,000. San Francisco estaba inundada de mineros y cada día llegaban más.

Un San Francisco diferente

San Francisco estaba tan repleta de gente que ya no cabía ni un alfiler. En su novela de 1963, *¡Por la gran cuchara de cuerno!*, el escritor Sid Fleischman describe esta ruidosa escena a través de los ojos de Jack, un joven viajero:

E
l muelle parecía tener una milla de largo y ser el lugar más ruidoso de la Tierra. Jack estaba maravillado de todo lo que veía: islandeses tatuados y marineros de la India Oriental y chinos silenciosos con sus coletas balanceándose en la espalda, como cadenas negras. Había mexicanos moviéndose al compás del tintineo de sus espuelas de plata y chilenos envueltos en largos sarapes. Había esquiladores de mulas y hombres de negocios, y había mineros con sus botas de caucho y sus camisas de franela roja, con el barro de las excavaciones aún pegado a sus barbas.

San Francisco era una ciudad activa, pero eso no significaba que fuera un lugar agradable para vivir. Había muchos edificios nuevos mal construidos. Cuando llovía, las calles se llenaban de barro, tanto que a veces los caballos se ahogaban. La gente tiraba en las calles sacos de frijoles, bolsas de harina, estufas viejas y carne podrida para formar una especie de acera. Los pocos policías de la ciudad no podían controlar a tanta gente. La población estaba preocupada por la falta de orden público en la ciudad.

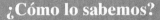

HISTORIA *Parte de lo que has leído acerca de la vida durante la fiebre del oro procede del diario de Walter Colton,* Tres años en California. *Colton era capellán de la Marina de los Estados Unidos. También fue alcalde de Monterey.*

◄ *Esta foto muestra lo distinta que era la calle Montgomery en 1851 comparada con la que aparece en la ilustración de 1847 de arriba. ¿Cuál fue el cambio?*

135

California se convierte en estado

El agua arrastraba el oro de las rocas de la Sierra Nevada. ¿Por qué se construían los pueblos mineros junto a los ríos, en las faldas de las montañas?

Nuevos pueblos mineros

San Francisco no era la única ciudad que crecía en California. Sacramento y Stockton recibieron también a cientos de buscadores de oro que compraban provisiones en estas ciudades y partían hacia los campos mineros a pie, en mulas o en carretas. Cuando llegaban a la zona minera, los mineros levantaban pueblos destartalados con nombres pintorescos como Rattlesnake Diggings (Excavación de Culebra Cascabel) y Git Up And Git (Arre y Agarre). Muchos de estos pueblos desaparecieron tan pronto como se acabó el oro o cuando apareció más oro en otro lugar. Algunos de ellos, como Placerville y Downieville, todavía existen.

Cuando empezó la fiebre del oro, normalmente la vida en los pueblos mineros era muy pacífica. Los mineros trabajaban mucho y pasaban su tiempo libre soñando con sus hogares. Pero pasados unos meses, las orillas de los ríos se vieron inundadas de mineros. La mayoría de ellos no pudieron encontrar el oro que buscaban y algunos decidieron que era más fácil robar el oro que excavarlo. Las disputas sobre los denuncios eran muy comunes. Al aumentar los robos,

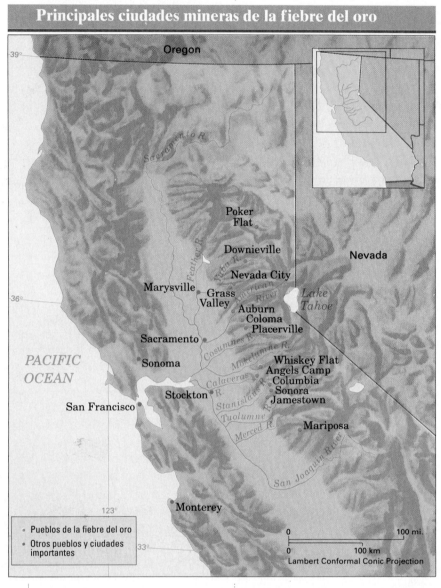

Principales ciudades mineras de la fiebre del oro

Oregon
Poker Flat
Downieville
Nevada
Nevada City
Marysville
Grass Valley
Auburn
Coloma
Lake Tahoe
Placerville
Sacramento
PACIFIC OCEAN
Sonoma
Whiskey Flat
Angels Camp
Columbia
Sonora
Stockton
Jamestown
San Francisco
Mariposa
San Joaquin River
Monterey

• Pueblos de la fiebre del oro
• Otros pueblos y ciudades importantes

0   100 mi.
0   100 km
Lambert Conformal Conic Projection

¿Qué efecto tuvieron los buscadores de oro en las ciudades y pueblos de California?

también aumentaron las peleas entre los mineros. Pronto la vida en los pueblos mineros de California se volvió muy peligrosa. ∎

Un cambio de gobierno

Desde los tiempos de Jedediah Smith, los californios recelaban de los recién llegados de los Estados Unidos. La fiebre del oro hizo que aumentara este recelo. La gráfica de la página 137 muestra la rapidez con que aumentó el número de mineros. Lo que es peor, muchos de los mineros de los Estados Unidos trataban mal a los californios. Estos americanos, como les llamaban

los californios, se comportaban como si California fuera de ellos. Si los californios trataban de buscar oro, los americanos, es decir los estadounidenses, los expulsaban a la fuerza de sus denuncios. Los californios se sentían mal recibidos en su propia tierra.

Muchos estadounidenses también se sentían incómodos en California porque no les gustaba la vida en esas ciudades y pueblos. Querían que California fuera un estado con un gobierno parecido al de los estados de donde venían. Si California se convirtiera en un estado, los ciudadanos podrían votar y elegir a gobernantes que trabajarían por mejorar la vida en California.

El general Bennett Riley era el funcionario de los Estados Unidos a cargo de California en 1849. Este general convocó una elección para que californios y estadounidenses pudieran elegir a sus delegados. Los **delegados** son personas escogidas para hacer cierta tarea. Riley convocó una convención con los nuevos delegados. Una **convención** es una reunión para decidir asuntos que afectan a un país o estado. ■

Familias como los Lugo vivían pacíficamente antes de la fiebre del oro. La tabla de abajo muestra la rapidez con que creció la población de California.

Recién llegados a California

Habitantes (en miles de personas)

80
60
40
20
0

1846 1847 1848 1849 1850

Año

■ *¿Cuáles eran las preocupaciones de los californios y de los recién llegados?*

R E P A S O

1. **TEMA CENTRAL** ¿Cómo cambió California con la fiebre del oro?

2. **RELACIONA** En tus lecturas anteriores, busca un ejemplo de conflicto entre los californios y los colonos de los Estados Unidos.

3. **GEOGRAFÍA** Observa el mapa de la página 136. ¿Por qué crees que pasaron tantos buscadores de oro por las ciudades de San Francisco,

Sacramento y Stockton?

4. **RAZONAMIENTO CRÍTICO** Si fueras un californio, ¿confiarías en que los americanos te iban a tratar con justicia en la convención? ¿Por qué?

5. **REDACCIÓN** Escribe un artículo acerca de la vida en San Francisco durante la fiebre del oro. Incluye entrevistas con californios y recién llegados.

La historia de tu familia

Durante la fiebre del oro llegaron a California personas de todos los rincones del mundo. ¿Hubo alguien de tu familia entre estos colonos? La mayoría de los californianos no tiene antepasados que fueran buscadores de oro, pero sabe algo sobre el primer miembro de la familia que llegó a California.

Prepárate

Puedes explorar la historia de tu familia hablando con miembros de tu familia y otras personas de tu comunidad. Necesitarás un cuaderno y una pluma o una grabadora. También podrías hacer fotocopias de fotografías y documentos que encuentres.

Descubre

Empieza por hablar con tus padres. Toma apuntes o graba sus respuestas. Puedes hacer preguntas como éstas:

1. ¿De qué países proceden sus padres y abuelos? ¿Cuándo llegaron a este país?
2. ¿Cómo se ganaban la vida cuando llegaron?
3. ¿Pueden contarme algo interesante sobre sus antepasados?
4. ¿Qué hechos históricos ocurrieron en esa época?

Puedes hacer las mismas preguntas a otros familiares y amigos de la familia. También puedes escribir cartas a los familiares que no puedas entrevistar en persona. Pregúntales si tienen fotografías familiares, certificados de bautismo, invitaciones de boda y demás documentos que puedas usar o fotocopiar.

También puedes ir a la biblioteca donde tal vez encuentres libros que te dirán lo que significa tu apellido. En la biblioteca puede haber incluso una historia del pueblo en la que se mencione a algunos de tus antepasados. Pide al bibliotecario que te ayude a buscar la información y luego haz copias de lo que te parezca interesante.

Sigue adelante

Ahora, ordena la información que has reunido. Lee las notas o escucha las grabaciones y escribe lo que te parezca más importante o interesante. Luego fíjate en las fotografías. ¿Cuál de ellas es la más importante para la historia de tu familia?

Escribe la historia de tu familia basándote en la información que has conseguido. Puedes escribirla desde tu punto de vista, pero debes utilizar lo que te contaron las personas que entrevistaste.

Después haz un álbum de recortes con lo que has escrito y las fotografías que lo acompañan. Si no puedes conseguir fotocopias o fotografías familiares, dibuja a tus antepasados como tú te los imagines.

Explora más

Ya has empezado a conocer la historia de tu familia. ¡No te detengas ahora! La historia de tu familia continúa todos los días y puedes irla escribiendo a medida que va sucediendo. Por ejemplo, puedes coleccionar boletos de los partidos y los conciertos, cartas de los amigos, premios de clubs o equipos deportivos: cualquier cosa que diga algo sobre quién eres y lo que has hecho. Guarda todo en tu cuaderno. No te olvides de escribir la fecha y de anotar el significado de cada cosa. Reúne también datos sobre los demás miembros de tu familia. Poco a poco crearás un banco de datos que puedes compartir con tus familiares y que algún día le podrá interesar a las futuras generaciones. Y así la historia de tu familia seguirá viva.

¿Qué te dicen las fotos de estas páginas sobre las familias que allí aparecen?

California se convierte en estado

Veamos cómo cambia la población

¿Por qué?

Miles de indígenas se enfermaron y murieron cuando se trasladaron a las misiones. ¿En qué forma cambió la población indígena cuando se cerraron las misiones? ¿Cómo cambió cuando llegaron a California nuevos grupos de personas? Puedes usar una gráfica lineal para ver cómo cambió la población indígena en California con el tiempo. Las gráficas lineales muestran los datos de forma fácil de leer y comprender.

¿Cómo?

La gráfica de esta página te dice cuántos indígenas vivían en California en diferentes años. Los números a la izquierda de la gráfica representan miles de personas. Los números de la parte de abajo indican fechas. Para ver cuántos indígenas vivían en California en 1840, busca 1840 en la parte de abajo. Sigue la línea de 1840 hacia arriba hasta que llegues a un punto de la gráfica. A la izquierda verás el número 250. De modo que en 1840 había 250,000 indígenas en California.

Luego busca el punto de la gráfica lineal que corresponde al año de 1850. Mira el número a su izquierda. ¿Cuál era la población indígena en 1850?

También puedes usar la gráfica lineal para ver cómo cambió la población indígena entre 1840 y 1900. La línea roja va hacia abajo, lo cual significa que el número de indígenas iba disminuyendo. ¿Qué te indicaría una línea roja que va hacia arriba? ¿Qué podría significar una línea recta?

Practica

Fíjate en la gráfica de la página 137. ¿Qué fechas indica? ¿Qué representan los números de la izquierda? ¿Qué datos ofrece esa gráfica sobre la nueva población que llegó a California? ¿Cómo cambió la población de 1846 a 1848? ¿Y de 1848 a 1850? ¿Qué sucedió en California entre 1848 y 1850 para que cambiara la población?

Aplícalo

Busca una gráfica lineal en un periódico o en una revista. ¿Cuál es el título? ¿Qué números hay a la izquierda de la gráfica? ¿Y en la parte de abajo? ¿Qué datos se pueden sacar de las líneas inclinadas? ¿Qué clase de cambios representan las líneas?

Población indígena en California

L E C C I Ó N 2

El estado treinta y uno

Vestidos con sus ropas tradicionales, los ocho delegados californios entraron con orgullo a Colton Hall. Se sentaron en una sola mesa para demostrar su unidad. Pero bajo ese aspecto tan orgulloso, los californios estaban preocupados.

Era el 3 de septiembre de 1849, el primer día de la convención de California. Los californios temían que los delegados estadounidenses fueran a insultarlos. Después de todo, eran cuarenta estadounidenses contra ocho californios. Uno de los delegados californios, Mariano Vallejo, fue hecho prisionero durante la revuelta de la bandera del oso por Robert Semple, un delegado estadounidense. ¿Cómo trataría ese día Semple a Vallejo? Por si fuera poco, seis de los californios no hablaban inglés. ¿Comprenderían los estadounidenses sus ideas acerca del futuro de California, su hogar? ¿Los escucharían por lo menos?

Los californios no se daban cuenta de que los delegados estadounidenses también estaban preocupados. Muchos de ellos eran jóvenes y nunca habían participado en una convención. Los estadounidenses querían que California fuera un estado, pero sabían que para lograrlo necesitarían la ayuda de los delegados californios. ¿Colaborarían con ellos los californios?

TEMA CENTRAL

¿Cómo cambió la convención constitucional a California?

Términos clave

- constitución
- esclavitud

Comienza la convención

Para demostrarle a los californios que no eran sus enemigos, los estadounidenses le pidieron a Vallejo que entrara al lado de Semple a Colton Hall y que se sentaran los dos al frente. Al verlos juntos, ambos lados comprendieron que podían olvidar sus diferencias y trabajar unidos. Esto rompió la tensión y ahora los delegados podían empezar la parte realmente importante de la convención.

Uno de los temas principales que tenían que decidir era el tamaño de California. En el año de 1849 California no tenía fronteras oficiales. Al oeste el océano formaba una frontera natural. Al sur estaba México y al norte estaba el territorio de Oregon. Estas fronteras eran claras, pero los delegados tenían que decidir cuál sería la frontera este.

Una frontera natural

Los delegados tenían ideas diferentes sobre la frontera este de California. Algunos querían que California cubriera la mayor parte de la tierra que los Estados Unidos habían adquirido de México como resultado de la guerra. Gran parte de esta tierra era de California antes de la guerra. El mapa muestra el tamaño de esta porción de tierra. Pero muchos delegados creían que si California se volvía tan grande, sería muy difícil de gobernar. Querían una frontera que la hiciera más pequeña y fácil de controlar.

Estos delegados decidieron situar la frontera a lo largo de la Sierra Nevada y del río Colorado. Se dieron cuenta de que las anchas montañas y el caudaloso río formaban una frontera totalmente natural. Ésa es la frontera este de California hoy en día.

Dos Californias

Algunos delegados californios querían dividir a California en dos secciones, con dos gobiernos distintos. Una sería la parte norte de California, arriba de San Luis Obispo. La otra sección sería la parte sur donde vivían muchos californios. Allí los californios no serían menos en número que los estadounidenses, quienes vivían sobre todo en la parte norte. Pero la mayoría de los delegados no quería dividir a California en dos partes. Fue así como acordaron que sería un solo territorio grande sin divisiones de ninguna clase. El mapa de la página 328 muestra las fronteras actuales de California. Compáralas con las del mapa de arriba.

▼ *Si California hubiera sido dividida en dos, ¿en cuál mitad vivirías tú ahora?*

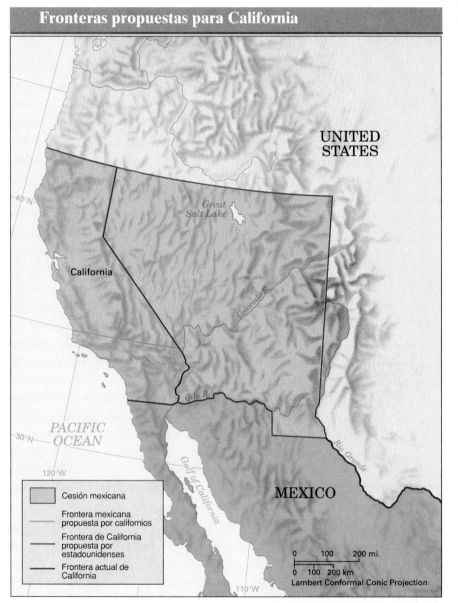

Fronteras propuestas para California

UNITED STATES

Great Salt Lake

California

Colorado R.

40°N

Gila R.

PACIFIC OCEAN

30°N

120°W

Gulf of California

Río Grande

MEXICO

110°W

Cesión mexicana

Frontera mexicana propuesta por californios

Frontera de California propuesta por estadounidenses

Frontera actual de California

0   100   200 mi.

0 100 200 km

Lambert Conformal Conic Projection

Capítulo 6

Derecho al voto

Los delegados también hablaron de quién podría votar en California. Muchos delegados estadounidenses no querían que los indígenas votaran. Pero los californios no estaban de acuerdo. Uno de sus delegados, Manuel Domínguez, tenía raíces españolas e indígenas. Si los estadounidenses se salían con la suya, él no podría votar. Un delegado californio, Pablo de la Guerra, habló de la gran historia de los indígenas de California. "Fue un pueblo orgulloso y talentoso, capaz de gobernarse por sí mismo". Los estadounidenses no cambiaron de opinión, pero acordaron que no impedirían que votara un delegado. Por eso prepararon un plan para que Domínguez pudiera votar. Sin embargo, casi todos los demás indígenas tendrían que esperar 75 años para votar.

◄ *Manuel Domínguez, un delegado californio, tenía sangre indígena. Muchos delegados no querían que Domínguez y otros indígenas pudieran votar.*

El derecho al voto no se negó sólo a los indígenas, sino también a todos los negros, a las mujeres y a los chinos. En 1870 los hombres de origen africano recibieron el derecho al voto, pero las mujeres tuvieron que esperar hasta 1911 y los chinos hasta 1943 para ejercer este derecho. ∎

■ *¿Por qué los californios y los estadounidenses no se ponían de acuerdo sobre las fronteras y el derecho al voto?*

El final de la tarea

Los delegados hablaron de muchos temas en la convención que duró un mes. Decidieron qué derechos tendrían los ciudadanos y cómo sería el gobierno. Todas sus decisiones quedaron escritas en un acuerdo oficial llamado la constitución. La **constitución** enumeraba las reglas y obligaciones del gobierno del nuevo estado. Entre muchas otras cosas, la constitución de California decía quién podía votar. También decía que las mujeres casadas podían poseer tierras. En 1849 las mujeres no tenían ese derecho en ningún otro estado. Pero los delegados esperaban que llegaran más mujeres a California, porque entonces vivían allí muy pocas mujeres.

El 12 de octubre de 1849, los delegados firmaron la constitución de California. Los californios estaban contentos porque aunque no habían conseguido todo lo que

▼ *La constitución de California explica cómo sería gobernada la población de California.*

querían, habían sido tratados con respeto. Los demás ciudadanos de California también parecían estar contentos con los acuerdos que se habían logrado en la convención. Un mes más tarde votaron en favor de la constitución.

El Congreso acepta a California

La población de California había aprobado la constitución, pero el Congreso de los Estados Unidos también tenía que aprobarla para que California pudiera llegar a ser un estado. La tarea no sería fácil.

En 1850 la esclavitud era un tema importante en los Estados Unidos. La **esclavitud** permite que una persona sea dueña de otra. En los estados del Sur, los esclavos eran negros de propiedad de los blancos. Los agricultores usaban esclavos para cosechar algodón y tabaco. Pero en el Norte muchas personas se oponían a la esclavitud.

En California no había desacuerdo sobre la esclavitud. Todos los delegados de la convención acordaron que no habría esclavitud en ese estado, con lo que se creó un problema en el Congreso. Desde 1812 el número de estados en favor de la esclavitud era igual al número de estados en contra. Si California se convertía en un estado, habría un estado más en contra de la esclavitud y se rompería el equilibrio. Algunos congresistas no querían que pasara esto.

El Congreso tomó casi un año en decidir qué hacer. En California se preguntaban si el Congreso aceptaría algun día su constitución. Al fin, el Congreso llegó a un acuerdo. El 9 de septiembre de 1850, el presidente Millard Fillmore hizo de California el estado número treinta y uno.

▼ *La foto muestra las calles de San Francisco llenas de ciudadanos jubilosos cuando llegó la noticia de que California era un estado.*

El 13 de octubre llegó a la bahía de San Francisco un barco con una bandera que decía: "California fue admitida". Cuando se propagó la noticia, la ciudad lo celebró. Sarah Royce en su libro *A Frontier Lady* (Una dama en la frontera) recuerda que "el tronar del cañón rodó sobre las aguas y le respondieron cañones desde el fuerte y desde los barcos. Todo el mundo reía". Pronto todo el estado se unió a la celebración.

Liberación de Biddy Mason

¿Qué diferencia puede tener una constitución en la vida de los ciudadanos? Para Biddy Mason, la constitución de California significó sin duda una gran diferencia.

Biddy Mason era una esclava de Mississippi. En 1852 su dueño, Robert Smith, la llevó a California. Aunque California no permitía la esclavitud, Smith continuó tratando a Biddy como a una esclava. No la liberó ni le pagaba por su trabajo.

Tres años más tarde, Robert Smith decidió regresar a Mississippi. Pero antes, alguien le contó al alguacil que Biddy Mason era esclava de Smith. El alguacil se llevó a Mason de la casa de Smith y más tarde un juez decidió darle la libertad.

◄ *Biddy Mason ayudó a muchas personas en Los Ángeles. Era conocida por su gran generosidad.*

Biddy Mason se fue a Los Ángeles. Trabajó como criada y enfermera y ahorró todo lo que pudo. Como las mujeres podían comprar propiedades, compró una casa. Compartió su dinero con los pobres y regaló tierras a iglesias y escuelas de enfermería. Trabajó mucho para mejorar la educación de los niños negros.

La historia de Biddy Mason muestra que la constitución ayudó a los ciudadanos del nuevo estado. Pero ya verás que la constitución no resolvió todos los problemas de California. ∎

■ *¿Qué opiniones, buenas y malas, tendría Biddy Mason acerca de la constitución de California?*

R E P A S O

1. **TEMA CENTRAL** ¿Cómo cambió la convención constitucional a California?

2. **RELACIONA** Busca en tus lecturas anteriores un ejemplo de tratamiento injusto a los indígenas.

3. **GEOGRAFÍA** Los delegados pensaban que si California era más pequeña sería más fácil de gobernar. ¿Por qué un territorio más pequeño sería más fácil de gobernar que uno grande?

4. **RAZONAMIENTO CRÍTICO** ¿Por qué crees que los delegados no dejaban votar a mujeres, negros, indígenas ni chinos?

5. **REDACCIÓN** Imagínate que hay una convención en tu escuela para discutir posibles cambios en la dirección de la escuela. Escribe una lista de temas para esta convención.

California se convierte en estado

L E C C I Ó N   3

Ley y orden

¿Cómo trataron los californianos de mantener la paz y el orden en su nuevo estado?

Términos clave

- vigilante
- justicia
- ley

➤ *La leyenda de Joaquín causó mucho miedo entre la población de California. Finalmente, el estado ofreció una recompensa por su captura.*

¡Joaquín! Sólo con oír este nombre los californianos sentían escalofríos. Durante el invierno de 1852 a 1853, la leyenda de Joaquín Murrieta y su banda se extendió rápidamente por California. En ciudades y pueblos los ciudadanos atemorizados escuchaban historias de crímenes, robo de ganado y asaltos a diligencias. Nadie se sentía seguro cuando él estaba cerca. Joaquín parecía estar en todas partes. Muchas veces lo acusaban de cometer crímenes en lugares diferentes al mismo tiempo. ¿Quién era este bandido? ¿Existía en realidad?

Los californianos no querían correr riesgos y por eso contrataron al capitán Harry Love para que buscara a Joaquín. El capitán lo buscó durante tres meses por los campos de California, sin ningún éxito. Finalmente, la última semana de julio, él y sus hombres arrinconaron a un grupo de mexicanos en el paso de Panoche, en donde ahora está el condado de San Benito. En la pelea, murieron dos mexicanos.

El capitán Love regresó a contar su historia. Dijo que uno de los muertos era Joaquín Murrieta, el bandido, aunque tenía pocas pruebas de que eso fuera verdad. Los ciudadanos de California estaban tan asustados que no pidieron pruebas de ninguna clase. Querían creer a ciegas que el capitán Love había matado a Joaquín. Se sentían más tranquilos al pensar que por fin se habían librado de un bandido tan peligroso. Celebraron la noticia de su muerte y dieron una recompensa de 5,000 dólares al capitán Love.

$5,000.00 REWARD FOR THE CAPTURE OF JOAQUIN! — The Renowned — BANDIT STATE OF CAL

El crimen en California

La mayor parte de las historias acerca de Joaquín eran falsas, pero su leyenda demuestra que California estaba aterrorizada. El hecho de ser un estado al parecer no resolvería todos los problemas. En California había tanto desorden como antes, sobre todo en San Francisco. James King, un periodista famoso que escribió mucho sobre el crimen en San Francisco, atacó en uno de sus artículos a un funcionario municipal llamado James Casey. Casey se enojó tanto que mató al periodista.

Los ciudadanos se ponen en movimiento

Cuando se supo que Casey había matado a King, muchos ciudadanos se enojaron. Algunos decidieron que no iban a esperar a que un juez castigara a Casey. Algunos ciudadanos enfurecidos fueron a la cárcel donde lo tenían preso, se abrieron paso y se lo llevaron. Después lo ahorcaron.

Estos ciudadanos eran **vigilantes**. Se les llamaba así en esa época a las personas que capturaban y castigaban a otros sin derecho a hacerlo. Los vigilantes fueron muy populares en San Francisco. El grupo contaba con más de 6,000 personas. En tres meses el grupo de los vigilantes ahorcaron a tres personas más y forzaron a muchos otros a salir de la ciudad. En otras ciudades de California se formaron otros grupos parecidos al de San Francisco.

Los vigilantes se exceden

Los vigilantes querían impedir el crimen, pero no tenían en cuenta la **justicia,** que es darle un tratamiento equitativo a todos, usando las mismas reglas y leyes. Los vigilantes castigaban a las personas antes de que pudieran defenderse y sin que pudieran contar su versión de los hechos. No tomaban en cuenta a los jueces ni a la policía. En definitiva, hacían lo que querían. De este modo, violaban la **ley**, o conjunto de normas y obligaciones que todos debemos obedecer. Pero había tantos ciudadanos que apoyaban a los vigilantes, que ni siquiera la misma policía podía detenerlos. ■

Los vigilantes se llevaron a James Casey y lo castigaron. Muchos ciudadanos de San Francisco apoyaban a los vigilantes y se unieron a ellos.

■ *¿Por qué muchos ciudadanos se unieron a los vigilantes, aunque éstos violaban la ley?*

California se convierte en estado

Inquietud en los pueblos mineros

La ley y el orden también eran un problema en los pueblos mineros de California. En estos lugares repletos de gente, los robos y las peleas eran corrientes. La policía y los alguaciles casi siempre vivían lejos y los mineros no querían perder el tiempo custodiando a los prisioneros mientras llegaba el alguacil, porque tenían que buscar oro. Muchas veces resolvían los problemas por su cuenta, castigando rápidamente a cualquiera que pensaban que había cometido un crimen. Así como los vigilantes, los mineros no tenían en cuenta la justicia.

ESTUDIEMOS LA JUSTICIA

Los vigilantes de California trataban de protegerse y de cuidar sus propiedades. Atrapaban y castigaban a las personas que según ellos habían violado la ley. Pero al hacer esto, trataban a muchos ciudadanos injustamente. Los vigilantes no tenían en cuenta la justicia.

Nuestro sistema judicial

En los Estados Unidos hay una manera de decidir quién ha violado la ley. Se llama el sistema judicial y lo preside la Suprema Corte. Sandra Day O'Connor, a quien ves en la fotografía, es miembro de ese tribunal.

El sistema judicial no sería justo si una persona a quien han robado decidiera quién es el culpable. Por eso un juez, o un grupo de personas llamado jurado, decide quién es culpable. En el juicio la víctima y el sospechoso cuentan su versión de la historia. Luego el juez o el jurado decide si el sospechoso cometió el crimen. Si esa persona es culpable, recibe su castigo.

Nuestro sistema judicial asegura que se trate en forma equitativa a todo el mundo. Por ejemplo, las personas que roban son castigadas, porque es injusto y no está bien hecho quitar algo a otra persona. Pero también es injusto castigar a una persona por crímenes que no cometió. (¿Te han culpado alguna vez por algo malo que hizo tu hermano o tu hermana?) Nuestro sistema judicial da una oportunidad al acusado de contar su versión de los hechos a alguien que tratará de ser justo.

No respetaban la justicia

Los vigilantes de California creían que estaban ayudando a detener el crimen, pero en la práctica no respetaban el sistema judicial. No daban al sospechoso la oportunidad de contar su versión de los hechos a un juez que más tarde decidiría si era culpable o no. Como resultado, muchas personas en California no fueron tratadas en forma correcta y fueron castigadas injustamente.

Eso fue lo que sucedió en el pueblo minero de Old Dry Diggings. Un día de enero de 1849, un grupo de 200 mineros capturó a tres hombres que pensaban que habían cometido un robo y un asesinato cerca de ahí. Dos de los sospechosos eran franceses y el otro era chileno. Ninguno de los tres hablaba inglés y por lo tanto no pudieron defenderse ante los mineros furiosos. A pesar de todo, los mineros ahorcaron a los tres extranjeros. Cuando uno de los mineros suplicó a los demás que fueran justos con los sospechosos, lo amenazaron con ahorcarlo a él también.

Los mineros ahorcan a los sospechosos

Los tres sospechosos murieron sin saber por qué los habían ahorcado. Cuando la noticia se regó, la gente empezó a llamar a aquel pueblo Hangtown (la Ciudad del Colgado).

Los mineros de Old Dry Diggins actuaban en forma parecida a los vigilantes de las ciudades de California. Los mineros no obedecían ni a la justicia ni a la ley. No se preocupaban de tratar a las personas con justicia. Se tomaban la ley en sus manos y asesinaban a cualquier sospechoso en el acto para poder seguir buscando oro sin perder tiempo. No querían esperar a que la policía viniera a su pueblo para arrestar a los sospechosos de un crimen.

Tanto los vigilantes como los mineros pensaban que gracias a ellos California era un lugar mejor para vivir y más seguro para todos. Pero esta manera de pensar no ayudaba de ninguna forma a que California fuera un lugar más seguro. Por el contrario, los vigilantes hacían que aumentara el terror y el miedo entre los habitantes de California. Muchas personas, entre ellos los californios, eran víctimas de quienes se tomaban la ley en sus manos. ■

▲ *Los mineros con frecuencia resolvían los problemas del crimen rápidamente para poder regresar a buscar oro.*

■ *Los tres hombres ahorcados en Hangtown no hablaban ni entendían inglés. ¿Qué te dice esto?*

REPASO

1. **TEMA CENTRAL** ¿Cómo trataron los californianos de mantener la paz y el orden en su nuevo estado?

2. **RELACIONA** Basándote en lo que has leído antes, explica por qué el crimen era un problema en los pueblos mineros.

3. **VALORES CÍVICOS** En lugar de castigar a las personas, ¿cómo podrían los vigilantes haber luchado contra el crimen en California?

4. **RAZONAMIENTO CRÍTICO** Cuando los vigilantes echaron a muchos criminales de San Francisco, violaron la ley. ¿Crees que tenían razón?

5. **REDACCIÓN** Escribe un discurso sobre la importancia de obedecer la ley.

California se convierte en estado

Jack Jamoka

Sid Fleischman

El cuento de Jack Jamoka es parte del libro ¡Por la gran cuchara de cuerno! de Sid Fleishchman. Relata las aventuras de un muchacho llamado Jack Flagg y de su mayordomo, Praiseworthy. Juntos, se van de Boston a buscar fortuna en los campos de oro de California. Al leer el cuento, hazte esta pregunta: "¿Cómo era la vida en la Ciudad del Colgado cuando llegaron Jack y Praiseworthy?"

En la Lección 3 leíste por qué a la ciudad de Old Dry Diggings se le llamó la Ciudad del Colgado. Este cuento describe cómo era la vida en esta ciudad minera.

abismo Barranco o terreno muy profundo.

chasquido Sonido que se hace al sacudir una correa.

L a diligencia escalaba como si fuera un cruce con cabra montés. Cojeaba, se detenía, saltaba, brincaba y se adhería al terreno. A veces, se inclinaba peligrosamente hacia uno de los lados del camino. Desde el fondo del abismo, los pinos parecían lanzas verdes dispuestas a ensartar a los pasajeros cuando cayeran. Jack sólo miraba de cuando en cuando.

"Ya estamos a punto de llegar a las minas", se decía a sí mismo. Se lo había dicho muchas veces durante los últimos días. Pero al final, la diligencia llegó, arrastrando consigo una nube de polvo del verano desde Sacramento.

—¡La Ciudad del Colgado, caballeros! —exclamó el cochero, con un chasquido final de su látigo—. Parece muy tranquila hoy. No veo que haya nadie descansando bajo la rama de un pino con las botas lejos del suelo.

Un perro les dio la bienvenida al final de la calle y les siguió ladrando hasta el hotel Imperio. Los pasajeros descendieron. Jack tenía las cejas, las orejas y el cuello llenos de polvo del camino. Ahora que habían llegado, la fiebre del oro se apoderó de él de tal manera, que no veía cómo iba a ser capaz de esperar otros cinco minutos antes de hundir la pala en la tierra.

¡Ciudad del Colgado!

Por todas partes había hombres con botas altas y camisas de colores. No se veía ni una mujer. Los mineros se ocupaban en ir-y-venir, o pararse-y-hablar, o sentarse-y-tallar madera con sus navajas. Varios vagones azules estaban siendo descargados. Y varias mulas con los ojos tapados estaban siendo cargadas. Las chozas que hacían de almacenes estaban construidas sobre cortos pilares de madera, como patas, y estaban colocadas a ambos lados de la calle, como si acabaran de entrar en la ciudad.

Jack se echó la pala al hombro, y Praiseworthy, el pico. Desde el techo de la diligencia, el cochero echaba abajo baúles y equipaje de mano.

—¿Cuál es el mejor hotel de la ciudad? —preguntó Praiseworthy.

—El Imperio —contestó el cochero.

—¿Cuál es el peor? —preguntó Higgins Ojo-Cortado.

—El Imperio.

Praiseworthy miró a Jack.

—Si no me equivoco, sólo hay un hotel en toda la ciudad. El Imperio.

Exactamente una hora y cinco minutos más tarde, Jack veía las excavaciones. Primero, Praiseworthy los había registrado en el hotel. Se habían lavado. Inmediatamente, Praiseworthy había escrito al doctor Buckbee advirtiéndole de la presencia de Higgins en la ciudad, pero diciéndole que el mapa había caído en poder de una banda de bandoleros.

—¿Podemos irnos ya? —preguntó Jack, inquieto. Había sacado tanto brillo a su cuchara de cuerno que podía ver su nariz reflejada en ella.

—¿Ir a dónde?

—A las excavaciones.

—Oh, las excavaciones seguirán en el mismo sitio después del almuerzo, señorito Jack.

La paciencia de Praiseworthy era maravillosa y a la vez exasperante. Habían recorrido más de 15,000 millas y ahora tenían que parar para comer. A Jack no le importaba dejar de alimentarse durante una semana. Un mes, incluso. Se preguntó si podría llegar a ser tan tranquilo como Praiseworthy.

Pero una vez que se hubieron sentado en el restaurante, Jack descubrió que tenía tanta hambre que pidió un filete de oso. Claro que la única alternativa de menú eran callos con judías, y Jack pensaba que tendría que estar realmente muerto de hambre para pedir una cosa así.

—¿Usted y el chico quieren pan con la comida? —preguntó el camarero. Era un hombretón con las botas arrugadas.

bandolero Ladrón que asalta en los caminos.

exasperante Se dice de algo que causa enojo.

callos Pancita.

151

—¿Por qué no? —respondió Praiseworthy.

—Es un dólar la rebanada.

El mayordomo levantó una ceja lentamente.

—Dos dólares, con mantequilla.

Praiseworthy miró a Jack y sonrió.

—No importa el precio, señor. Estamos celebrando nuestra llegada. ¡Pan y mantequilla, por favor!

El filete de oso era grasiento y pegajoso, pero se trataba de algo que contar en la próxima carta a casa. Jack se obligó a tragarlo. Cuando salieron del restaurante, Praiseworthy compró un par de bolsas de piel en el almacén general y vació el polvo de oro de su guante. El dedo índice tenía un punto saltado. A Jack le gustó el olor a cuero nuevo de la bolsa. La metió bajo su cinturón, junto a la cuchara de cuerno, y comenzó a sentirse como un minero. Entonces, con las palanganas de latón bajo el brazo y el pico y la pala al hombro, se dirigieron a las minas.

El día era caliente y sudoroso. Cuando llegaron al agua corriente, vieron a los mineros inclinados por todas partes junto a la orilla. Estaban lavando el oro en toda clase de aparatos, desde boles de madera, hasta sartenes.

—¿Hay alguien cavando en este lugar? —preguntó Praiseworthy, cuando llegaron a un espacio vacío.

—Por supuesto —respondió alguien—. Es propiedad de John Búfalo.

El mayordomo y el niño siguieron río arriba. Aquí y allá, los mineros introducían la tierra en artesas de madera, colocadas en agua, para recoger las escamas de oro.

—¿Está ocupado este lugar? —preguntó Praiseworthy.

—Sí —le respondieron—. Es propiedad de Jimmie-el-de-la-ciudad.

Continuaron buscando un sitio para cavar. Pasaron por delante de mineros con camisas azules, camisas rojas, camisas a cuadros e incluso algunos sin camisa de ningún género. Los picos atacaban la tierra y las palas volaban. Las tiendas de campaña estaban pegadas a las laderas de la montaña y el aroma del café caliente se filtraba en el aire. Después de haber andado una milla y media, Jack empezó a pensar que nunca iban a encontrar ni un palmo de terreno que no estuviera reservado.

De repente, un disparo rompió el aire de la montaña. La palangana de Praiseworthy sonó como una campana y saltó de su brazo.

palangana Vasija ancha y grande.

aroma Olor agradable.

—¡Eh! ¡Vosotros! —gritó una voz a su espalda.

Praiseworthy se volvió. Sus ojos se entornaron imperceptiblemente.

—¿Está usted hablando conmigo, señor?

—Hablando y disparando. ¿Qué está haciendo con mi palangana bajo el brazo?

Jack miró al hombre. Tenía una cerrada y poblada barba y sus orejas se doblaban bajo el peso de su chambergo.

—Ni que decir que está en un error —respondió Praiseworthy—. Hasta este momento había tenido la suerte de no haberlo visto nunca. Ni a usted ni a su palangana.

—No somos excesivamente amables con los ladrones por estos lares —gruñó el minero, acercándose—. Por aquí, cuando un hombre roba, le cortamos las orejas. Es la ley de los mineros.

—¿Tienen alguna ley que prohíba disparar a los forasteros?

—Ninguna.

Jack no podía imaginarse a Praiseworthy con las orejas cortadas. Agarró firmemente el mango de la pala conforme el minero se aproximaba. Su corazón latió un poco más de prisa y esperó alguna señal de Praiseworthy.

El minero enfundó su pistola y recogió la palangana. Guiñó un ojo y la examinó someramente.

—Claro que es mía.

—Es usted miope, o un sinvergüenza —dijo Praiseworthy.

Jack estaba dispuesto a luchar, si no por sus vidas, al menos por las orejas de Praiseworthy. Precisamente entonces, Jack percibió un reflejo de latón en la luz del sol, entre unas rocas. Dejó caer la pala y fue a ver qué era.

—¿No será este su cuenco? —dijo Jack.

Las pobladas cejas del minero se elevaron como las alas de un pájaro.

—Sí que lo es, ¿no creen? —Y entonces empezó a reírse como si les hubiera gastado una broma—. Me olvidaría hasta de las botas si no las llevara puestas.

Praiseworthy miró al hombre atentamente. Aparentemente, en las minas no tenía la menor importancia ir disparando a los forasteros por un simple error. El minero no volvió a preocuparse por ello.

chambergo Sombrero de ala ancha.

lares Lugares.

Interpreta el escudo de California

¿Por qué?

Los delegados que redactaron la constitución de California aprobaron el diseño del escudo del estado en 1849. Este escudo está en todos los documentos oficiales del estado. Si te fijas con atención, verás que el escudo tiene muchas partes. Cada una de esas partes es un símbolo que representa una idea acerca de California. Para entender el mensaje del escudo, tienes que saber primero el significado de los símbolos.

¿Cómo?

Un símbolo es algo que representa una cosa o idea. Por ejemplo, la bandera de los Estados Unidos es un símbolo de los Estados Unidos de Norteamérica. A su vez la bandera también tiene símbolos. Las rayas representan las colonias originales y las estrellas representan los estados.

Algunas partes del escudo de California representan ideas importantes. En el dibujo de abajo verás el significado de algunas de estas partes.

Practica

Explica el significado de otros símbolos del escudo. ¿Qué idea representa el minero? ¿Qué representan el trigo y las uvas? ¿Cuántas estrellas hay y qué representan? La palabra griega *eureka* es el lema del estado. Significa "¡Lo encontré!" ¿Qué idea acerca de California representa ese lema?

Aplícalo

Inventa un escudo para tu escuela. Incluye símbolos de las distintas actividades escolares. ¿Qué ideas importantes quieres mostrar?

Los barcos representan el comercio.

La diosa Minerva representa la sabiduría.

Las montañas representan la Sierra Nevada.

El oso gris representa la ferocidad.

L E C C I Ó N   4

Los californios pierden sus tierras

Pablo de la Guerra se levantó y se preparó para pronunciar su discurso. Ante él estaban los senadores de California que formaban parte del gobierno del estado. De la Guerra era un senador y un líder californio importante. Recientemente había oído dolorosas historias sobre los problemas de su pueblo. Era la primavera de 1856 y de la Guerra se dio cuenta de que debía hablar del triste destino de los californios.

¿Cómo perdieron sus tierras los californios?

He visto llorar a muchos ancianos de sesenta y setenta años de edad, porque los han arrojado de su hogar ancestral. Los han humillado e insultado. Les han quitado hasta el mínimo privilegio de cortar leña para el fuego.

Términos clave

- intrusos
- comisión

De la Guerra estaba enojado porque muchos californios estaban perdiendo sus ranchos. Esta tierra les había pertenecido desde la época del dominio mexicano. Los californios habían tenido miedo de perder sus tierras desde el comienzo de la fiebre del oro. Ahora sus temores eran una realidad.

◄ *El rancho era muy importante para los californios. Allí trabajaban, formaban su familia y hacían amigos.*

California se convierte en estado

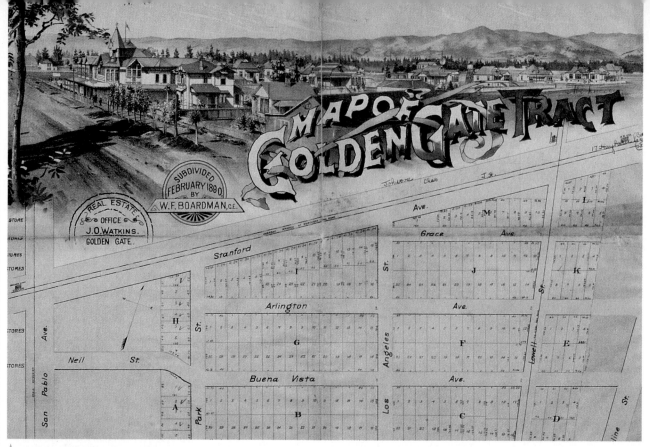

El rancho San Antonio se extendía antes hasta lo que es hoy Oakland, Berkeley y Alameda. Hacia el año de 1885, esta tierra ya estaba dividida en miles de lotes pequeños.

En otros tiempos

Los intrusos ocuparon los ranchos de muchos californios, pero los nombres originales de los ranchos se conservan en la California moderna. Ciudades y pueblos como Rancho Palos Verdes, Rancho Mirage y Rancho Santa Fe, nos recuerdan los días en que los rancheros poseían enormes extensiones de tierra.

Una amenaza para los ranchos

Para los californios, un rancho de 40,000 acres no era nada extraordinario. Pero cuando los colonos de los Estados Unidos vieron aquellos ranchos enormes, se enojaron. En un solo rancho había tierra para cientos de granjas. Creían que era injusto que una sola persona fuera dueña de tanta tierra y que cultivara tan pocas cosechas en un terreno tan grande. Los colonos pensaban que era un desperdicio usar tanta tierra para el ganado.

Algunos americanos decidieron meterse en los ranchos y comenzar a cultivar la tierra. Estas personas se llamaban **intrusos** y lo que hacían era ilegal. Un intruso es una persona que invade una propiedad ajena sin permiso para hacerlo. Había tantos intrusos que los rancheros no podían echarlos a todos y ni siquiera la policía y los tribunales podían detenerlos. Algunos rancheros se dieron por vencidos y vendieron sus ranchos. Así al menos recibían algo de dinero. Pero otros rancheros no querían vender la tierra que había sido de la familia durante tantos años.

A veces los intrusos no sólo ocupaban la tierra del ranchero sino que también robaban el ganado del ranchero y cortaban los árboles. Poco a poco, los intrusos ocupaban todo el rancho. Así le sucedió a la familia Peralta en el año 1852 con su rancho San Antonio. Los Peralta habían sido dueños de San Antonio desde 1820, hasta que un día los intrusos no los dejaron entrar a su casa. Los

Peralta tuvieron que marcharse. No podían luchar ellos solos contra todos los intrusos de su rancho.

El gobierno actúa

Los intrusos no eran la única amenaza para los rancheros. Poco después de que los intrusos comenzaron a ocupar los ranchos de los californios, el Congreso de los Estados Unidos decidió aprobar una ley llamada la Ley de las Tierras en 1851. Esta ley ordenó crear una comisión para decidir si los rancheros eran realmente dueños de sus ranchos. Una **comisión** es un grupo escogido para hacer cierta tarea. Si los rancheros no podían convencer a la Comisión de Tierras de que eran los verdaderos propietarios, perderían sus ranchos. ■

■ *¿Por qué los californios no pudieron impedir que los intrusos ocuparan sus tierras?*

Malas noticias para los rancheros

No era fácil para los rancheros probar que eran dueños de sus tierras. Muchos no sabían inglés y tenían que contratar a abogados para que los ayudaran.

A pesar de todo, la comisión generalmente decidía en favor de los rancheros pero se demoraba 17 años o más en decidir cada caso. Para la mayoría de los rancheros, esta decisión llegaba demasiado tarde. Muchos rancheros se gastaban todo su dinero en pagar a los abogados y hasta llegaban a vender sus tierras para poder sobrevivir. Al final, casi todos terminaban perdiendo su hogar.

California tenía muchas leyes para proteger los derechos de los rancheros californios, pero estas leyes no bastaban. Los californios no podían luchar contra tantas personas que querían sus tierras. Lentamente, los grandes ranchos que habían sido tan importantes para los californios, fueron desapareciendo. El modo de vida de los californios desapareció con ellos. Ahora los californios tenían que ganarse la vida en tierras de extraños. ■

▼ *Entre los años de 1810 y 1830, había unos pocos ranchos en lo que hoy es Los Ángeles. Hoy en día viven ahí 13 millones de personas.*

■ *¿Por qué la Comisión de Tierras ayudó y perjudicó a la vez a los californios?*

R E P A S O

1. **TEMA CENTRAL** ¿Cómo perdieron sus tierras los californios?

2. **RELACIONA** Basándote en tus lecturas anteriores, explica por qué los ranchos eran tan importantes para los californios.

3. **VALORES CÍVICOS** ¿Por qué la ley y el gobierno no protegieron a los rancheros californios?

4. **RAZONAMIENTO CRÍTICO** ¿En qué se parecen los intrusos de los ranchos a los vigilantes y a los mineros?

5. **ACTIVIDAD** Organiza un debate para discutir si era justo o injusto que los rancheros tuvieran ranchos tan grandes mientras que los colonos tenían tan poca tierra.

California se convierte en estado

Repaso del capítulo

Repasa los términos clave

comisión (p. 157)
constitución (p. 143)
convención (p. 137)
delegado (p. 137)
esclavitud (p. 144)

intruso (p. 156)
justicia (p. 147)
ley (p. 147)
vigilante (p. 147)

A. Escoge el término clave para cada definición:
1. una regla que deben obedecer todos los ciudadanos
2. así le llamaban a quien capturaba y castigaba a otros sin autoridad para hacerlo
3. tratamiento equitativo para todos, usando las mismas reglas y leyes
4. un grupo escogido para hacer cierta tarea
5. alguien que invade la tierra de otro

B. Escoge el término clave que completa mejor estas oraciones.
1. Cada ciudadano votó por un ___ que defendería sus intereses.
2. California no tenía fronteras oficiales hasta que las definió la ___.
3. Según la ___ de California, las mujeres casadas tenían derecho a poseer propiedades.
4. Todos los delegados acordaron que no habría ___ en California.
5. Muchos californios perdieron sus tierras, aunque se aprobaron ___ para protegerlos.

Explora los conceptos

A. Termina el diagrama de abajo en una hoja a parte, añadiendo palabras que describan otros dos problemas que sufría California. Da dos ejemplos de cada uno de esos problemas.

B. Lee esta oración: Durante la fiebre del oro, el número de habitantes en los pueblos de California creció rápidamente. Da dos razones por las que este crecimiento rápido era bueno y dos razones por las que era malo.

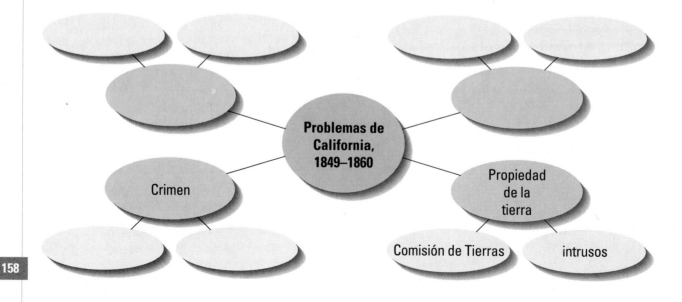

Problemas de California, 1849–1860

Crimen

Propiedad de la tierra

Comisión de Tierras

intrusos

Repasa las destrezas

1. Fíjate en la gráfica lineal de la derecha. ¿Cuánto costaba el café antes de la fiebre del oro? ¿Cuánto costaba en 1850?

2. La Estatua de la Libertad es un símbolo que representa una idea. ¿Cuál es esa idea? Nombra otro símbolo de los Estados Unidos y di qué idea representa.

3. Haz una línea cronológica para indicar cuándo se aprobó el derecho al voto en California. Empieza en el año 1850 y termina en 1950. Marca secciones de 10 años y escribe las fechas. Haz secciones pequeñas de 5 años. Anota las fechas en que se aprobó el derecho al voto a los hombres blancos, las mujeres, los hombres negros, los indígenas y los chinos.

4. ¿Qué libros te podrían dar más detalles sobre la historia de Biddy Mason?

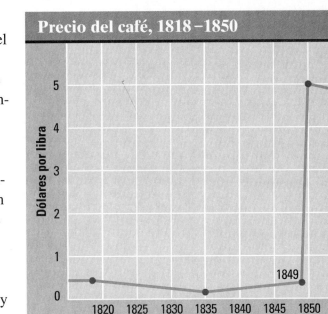

Precio del café, 1818–1850

Usa tu razonamiento crítico

1. James King criticó a James Casey. Casey se enojó tanto que mató a James King de un tiro. ¿Crees que los vigilantes de San Francisco cometieron un error al castigar a Casey sin un juicio? Explica tu respuesta.

2. Aunque los californios y los estadounidenses tenían muchas diferencias, trabajaron juntos para escribir la constitución de California. ¿Cómo podrían trabajar unidos algunos grupos que tienen diferencias hoy en día para hacer que la comunidad fuera mejor para todos?

Para ser buenos ciudadanos

1. **REDACCIÓN** Imagínate que eres un periodista en la convención de California de 1849. Decide a quién quieres entrevistar y qué quieres saber de esa persona. Escribe un artículo incluyendo detalles que contesten a las preguntas *quién, qué, cuándo, dónde* y *por qué.*

2. **ACTIVIDAD ARTÍSTICA** Dibuja una escena de la fiebre del oro en San Francisco u otra ciudad de California. Incluye varios detalles como distintas personas en la ciudad, edificios y tiendas.

3. **TRABAJO EN EQUIPO** El escudo de California expresa un mensaje sobre el estado mediante palabras y dibujos. Trabaja en equipo para diseñar un escudo moderno para California. Primero reúnanse en grupos para escribir una lista de símbolos que identifiquen al estado moderno. Luego toda la clase decidirá qué símbolos dibujará cada grupo. Tracen el contorno del escudo en un papel grande y pongan dentro de él la ilustración de cada grupo. Incluyan en el escudo las palabras que les parezcan importantes.

Crecimiento y desarrollo

Cuando acabó la fiebre del oro, los californianos emprendieron nuevos caminos. Comenzaron a trabajar y a construir enlaces con el resto del país. El ferrocarril se convirtió en el más importante de ellos y en un símbolo de la fuerza y la energía del estado en crecimiento.

1850

Trabajadores de la Union Pacific construyen la vía del ferrocarril entre California y Nebraska. Fotografía cortesía del Departamento de Historia del Museo de Oakland.

1920

Capítulo 7

El ferrocarril transcontinental

California era un estado, pero todavía los californianos se sentían aislados del resto del país. Entre 1850 y 1865, el estado decidió construir mejores enlaces con el Este. El más fuerte de ellos sería el ferrocarril.

Un grupo de trabajadores se esfuerza por encontrar un camino para el ferrocarril a través de las montañas.

Diligencias como ésta hicieron más rápido y más cómodo el viaje a través del país hasta California.

| 1850 | 1854 | 1858 |

1850

1869 Muchos piensan que la mejor manera de conectar a California con otros estados es el ferrocarril.

1862

1866

1870

1861 Comienza la guerra Civil. California toma partido con los estados del Norte, o la Unión.

1863 Comienza la construcción de la vía del ferrocarril entre California y los otros estados.

1869

LECCIÓN 1

El enlace de California con el Este

TEMA
CENTRAL

¿Por qué los californianos se sentían aislados de los demás estados entre 1850 y 1865?

Términos clave

- comunicación
- transporte
- transcontinental

➤ *El Pony Express, con sus jinetes veloces y osados, llevaba noticias y correo a California con rapidez.*

William Campbell cabalgaba velozmente; su caballo cortaba el viento helado. Llevaba en una bolsa de cuero el mensaje que toda California esperaba con tanta ansiedad. Era el primer discurso que pronunciaba Abraham Lincoln como presidente de los Estados Unidos.

Junto con los otros jinetes del Pony Express, Campbell iba a viajar desde el fuerte Kearney, Nebraska, a llevar el mensaje de Lincoln hasta Sacramento, a 1,600 millas de distancia. Era marzo, un mes peligroso para cruzar la Sierra Nevada. Pero los ciudadanos de California no podían esperar. No les gustaba ser los últimos ciudadanos del país en conocer las noticias. "¿Dónde está el mensaje de Lincoln?" preguntaban todos.

A mitad del país, Campbell llegó frío y cansado a una de las estaciones del Pony Express. Para anunciar que se estaba aproximando, hizo

sonar con fuerza su cuerno. El próximo jinete, al oírlo, ensilló rápidamente su caballo. Cuando Campbell llegó unos minutos después, el segundo jinete ya estaba listo para salir, agarró la bolsa de la mano de Campbell y salió al galope sin perder tiempo. El mensaje llegó a Sacramento en siete días, más rápido de lo que había llegado ningún otro mensaje. Pronto toda California leía el discurso del presidente Lincoln.

California se siente aislada

Aunque el Pony Express había establecido un récord, Lincoln llevaba casi dos semanas como presidente cuando llegaron noticias de su discurso a California. Todo el mundo sabía que en el Este pasaban otras cosas importantes. El discurso de Lincoln hablaba de las crecientes diferencias sobre la esclavitud que había entre el Norte y el Sur. Pero la **comunicación,** o intercambio de noticias y mensajes, era lenta. Los problemas de comunicación hacían que los californianos se sintieran muy aislados del resto del país.

Un viaje largo y duro

California tenía buenas razones para sentirse aislada de los demás estados. En efecto, la entrega del correo en dos semanas era rapidísima comparada con la velocidad del **transporte.** El transporte es el movimiento de personas y productos de un lugar a otro. Como indica el mapa, el transporte en carretas cubiertas sobre las llanuras, los desiertos ardientes y las altas montañas, podía tardar hasta seis meses. Navegar alrededor de Suramérica demoraba seis meses o más. El camino a través del istmo de Panamá ahorraba tiempo, pero aun así el viaje demoraba un mes.

Los problemas de transporte elevaban el precio de los alimentos y otros productos. Hacia el año de 1855, muchos alimentos, ropas, herramientas y otras mercancías venían del Este. Los californianos tenían que pagar precios muy altos por estas cosas porque el transporte costaba mucho.

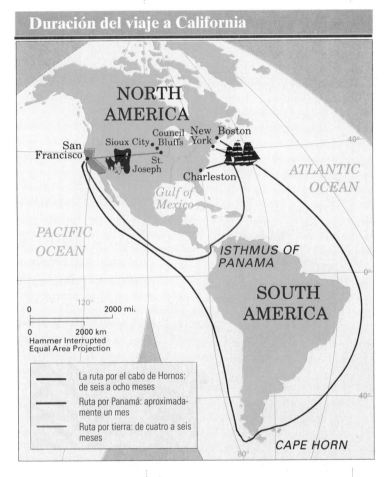

Duración del viaje a California

La ruta por el cabo de Hornos: de seis a ocho meses

Ruta por Panamá: aproximadamente un mes

Ruta por tierra: de cuatro a seis meses

▲ *¿Cuál es la ruta más corta? ¿Por qué crees que esta ruta no se recorría en menos tiempo?*

Si vivieras en California, cuánto se demoraría . . .

...enviar una carta a un amigo de Boston.

1861
Dos semanas por Pony Express

Ahora
Dos días por correo

...enviar un regalo de cumpleaños a tu tía de Nueva York.

1861
Seis meses por barco

Ahora
Siete días por correo

...saber del discurso del presidente desde Washington, D.C.

1861
Dos semanas por Pony Express

Ahora
Al instante por televisión o radio

...mudarte con tu familia a Philadelphia.

1861
Nueve meses en carretas

Ahora
Seis horas en avión

Esfuerzos por comunicarse

La gente empezó a buscar mejores enlaces con los estados del Este. Una compañía usaba camellos para llevar mercancías por la tierra caliente y seca de los desiertos que quedaban al otro lado de la Sierra Nevada. Pero los camellos se herían las patas con los cactos del camino. Los conductores se enojaban con los "brutos jorobados" y renunciaban a la tarea.

Hubo otras ideas mejores. Por ejemplo, en 1858 John Butterfield inauguró la línea de diligencias Butterfield, que transportaba correo, paquetes y pasajeros. Estas diligencias ofrecían un servicio importante a California, haciendo cientos de viajes entre California y el río Mississippi. Pero inclusive la diligencia Butterfield se demoraba 24 días en hacer ese viaje.

Otra idea útil fue el telégrafo. En 1861 se acabaron de tender cables a través del país, aunque a veces los búfalos derribaban los postes. Los diagramas indican cómo funciona el telégrafo. Con el telégrafo se podían enviar mensajes a través del país en unos minutos y era tan rápido que pronto desapareció el Pony Express.

Pero eso no era suficiente. La gente soñaba con un ferrocarril **transcontinental** que haría posible viajar de costa a costa a través del continente en pocos días. Este ferrocarril resolvería los problemas de transporte de California. Pero costaría millones de dólares. ¿Quién los pagaría? ¿Cómo cruzarían las vías del ferrocarril por la Sierra Nevada? Nadie podía contestar estas preguntas. Para California, el ferrocarril transcontinental seguía siendo tan sólo un sueño. ■

■ *Aun con las diligencias Butterfield y con el telégrafo, los californianos no estaban contentos. ¿Por qué?*

El código Morse original

Cada letra tiene un código especial de puntos y rayas:

a ·−	h ····	o ··	v ···−
b −···	i ··	p ·····	w ·−−
c ·· ·	j −·−·	q ··−·	x ·−··
d −··	k −·−	r · ··	y ·· ··
e ·	l —	s ···	z ····
f ·−·	m −−	t −	
g −−·	n −·	u ··−	

Un operador usa el código Morse y un telégrafo para enviar mensajes. Hace los puntos y rayas oprimiendo una palanca.

El telégrafo convierte los puntos y rayas en señales eléctricas que viajan instantáneamente por un cable.

La electricidad transmite sonidos que representan puntos y rayas. Un operador los oye al otro extremo y escribe las letras que forman el mensaje.

Comienza la guerra Civil

En el verano de 1861 noticias importantes de Fort Sumter, South Carolina, y Bull Run, Virginia, interrumpieron este sueño. Había empezado la guerra Civil. Los estados del Sur se habían separado de

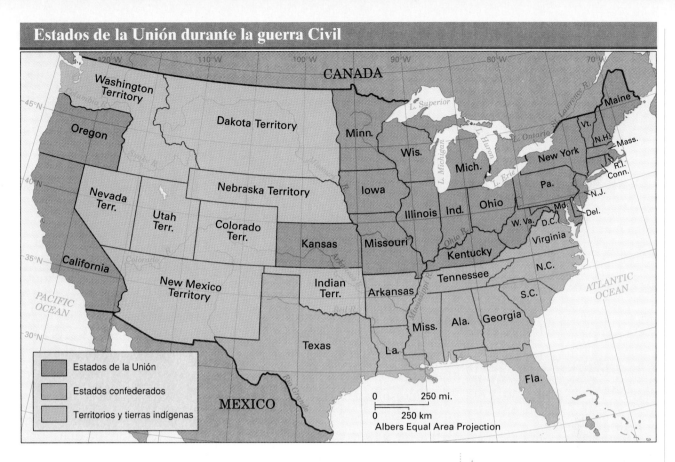

los Estados Unidos a causa del desacuerdo sobre el tema de la esclavitud. Formaron un nuevo país al que llamaron Estados Confederados de América. El resto de los estados formaban lo que se conoció como la Unión. La Unión, como su nombre lo indica, luchaba por mantener a todo el país unido.

California decidió tomar partido en favor de la Unión cuando estalló la guerra Civil. Durante la guerra California quedó más aislada del Este que nunca. Los ejércitos de la Unión y de la Confederación necesitaban todos los alimentos y provisiones que producían los estados del Este. Así que a California no llegaba casi nada. Más que nunca, California necesitaba mejores medios de comunicación y transporte para conectarse con el resto de la nación. Quizás éste era el momento perfecto de hacer realidad el sueño de un ferrocarril transcontinental. ■

▲ *¿Qué otro estado además de California se pudo haber sentido aislado del resto del país?*

■ *¿Qué efecto tuvo la guerra Civil en California?*

REPASO

1. **TEMA CENTRAL** ¿Por qué los californianos se sentían aislados de los demás estados entre 1850 y 1865?

2. **RELACIONA** Busca un ejemplo en el Capítulo 6 de la forma en que el desacuerdo sobre la esclavitud afectó a California en el pasado.

3. **ECONOMÍA** ¿Por qué tantos productos eran tan caros en California?

4. **RAZONAMIENTO CRÍTICO** ¿Qué podría haber hecho California para rebajar el costo de sus alimentos y otros productos?

5. **ACTIVIDAD** Usa el mapa de la página 324 para calcular las millas entre el centro de Nebraska y Sacramento. ¿Cuántas millas al día tenía que recorrer el Pony Express para cubrir esta distancia en siete días?

167

El ferrocarril transcontinental

L E C C I Ó N 2

Nace el ferrocarril

TEMA CENTRAL

¿Qué problemas tuvieron que resolver Theodore Judah y los Cuatro Grandes para poder construir la vía del ferrocarril transcontinental?

Términos clave

- agrimensura
- invertir

➤ *Éstas son las montañas sobre las cuales Judah esperaba construir la vía del ferrocarril. ¿Te sorprende que algunas personas creyeran que estaba loco?*

Theodore Judah estaba parado sobre el pico de una montaña, mirando el paisaje ante él. A sus pies, un acantilado caía hasta un valle que se extendía 1,000 pies más abajo. Era como si la montaña hubiera puesto una señal de "Pare" en su camino.

Pero Judah no se iba a dejar detener por las montañas. Buscaba la manera de hacer realidad su sueño de construir un ferrocarril transcontinental. Judah sabía que el ferrocarril tendría que cruzar la Sierra Nevada. Por eso estaba allí, tratando de encontrar una manera de tender las vías del ferrocarril desde la cima de este acantilado hasta el valle que tenía a sus pies. Como puedes imaginarte, no sería fácil para Judah convertir su sueño en realidad.

Alcanzar un sueño

Convertir en realidad el sueño de Judah era difícil. Pero Judah no se dio por vencido. Anna Judah, su esposa, escribió en una carta lo mucho que trabajó él por lograr su meta.

*T*odo lo que hizo desde que llegó a California hasta su muerte fue por el gran ferrocarril continental del Pacífico. Se dedicaba a esta idea de cuerpo y alma, invirtiendo todo su tiempo, su dinero y sus energías, tanto físicas como mentales. Pensaba en ello día y noche, hablaba de ello, hasta que le llamaron "Judah, el loco del ferrocarril".

—Anna Judah, 1889

A veces Anna Judah era una de las pocas personas que creía en las ideas de su esposo. Pero a Judah no le preocupaba que no le hicieran caso. "Tenemos que mantener vivo el proyecto", decía a su esposa.

Encontrar una ruta

Judah sabía que para que la gente creyera en él, tendría que demostrar que su sueño podía ser realidad: que un ferrocarril podía cruzar la Sierra Nevada.

Para hallar la respuesta a este difícil problema, Judah y su asistente, Daniel Strong, escalaron la Sierra Nevada. Judah y Strong se detenían con frecuencia para realizar **agrimensuras**. La agrimensura consiste en medir la altura de las montañas.

Después de varias semanas de búsqueda, encontraron la ruta que estaban buscando. Judah concluyó que si seguían esa ruta, las vías del ferrocarril no tendrían que subir demasiadas pendientes ni cruzar muchos valles hondos. Judah y Strong estaban tan emocionados por su descubrimiento, que no se dieron cuenta de que venía una fuerte tormenta. La nevada repentina los obligó a abandonar su campamento durante la noche. Luchando contra la nieve y la oscuridad, apenas pudieron ponerse a salvo.

HISTORIA *Theodore y Anna Judah viajaron mucho. Dondequiera que iban, Anna escribía a su familia y a sus amigos. Muchas de estas cartas describen los pensamientos, las ideas y el trabajo de su esposo. Las cartas de Anna Judah dan información valiosa acerca del hombre que ayudó a construir el primer ferrocarril transcontinental.*

▲ *Ésta es la brújula que Theodore Judah usó para estudiar las montañas. Este mapa, dibujado a mano por Judah, indica su idea de la ruta a través de las montañas.*

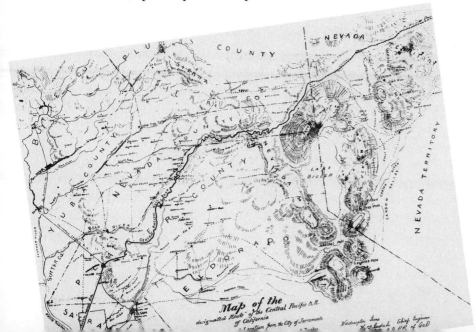

169

El ferrocarril transcontinental

▼ *Con los años, los Cuatro Grandes acumularon una fortuna de 200 millones de dólares gracias a la compañía de Judah.*

■ *Mucha gente creía que Theodore Judah estaba loco. ¿Por qué?*

▼ *Este mapa indica dónde planeaban tender las vías las compañías ferroviarias.*

Dónde buscar dinero

Judah, ya tenía la ruta para su ferrocarril, pero le faltaba el dinero necesario para construirlo. Para conseguirlo, fundó una compañía de ferrocarril llamada Central Pacific.

Una noche Judah se reunió con cuatro hombres de negocios en Sacramento. Estos hombres veían una oportunidad de hacerse ricos con la idea de Judah. Acordaron **invertir** en la compañía. Invertir significa dar dinero a un negocio, esperando ganar más dinero a cambio. Y efectivamente, ganaron tanto dinero al invertir en la compañía, que los llamaban los Cuatro Grandes.

Entonces Judah fue a Washington, D.C., a pedir ayuda al gobierno de la Unión. Era el momento perfecto. La Unión quería ayudar a California para tenerla de aliada en la guerra Civil. Por eso en julio de 1862, el Congreso accedió a ayudar a la compañía de Judah a construir la vía del ferrocarril desde California hasta el Este. El Congreso también decidió ayudar a otra compañía ferroviaria a construir su vía desde el Este hasta California. Esta compañía era la Union Pacific. ■

Cómo echaron a Judah

La construcción de la vía del ferrocarril comenzó en Sacramento en 1863. Pero a los pocos meses, Judah y los Cuatro Grandes empezaron a tener desacuerdos. Judah quería construir la vía del ferrocarril cuidadosamente, costara lo

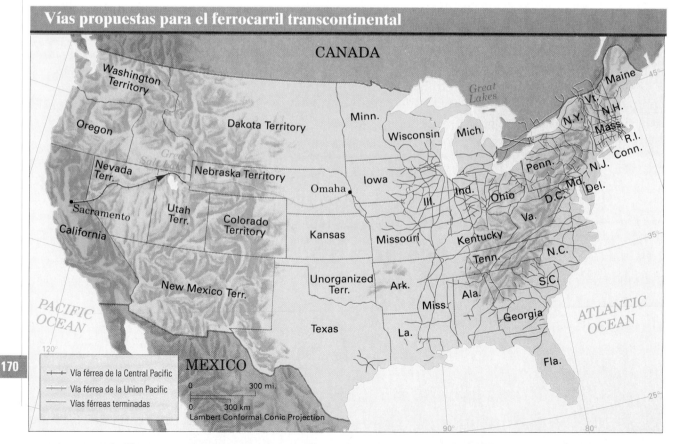

Vías propuestas para el ferrocarril transcontinental

CANADA

Washington Territory

Oregon

Nevada Terr.

Sacramento

California

Utah Terr.

Dakota Territory

Nebraska Territory

Colorado Territory

New Mexico Terr.

Great Salt Lake

Omaha

Minn.

Wisconsin

Iowa

Kansas

Unorganized Terr.

Texas

Mich.

Ill.

Missouri

Ark.

La.

Ind.

Kentucky

Tenn.

Miss.

Ala.

Georgia

Great Lakes

N.Y.

Penn.

Ohio

Va.

N.C.

S.C.

Fla.

Maine

Vt.

N.H.

Mass.

R.I.

Conn.

N.J.

Md.

Del.

D.C.

PACIFIC OCEAN

ATLANTIC OCEAN

MEXICO

─┼─ Vía férrea de la Central Pacific
─┼─ Vía férrea de la Union Pacific
─── Vías férreas terminadas

0   300 mi.
0   300 km
Lambert Conformal Conic Projection

BREAKING GROUND AT SACRAMENTO JAN. 8, 1863 FOR FIRST TRANSCONTINENTAL RAILROAD

que costara. Los Cuatro Grandes decían que no tenían dinero para hacer el trabajo con tanto cuidado. Querían construir la vía del ferrocarril a su manera.

El desacuerdo crecía cada día más. Los Cuatro Grandes empezaron a reunirse en secreto, sin tener en cuenta a Judah. Estaban cansados de sus quejas y por eso decidieron echarlo de la compañía. Pero Judah no iba a dejar que le quitaran el sueño de toda su vida. Estaba dispuesto a luchar contra viento y marea.

En el otoño de 1863, los Judah salieron de San Francisco, rumbo a New York. Judah esperaba encontrar allí socios que lo ayudaran a comprar la Central Pacific a los Cuatro Grandes. Pero durante su viaje a través del istmo de Panamá, Theodore Judah se enfermó de fiebre amarilla y murió el 2 de noviembre, a los 37 años de edad.

Crece la compañía

Sin Judah, los Cuatro Grandes convirtieron rápidamente la compañía Central Pacific en un negocio enorme que les daba muchas ganancias. En pocos años estos hombres eran de los más poderosos y ricos del estado de California. Sin embargo, no todo el mundo los quería. Para muchos californianos, los Cuatro Grandes eran unos hombres sin corazón que hacían cualquier cosa con tal de hacer más dinero. Debido a esta idea que la gente tenía de ellos, a medida que crecía su poder, también crecía la antipatía hacia ellos en California. ■

Este cuadro muestra a Judah con los Cuatro Grandes. Sus nombres eran Leland Stanford, Collis P. Huntington, Charles Crocker y Mark Hopkins.

En otros tiempos

Hoy en día los pasajeros que salen de la estación de tren de Sacramento ven un gran monumento en memoria de Theodore Judah. El monumento está hecho con piedra de la Sierra Nevada.

■ *Basándote en lo que sabes de Theodore Judah, ¿crees que hubiera encontrado la manera de comprar la Central Pacific a los Cuatro Grandes?*

REPASO

1. **TEMA CENTRAL** ¿Qué problemas tuvieron que resolver Theodore Judah y los Cuatro Grandes para poder construir la vía del ferrocarril transcontinental?

2. **RELACIONA** Basándote en lo que has leído en la Lección 1, ¿por qué crees que muchas personas no tomaban en serio el plan de Judah?

3. **ECONOMÍA** ¿Por qué decidieron los Cuatro Grandes invertir en la compañía de Judah?

4. **RAZONAMIENTO CRÍTICO** Explica en pocas oraciones las razones del desacuerdo entre Judah y los Cuatro Grandes.

5. **REDACCIÓN** Imagínate que eres Theodore Judah. Escribe un discurso para convencer a la gente de que el ferrocarril es bueno para el estado y de que inviertan dinero en tu compañía.

ESTUDIEMOS LOS HUSOS HORARIOS

Leamos un mapa de husos horarios

¿Por qué?

La Tierra gira de oeste a este. Al girar, la luz del Sol llega a diferentes lugares de la Tierra a horas diferentes. Cada día el Sol ilumina la costa este de los Estados Unidos tres horas antes de lo que ilumina la costa oeste.

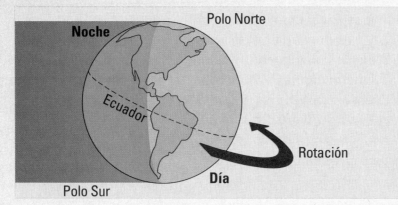

Entre los años de 1800 y de 1883, cada comunidad ponía sus relojes en hora de acuerdo con el Sol. Los relojes de diferentes lugares no indicaban la misma hora. Este sistema era confuso y creaba problemas. Cuando se acabó de construir el ferrocarril transcontinental en 1869, hacía falta un horario común para los trenes. Finalmente, en 1883, los Estados Unidos quedaron divididos en cuatro zonas cada una con una hora diferente. A este sistema se le llamó husos horarios. Los relojes de cada zona indicaban la misma hora, resolviendo así el problema del horario de trenes. Si entiendes el mapa de husos horarios, podrás calcular la hora en diferentes partes del país.

¿Cómo?

En la parte continental de los Estados Unidos hay cuatro zonas con distintos horarios. Son las zonas este, central, de las montañas y del Pacífico. Alaska y Hawaii tienen sus propios horarios. El mapa de la página 331 del Atlas indica qué estados están en cada zona. El reloj de la zona este marca las 7:00. El de la zona central marca las 6:00. Es una hora más temprano. Al ir hacia el oeste desde la zona este, resta una hora para la zona central, otra hora para la zona de las montañas y otra para la del Pacífico. Entre las costas este y oeste hay tres horas de diferencia.

Practica

Fíjate en el mapa de husos horarios de la página 331 y contesta las preguntas que aparecen a continuación:

1. Di el nombre de un estado en cada zona.
2. Di el nombre de tres estados que están en más de una de estas zonas.
3. Di qué zona está al este de la zona de las montañas.
4. Cuando son las 7:00 A.M. en Iowa, ¿qué hora es en Vermont, en Louisiana, en Colorado, en Nevada y en New York?
5. Al este de Sacramento, ¿es más temprano o más tarde?

Aplícalo

Planea un viaje a seis pueblos o ciudades de los Estados Unidos usando el Atlas. Sal de Los Ángeles y llega a Washington, D.C. Incluye lugares situados en cada zona. Sigue tu ruta con el dedo en el mapa de la página 324. Si son las 4:00 P.M. cuando llegas a Washington D.C., ¿qué hora es en cada una de las otras ciudades?

172

L E C C I Ó N   3

Construcción de las vías

¡Parece una guerra! Los trabajadores de la Union Pacific hacen explotar la vía que han tendido los trabajadores de la Central Pacific. Los de la Central Pacific responden haciendo rodar rocas encima de las vías de sus rivales. La batalla continúa.

Estamos en el año de 1869 y la Central Pacific y la Union Pacific compiten en una carrera. Cada compañía recibe tierras del gobierno de los Estados Unidos como recompensa por cada milla de vía que tiende. Ya quedan pocas millas por tender. ¿Quién terminará de tender todas las vías y se llevará las tierras? Las dos compañías luchan por obtenerlas.

El tendido de las vías

Las batallas entre los trabajadores eran terribles. Pero los de la Central Pacific estaban acostumbrados a sudar por cada pulgada de vía. La **construcción,** o el trabajo de construir, fue difícil en la Sierra Nevada debido al frío y a sus altas montañas.

T E M A
C E N T R A L

¿Qué dificultades encontraron los constructores del ferrocarril de la Central Pacific?

Términos clave

- construcción
- ingeniería
- obrera
- obrero

◄ *Esta ilustración muestra la lucha entre los trabajadores de la Central Pacific y los de la Union Pacific.*

173

El ferrocarril transcontinental

Los túneles a través de la sierra

¿Cómo puede pasar un tren por una montaña? La Central Pacific encontró una manera. Los trabajadores excavaron y dinamitaron la roca para hacer túneles de cientos de pies de largo. A veces había que trabajar todo el día para cortar tan sólo ocho pulgadas de roca.

pico

Los trabajadores excavaban la roca con picos. En los hombros cargaban yugos de madera como el que ves aquí con cubetas de piedras y tierra.

yugo de madera

Los obreros chinos hacían el trabajo más peligroso y difícil. Trabajaban 12 horas al día, 6 días a la semana. Vivían en tiendas incluso cuando hacía frío. Algunos vivían en túneles excavados bajo la nieve.

túnel vertical hasta el centro de la montaña

¡Pum! Los trabajadores dinamitaban la roca con pólvora negra. Cada grupo excavaba desde un extremo del túnel. Para ir más de prisa, los trabajadores dinamitaban un pozo desde la cima de la montaña. Así otros trabajadores podían excavar en el centro del túnel.

puntales de madera

La construcción era más peligrosa durante el invierno. Las temperaturas bajaban por debajo del punto de congelación. Montones de nieve de cuarenta pies de altura cubrían las montañas. Algunos trabajadores pasaban el invierno trabajando en túneles bajo la nieve. ■

■ *Piensa en las fotografías que has visto de la Sierra Nevada. ¿Por qué era difícil construir una vía del ferrocarril sobre estas montañas?*

La búsqueda de trabajadores

La construcción en la Sierra Nevada era una tarea inmensa. Pero la ingeniería resolvió muchos problemas. La **ingeniería** es el uso del conocimiento y de las reglas científicas para construir algo. Los Cuatro Grandes necesitaban también miles de **obreros y obreras,** o trabajadores, para terminar su parte del ferrocarril. No siempre era fácil encontrar obreros.

Problemas de mano de obra

Al principio los obreros del ferrocarril eran de California. Pero poco después de empezar el proyecto, llegaron noticias de que había minas de plata en Nevada. Muchos obreros se fueron a las minas de plata. Por un tiempo paró casi por completo la construcción del ferrocarril. El trabajo iba tan despacio, que en los primeros dos años sólo se tendieron 50 millas de vías. Los Cuatro Grandes vieron que si no encontraban más obreros, nunca terminarían de construir el ferrocarril.

Llegan los chinos

Charles Crocker, uno de los Cuatro Grandes, tuvo una idea. ¿Por qué no contratar chinos, de los muchos que vivían en California, para trabajar en la construcción del ferrocarril? Los Cuatro Grandes quedaron tan contentos con el trabajo de los obreros chinos que seguían contratando más y más. Incluso enviaron mensajeros a China para buscar más trabajadores. En poco tiempo la mayoría de los obreros de la Central Pacific eran chinos.

Los chinos demostraron lo valiosos que eran una y otra vez. De todos los trabajadores, ellos eran los que hacían las tareas más difíciles y peligrosas. Desgraciadamente, muchos murieron congelados en el frío de las montañas. Otros murieron en avalanchas de nieve o en las explosiones que se hacían para romper la roca. Sin la destreza y el sacrificio de estos obreros chinos, la Central Pacific nunca hubiera podido cruzar la Sierra Nevada. ■

▼ *Los chinos hacían varias de las tareas más duras y peligrosas en la construcción del ferrocarril.*

■ *¿Cómo ayudaron los obreros chinos a terminar la construcción del ferrocarril de la Central Pacific?*

175

El ferrocarril transcontinental

El gran final

En 1868, los obreros de la Central Pacific terminaron su trabajo en la Sierra Nevada. Habían llegado a terreno plano, más allá de las montañas. Sin nieve ni pendientes empinadas, el tendido de las vías avanzaba a un paso asombroso. Un reportero del *Chicago Tribune* lo describió así:

> El proceso avanza tan rápidamente como un hombre caminando. Detrás del vagón un hombre va dejando caer unos clavos largos, otro coloca las traviesas bajo los carriles y otros treinta o cuarenta martillan los clavos y apisonan la tierra bajo las traviesas. En cuanto vacían todo el hierro de un vagón, unos cuantos hombres lo agarran y lo sacan de la vía echándolo a la cuneta, y viene el segundo con su carga.

Los ingenieros y trabajadores de la Central Pacific mantuvieron un ritmo rápido. Una vez batieron un récord al tender 10 millas de vía en un día. En poco tiempo llegaron a las montañas Promontory de Utah. Pero allí el trabajo se retrasó debido a la batalla entre los obreros de la Central Pacific y de la Union Pacific. La construcción del ferrocarril se retrasaba mientras los dos lados peleaban entre sí.

Finalmente, los dos lados acordaron unir las vías en un lugar llamado Promontory Point. El 10 de mayo los dos tramos de carriles estaban a unos pies de distancia. Una estaca de oro conectó los dos carriles. Pronto los silbidos del tren se unieron a las voces que, durante años, habían entonado canciones sobre el ferrocarril.

▼ *El ferrocarril transcontinental conectó a California y el resto de los Estados Unidos. Con el ferrocarril empezaron a dejar de usarse las caravanas de carretas.*

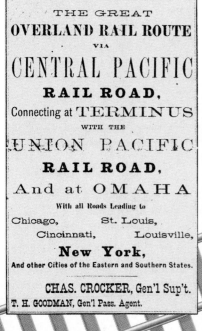

*L*os vagones pronto irán por las vías
siguiendo a la locomotora,
cruzando el continente hacia el este y el oeste.
¡Ha llegado la hora!
Con Fremont como maquinista y Dayton a su lado
subiremos al tren con nuestro equipaje.
¡Viva el ferrocarril de la empresa Pacific
que nos lleva a todos de viaje!

"Huzza for the Railroad" (Viva el ferrocarril), 1856

◄ *Cuando se terminó la construcción del ferrocarril, los trabajadores celebraron el tendido de la estaca dorada. ¿Qué grupo falta en esta foto?*

Tras años de trabajo duro y de grandes sueños, el trabajo había terminado. Las dos costas de los Estados Unidos quedaron unidas por las vías del ferrocarril transcontinental. Para California, el nuevo ferrocarril era un sueño hecho realidad. ■

■ *¿Por qué los trabajadores pudieron tender las vías con*

R E P A S O

1. **TEMA CENTRAL** ¿Qué dificultades encontraron los constructores del ferrocarril de la Central Pacific?

2. **RELACIONA** Busca en tus lecturas anteriores un ejemplo de los peligros que se encontraban en la Sierra Nevada.

3. **ECONOMÍA** ¿Cómo crees que el nuevo ferrocarril afectaría a otros negocios de transporte de

personas y mercancías a través del país?

4. **RAZONAMIENTO CRÍTICO** ¿Por qué crees que no se ve a los obreros chinos en la foto de la "última estaca"?

5. **REDACCIÓN** Imagínate que vas en el primer tren que cruza la Sierra Nevada. Escribe un breve relato de este viaje.

El ferrocarril transcontinental

El nuevo ferrocarril

John Henry

El sonido del martillo de John Henry es el tema de muchas canciones y cuentos folclóricos que se basan en la vida real de un trabajador negro del ferrocarril durante la década de 1870. En esta canción, John Henry y su martillo compiten con un taladro de vapor. La historia de John Henry nos habla de cómo eran los primeros días del ferrocarril. A medida que lees, hazte esta pregunta: "¿Cómo sería hacer un túnel a través de la montaña sólo con un martillo?"

El ferrocarril transcontinental, que fue construido con la ayuda de muchos trabajadores chinos, produjo muchos cambios en California y en el resto del país. Esta canción y este poema ofrecen dos puntos de vista muy distintos sobre los primeros ferrocarriles.

taladro Herramienta para hacer agujeros.

John Henry, muy pequeñito, a su abuela le contó:
—El acero y el martillo serán mi muerte.
Señor, Señor. Serán mi muerte, Señor.

Un día por el camino, cuando John Henry creció,
el capataz le dijo a voces: —Trae el taladro de vapor.
Trae el acero hasta el camino. Señor, Señor.

Catorce pies él clavaba. Catorce pies él clavó.
Sólo nueve pies clavaba el taladro de vapor.
Y de tanto que clavaba se enfermó su corazón.

El martillo se cayó y John Henry se murió, Señor,
Señor.
El martillo se cayó y John Henry se murió.

Lo enterraron en la arena, ¡qué pena que se murió!
Oye el tren cuando se acerca con su canto de dolor:
Aquí yace un hombre bueno que el acero clavó.
Señor, Señor. El acero aquí clavó.

Los búfalos que se comían las flores

Vachel Lindsay

En las Grandes Llanuras vivían grandes manadas de búfalos pero fueron cazados hasta desaparecer hacia el año de 1874. Desde las ventanas del tren, muchos viajeros del ferrocarril disparaban contra los búfalos por simple diversión. Las tierras de muchos indígenas, como los pies negros y los pawnee, también cambiaron con la llegada de los ferrocarriles y con el crecimiento de los Estados Unidos. Al leer el poema de Vachel Lindsay, hazte esta pregunta: "¿Qué pensaba la poetisa acerca de los ferrocarriles y de la desaparición de los búfalos?"

———————————

En los tiempos de antaño existieron
los búfalos de la primavera,
los que se comían las flores
y corrían por las praderas,
donde hoy cantan las locomotoras
y ya no nacen flores nuevas.
La hierba perfumada y fresca
que se mecía con la brisa
fue arrancada por el trigo
que en esos campos se siega.
Ruedas, ruedas y más ruedas rodando van
en la primavera que es dulce aún.
Pero los búfalos de la primavera,
los que se comían las flores,
¡hace tiempo dejaron las tierras!
Ya no embisten.
Ya no mugen.
Ya no rondan las colinas.
Atrás quedaron con los pies negros.
Atrás quedaron con los pawnee.
Atrás quedaron también
lanzando al aire sus penas.

antaño Antes.

embestir Atacar con los cuernos.

Repaso del capítulo

Repasa los términos clave

agrimensura (p. 169)
comunicación (p. 165)
construcción (p. 173)
ingeniería (p. 175)

invertir (p. 170)
obrero (p. 175)
transcontinental (p. 166)
transporte (p. 165)

Escoge el término clave que complete mejor cada una de estas oraciones. Escribe una o dos oraciones explicando por qué lo escogiste.

1. Antes del ferrocarril, la principal forma de _____ para viajar a California era la carreta cubierta.

2. Los Cuatro Grandes decidieron _____ en el ferrocarril Central Pacific porque esperaban hacerse ricos.

3. Miles de personas tendían vías durante la _____ del ferrocarril.

4. En California no se conocieron las noticias acerca de la guerra Civil durante semanas porque la _____ entre el Este y el Oeste era muy lenta.

5. Era necesario realizar la _____ de la Sierra Nevada para encontrar la mejor ruta para el ferrocarril.

6. Los _____s chinos hicieron el trabajo más peligroso del ferrocarril.

7. Theodore Judah quería un ferrocarril _____ que enlazara a California con los estados del Este.

8. Decidir cómo tender vías a través de las empinadas montañas era un problema de _____.

Explora los conceptos

A. La tabla siguiente muestra tres medios antiguos de transporte y comunicación que conectaban a California con otros estados del país. Copia la tabla en una hoja de papel aparte. Después contesta las preguntas que encabezan cada columna. Usa la información que has aprendido en este capítulo.

B. Escribe una o dos oraciones para contestar cada pregunta. Usa detalles de este capítulo para apoyar tus respuestas.

1. ¿Por qué se peleaban los trabajadores de la Union Pacific y de la Central Pacific?

2. ¿Qué pasó con el sueño de Theodore Judah después de su muerte?

Método	¿En qué consistía?	¿Qué transportaba?	¿Cuánto tiempo demoraba?
Pony Express	Jinetes a caballo		
Línea de diligencias Butterfield	Diligencias		
Telégrafo			

Capítulo 7

Repasa las destrezas

1. Usa el mapa de la página 331 del Atlas. Calcula qué hora es en Anchorage, Alaska y en Honolulu, Hawaii cuando son las 6:00 P.M. en Los Ángeles, California.

2. Rosa vive en Miami, Florida, en la zona del este. Allí son las 9:00 A.M. Rosa quiere llamar a tres amigos que viven en las siguientes ciudades: Dallas, Texas; Denver, Colorado; y Portland, Oregon. Escribe en otra hoja las horas de los relojes vacíos. ¿Cuánto tiempo tiene que esperar Rosa hasta que sean las 9:00 A.M. en Dallas, en Denver y en Portland para llamar?

3. Usando el mapa de la página 324, calcula cuántas millas viajaría una persona al ir desde la ciudad de St. Louis hasta la ciudad de Sacramento.

4. Sabemos algo de Anna Judah porque ella describió sus ideas y sentimientos en las cartas que le envió a sus amigos. ¿Dónde buscarías información acerca de otras mujeres que fueron importantes en la historia de California?

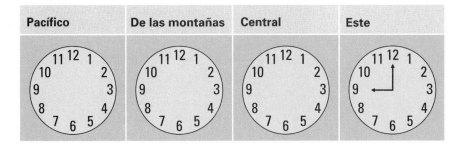

| Pacífico | De las montañas | Central | Este |

Usa tu razonamiento crítico

1. El ferrocarril transcontinental hizo más rápidos y fáciles los viajes entre California y otros estados del país. ¿Cómo crees que cambió este ferrocarril la vida de los californianos?

2. Generalmente todos los productos que se transportan de otro lugar cuestan más que los que se producen en el lugar donde uno vive. ¿Por qué son más caros? ¿A quién se le paga el dinero adicional?

3. Thomas Edison, el conocido inventor de varios aparatos eléctricos, dijo en una oportunidad: "El genio es uno por ciento inspiración y 99 por ciento sudor". Con esa oración Edison quería decir que hay que trabajar duro para que una buena idea dé fruto. ¿Crees que se aplica este dicho a Theodore Judah? ¿Se aplica en tu vida o en la de alguien que conoces? Da algunos ejemplos para apoyar tus ideas.

Para ser buenos ciudadanos

1. **ACTIVIDAD ARTÍSTICA** Imagínate que has escrito un libro titulado *Los obreros chinos y el ferrocarril*. Piensa en un diseño para la portada del libro. Escribe e ilustra el título. En la contraportada escribe un párrafo corto en que resumas las partes más interesantes de tu historia.

2. **TRABAJO EN EQUIPO** En una charla de televisión o de radio, los reporteros hacen preguntas a los invitados sobre diversos aspectos de su vida y de su trabajo. Presenten una de estas charlas en el salón de clase. Un estudiante será el reportero o la reportera y otros serán los siguientes invitados: Theodore Judah, los Cuatro Grandes, Anna Judah y algunos obreros del ferrocarril. Los demás estudiantes del equipo formarán el público. Cada estudiante del público debe preparar una pregunta para hacérsela a un invitado.

Capítulo 8

Avances de la agricultura

Al crecer California, se empezaron a descubrir nuevas riquezas, además del oro. La riqueza del suelo era una fuente de nuevas oportunidades y nuevos retos para todos.

Muchos mineros se convirtieron en agricultores para ganar dinero. Comenzaron a cultivar diversas clases de cereales, frutas y verduras en California.

1850	1860	1870

1870 El trigo es el cultivo más importante de California.

1850

Al aumentar la producción agrícola, hizo falta más mano de obra. Miles de personas llegaron a California a trabajar en los campos y las huertas.

Riverside, con sus valiosos naranjales, creció rápidamente, así como el resto del sur de California.

1888 Los vagones refrigerados del tren permitían enviar las cosechas a todo el país.

1900

L E C C I Ó N   1

Los cultivos se afianzan

TEMA
CENTRAL

¿Cómo cambió la agricultura de California después de la fiebre del oro?

Términos clave

- producción
- experimento
- refrigeración

▼ *Los granjeros de California unían varios arados para hacer un arado múltiple gigantesco.*

S i miras a lo lejos, parece como si el horizonte se estuviera moviendo. Una máquina enorme, que parece de casi una milla de largo, mastica el fértil suelo en grandes trozos. La máquina se acerca y el suelo tiembla bajo tus pies. Hay una nube de polvo en el aire. El sonido cada vez más fuerte te llena los oídos con "el clic de las hebillas, el rechinar del cuero, el choque sordo de la maquinaria, el chasquido de los látigos, el resuello de cuatrocientos caballos, los gritos bruscos de los conductores y, finalmente, el murmullo tranquilizador de la tierra oscura y densa".

El escritor Frank Norris describió estos sonidos e imágenes en su novela de 1901 titulada *The Octopus* (El pulpo). En esa novela Norris describe unas máquinas gigantes de la época que se llaman arados múltiples, y que puedes ver en la foto. Esos arados múltiples se usaron mucho en California hacia el año 1855. Por aquella época, los granjeros de California necesitaban máquinas que les ayudaran a cultivar la tierra. Como la población de California siguió aumentando después de la fiebre del oro, empezaron a hacer falta más alimentos y los granjeros, por lo tanto, tenían que trabajar más para producirlos.

Cambios en el uso de la tierra

Los arados múltiples eran nuevos en California, pero la agricultura no. Mucho antes de 1850, los indígenas cultivaban maíz y frijoles en las orillas de los ríos. Los españoles cultivaban frutas, verduras y cereales en las misiones. Los rancheros mexicanos criaban vacas para tener carne, cuero y sebo.

Durante la fiebre del oro, algunos se dieron cuenta de que podían ganar dinero vendiendo alimentos a la gran cantidad de recién llegados que iban a buscar fortuna en California. Los chinos fueron los primeros en plantar pequeños huertos junto a las minas. Por lo general, ganaban más dinero vendiendo verduras que buscando oro.

■ Explica por qué se necesitaban tanto los productos que cultivaban los hortelanos chinos.

Hortelanos chinos

Muchos chinos dejaron las minas para trabajar en sus huertos de tiempo completo. Diariamente recogían verduras y las cargaban en cestas colgadas de un palo que llevaban en equilibrio sobre los hombros. Después iban vendiendo sus cosechas de casa en casa.

Los hortelanos chinos cultivaban en sus pequeñas granjas las frutas y las verduras que cada día se necesitaban más en California. De esta forma cumplieron un papel muy importante durante una época de rápido crecimiento en el nuevo estado. ■

El cultivo del trigo

Entre los años de 1850 y 1860, California demostró que podía cultivar suficientes alimentos para satisfacer las necesidades de toda la población del estado, que cada día crecía más. Entre los colonos nuevos había miles de granjeros, quienes trabajaron con afán y esmero la tierra. Entre los años de 1860 y 1870, las granjas de California comenzaron a producir alimentos para el resto del país, así como del mundo.

El cultivo preferido de los nuevos granjeros era el trigo. Muchos se establecieron en el valle Central de California, una región que tenía las características ideales para cultivar trigo. La tierra era llana y como tenía pocas rocas y árboles, se araba fácilmente. Era una tierra fértil y las lluvias de invierno hacían crecer el trigo. El verano seco, por otra parte, lo ayudaba a madurar. El trigo de California

◄ Hacia el año de 1890, los dorados campos de trigo se extendían por todo el valle Central de California.

se hizo famoso en todo el mundo. Los italianos lo usaban para hacer pasta, y los franceses para hacer su famoso pan.

Los granjeros que cultivaban trigo tuvieron mucho éxito y ganaron mucho dinero vendiendo sus cosechas. Por eso llamaban a sus granjas *"bonanza farms"*, que quiere decir "granjas de la bonanza" en español. En estas grandes granjas, los arados múltiples volteaban sin cesar la tierra fértil. Cada año crecía más trigo en California. El escritor Charles Nordhoff describe así el valle Central en su libro de 1874, *California for Travelers and Settlers* (California para viajeros y colonos):

> *T*rigo, trigo, trigo y nada más que trigo. Durante el viaje es todo lo que ves a lo lejos, sobre la extensa llanura. Los campos de dos, tres y cuatro mil acres son granjas pequeñas en comparación con lo que aquí se ve. Hay un hombre que tiene 20,000 acres, otro tiene 40,000 acres y otro tiene una extensión de tierra todavía más grande completamente sembrada de trigo.

El trigo era bueno para los granjeros, pero a la larga no era bueno para el suelo. Cuando se cultiva la misma cosecha todos los años, el suelo pierde sus minerales. Esto causó que la **producción** de trigo, o la cantidad total cosechada, disminuyera. A partir de 1890 los granjeros tuvieron que buscar nuevos cultivos. ■

El cambio a nuevos cultivos

Muchos granjeros comenzaron a cultivar frutas y verduras. En toda California estos nuevos cultivos tuvieron tanto éxito como antes lo tuvo el trigo. El mapa de la página siguiente indica cómo las nuevas cosechas hicieron que la agricultura de California creciera. Gran parte de este éxito se debió al trabajo de un científico llamado Luther Burbank.

La contribución de Luther Burbank

Burbank se trasladó a California en 1875 para continuar su trabajo como científico agrícola. Realizó **experimentos** para estudiar las semillas de diferentes plantas. Hacer experimentos es ensayar o probar algo que se está estudiando. Estos experimentos lo ayudaron a producir nuevas variedades de plantas. Su meta

■ *Indica tres razones por las que el valle Central era ideal para cultivar trigo.*

▼ *Luther Burbank amaba las plantas y usó sus conocimientos para mejorar las flores, los cereales y los árboles, así como las frutas y las verduras.*

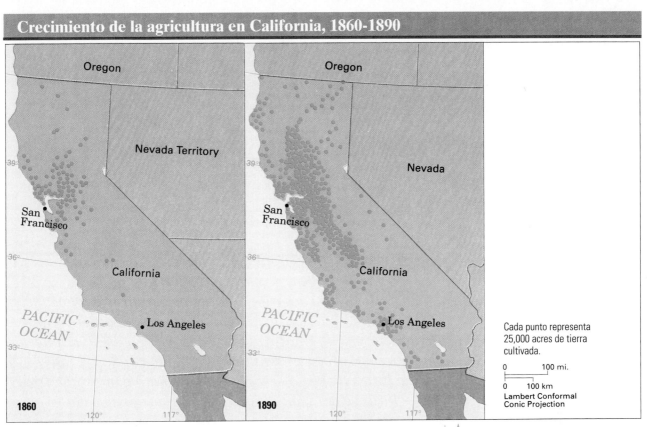

1860

1890

Cada punto representa 25,000 acres de tierra cultivada.

0   100 mi.

0   100 km

Lambert Conformal
Conic Projection

era cultivar frutas y verduras con mejor sabor y que se conservaran frescas durante más tiempo. Burbank se hizo famoso en todo el mundo por la gran variedad de plantas que produjo en su granja experimental de Santa Rosa. Incluso hoy en día los granjeros siguen cultivando esas frutas y verduras. En las páginas siguientes conocerás más sobre los cultivos de California.

Aumenta la fama

La fama de las granjas de California se extendió después de 1870. Los ferrocarriles transportaban las cosechas del estado a todo el país. Para que muchos alimentos no se dañaran durante el viaje, los metían en latas. A partir de 1888 los trenes llevaban vagones con **refrigeración.** Estos vagones usaban hielo para mantener los alimentos fríos y frescos. De tal forma, no hacía falta meterlos en latas para que los habitantes de todo el país pudieran disfrutar de las frutas y verduras frescas de California. ■

▲ *¿En qué región había más terreno dedicado a la agricultura entre 1860 y 1890?*

■ *Indica dos razones importantes que ayudaron al crecimiento de los cultivos de frutas y verduras en California.*

R E P A S O

1. **TEMA CENTRAL** ¿Cómo cambió la agricultura de California después de la fiebre del oro?

2. **RELACIONA** ¿Qué papel importante han desempeñado las granjas y los grandes ranchos en la historia de California?

3. **GEOGRAFÍA** ¿Cómo afectó la geografía de California a su agricultura?

4. **RAZONAMIENTO CRÍTICO** El cultivo del trigo era bueno para los granjeros pero malo para el suelo. ¿Qué es más importante? Explica tu respuesta.

5. **ACTIVIDAD** Haz una lista de los distintos alimentos que comes durante la semana. ¿Cómo cambiaría esa lista si no hubiera refrigeración?

Productos agrícolas

¡Una cebolla de 21 libras, una calabaza de 131 libras y una remolacha que mide tres pies! ¿Fantasías? No, estas verduras gigantes se describen en un informe del gobierno sobre la agricultura de California en 1853, cuatro años después de la fiebre del oro. Las semillas que plantaron los primeros agricultores hicieron crecer a California. Veamos qué frutas y verduras se cultivan ahora. Después las probaremos.

Prepárate

Para nuestra exploración vas a necesitar un cuaderno y una pluma o un lápiz. También puedes conseguir un sobre grande para guardar etiquetas de huacales, es decir, las cajas de madera en que se transportan frutas y verduras.

Descubre

Si vives en una ciudad, ve a un supermercado o a un mercado de productos agrícolas cerca a tu vecindario. Busca también mercados al aire libre, como el de la plaza Civic Center en San Francisco. Si no vives en una ciudad, ve a los mercados o puestos de fruta cercanos, o habla con unos granjeros y pregúntales acerca de sus cosechas.

Trata de nombrar los distintos productos agrícolas sin mirar los letreros o las etiquetas. Ahora fíjate en los letreros o etiquetas, o habla con el agricultor para ver qué frutas y verduras se cultivan en California. Averigua de qué parte de California son. Describe en el cuaderno el aspecto de cada verdura y de cada fruta y anota en qué pueblos o condados crecen. Pregúntale al tendero si puedes llevarte las etiquetas de las cajas.

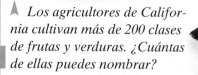

▲ Los agricultores de California cultivan más de 200 clases de frutas y verduras. ¿Cuántas de ellas puedes nombrar?

188

Capítulo 8

Sigue adelante

Trabaja con tus compañeros para hacer un folleto de los productos agrícolas que se cultivan en California. Compartan entre sí todas sus notas. Luego hagan una lista de las clases de frutas y verduras que han identificado. Ahora escoge una de ellas. En la página de la izquierda del folleto, escribe los datos que conoces de esa verdura o fruta. Busca una receta en la que se emplee ese ingrediente; por ejemplo: pastel de manzana, sopa de brócoli, ensalada de zanahorias o esponjado de fresas.

Escribe la receta en la página de la derecha. Ilustra tu libro de cocina con etiquetas de cajas, fotos de revistas y tus propios dibujos.

La parte más divertida viene ahora. Ensaya en casa una de las recetas de tus verduras o frutas favoritas e invita a tu familia o a tus amigos para que la disfruten contigo.

▲ *Las etiquetas te indican dónde crecen diversos productos agrícolas de California.*

Explora más

Algunos productos agrícolas se cosechan durante todo el año. Otros sólo se encuentran en las tiendas durante ciertas estaciones. Por ejemplo, el mes de septiembre es la temporada de las almendras de California, mientras que las cerezas llegan en mayo. Cuando vayas al mercado la próxima vez, quizás veas frutas y verduras que no viste la última vez. Observa los productos nuevos y agrégalos a tu cuaderno y a tu colección de recetas. Averigua cuándo es la temporada de tus frutas y verduras preferidas en libros de consulta o preguntando a un granjero, a un tendero o a uno de tus familiares.

L E C C I Ó N   2

Crecimiento en el sur de California

Indica dos razones importantes que ayudaron a que creciera el sur de California.

Términos clave

- industria
- competencia
- auge económico

➤ *En los Estados Unidos, e incluso en Europa, se veían carteles como éste.*

"Las naranjas te dan salud; California te hace rico". Frases de publicidad como ésta hacen que todo el mundo quiera irse a vivir al sur de California y disfrutar de su sol.

El cartel de esta página es un ejemplo de publicidad para California. En él se prometen muchas tierras fértiles, llenas de frutas y de sol. Del cuerno salen frutas, verduras y cereales. El resto de los Estados Unidos veía al sur de California como un enorme cuerno de la abundancia.

El cartel anuncia también que hay más de 43 millones de acres de terreno para la venta. Las compañías ferroviarias de California poseían mucha tierra y querían que los granjeros la compraran. Si había nuevos residentes, eso significaría nuevos clientes para el ferrocarril. Para atraer a los granjeros a California, las compañías ferroviarias decoraban sus trenes con cintas y banderines. Ofrecían comida y bebida gratis a todos los que viajaran al Oeste.

Estos anuncios y ofertas daban buen resultado. El diario *Los Angeles Times* publicaba en 1887: "El mundo entero está interesado en California". A partir de 1880 empezaron a llegar al sur de California hasta cinco mil personas a la semana. Después de la fiebre del oro en el norte, ahora empezaba en el sur de California una nueva fiebre.

Las naranjas del sur de California

Muchas personas llegaron al sur de California a cultivar naranjas. Creían que la fruta que había hecho famosa a California podría hacerlos ricos.

En California se han cultivado naranjas desde hace mucho tiempo. Los españoles las cultivaban en las misiones durante el siglo 18. Aquellas naranjas eran secas, agrias y con muchas semillas, pero se podían comer de todas maneras.

Hasta mediados del siglo 19 las naranjas no fueron muy importantes para California. La **industria** de las naranjas, que son todas las empresas que se dedican a cultivar y vender naranjas, era pequeña. En 1873 cambió la situación. Aquel año, Luther Tibbets viajó 65 millas desde su casa en Riverside hasta Los Ángeles. En la oficina de correos lo esperaban dos naranjos pequeños que producían unas naranjas especiales llamadas naranjas ombligonas. Habían crecido en Brasil, un país de Suramérica.

La esposa de Luther, Eliza Tibbets, cuidó los naranjos. Las naranjas eran deliciosas, jugosas y dulces y no tenían semillas. Los árboles eran tan valiosos que los Tibbets tuvieron que rodearlos de alambre de púas para que no se los robaran. Pronto otros granjeros cultivaban también naranjas ombligonas. Para el año de 1900, había en California millones de naranjos. ■

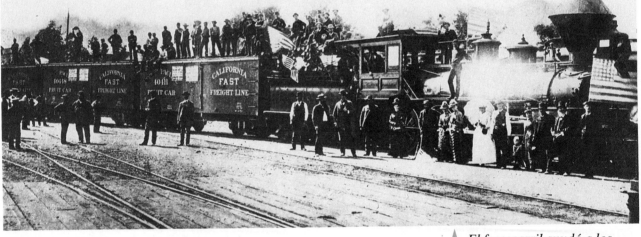

▲ *El ferrocarril ayudó a los granjeros de California a enviar rápidamente sus naranjas y otras cosechas a las ciudades del Este.*

El ferrocarril y el crecimiento

Las naranjas fueron una de las razones por las que creció el sur de California. Otra fue el ferrocarril.

Antes de 1880, la compañía Southern Pacific, que antes se llamaba Central Pacific, tenía el único ferrocarril de California. Los boletos eran caros, pero los viajeros tenían que pagar ese precio, pues no había otro ferrocarril.

El viaje de una naranja

Antes las naranjas eran caras y difíciles de encontrar en muchas ciudades de los Estados Unidos. Entre 1870 y 1880, llegaron a California variedades deliciosas de esta fruta. Los ferrocarriles empezaron a llevarlas a todo el país.

WESTERN QUEEN

PACKED BY

RIALTO ORANGE CO.
RIALTO SAN BERNARDINO COUNTY CALIFORNIA

¡Empáquelas! A medida que aumentaban los naranjos en California, también crecía la industria de la naranja. Desde 1886, viajaban hacia el Este trenes cargados con naranjas.

¡Refrigérelas! En 1888 las compañías ferroviarias comenzaron a construir vagones refrigerados que conservaban las naranjas frescas más tiempo. Cada 24 horas, los trenes se detenían en depósitos de hielo para llenar los vagones con hielo.

¡Transpórtelas! Pronto las naranjas de California comenzaron a llegar a ciudades tan lejanas como Baltimore. Hoy en día puedes tomar jugo fresco de naranja todos los días en cualquier parte del país.

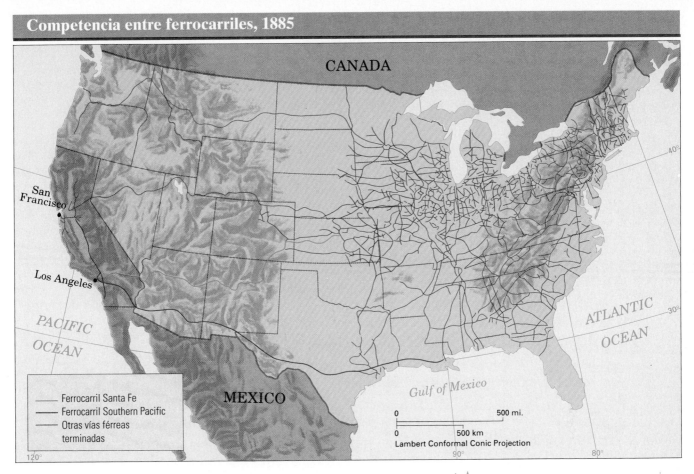

En 1885 empezó a operar en California otra compañía de ferrocarril llamada Santa Fe. Tanto la Santa Fe como la Southern Pacific querían que los viajeros tomaran sus trenes y no los otros. Esto significa que había **competencia** entre ellas. Las compañías bajaron los precios esperando atraer más viajeros. Una rebajó su tarifa transcontinental de 125 dólares a 100 dólares. La otra rebajó su tarifa a 50 dólares y luego a 25 dólares. Por unos días, la tarifa bajó hasta a 1 dólar.

Esta competencia causó un período de prosperidad y riqueza para California llamado **auge económico.** Nada más en 1887, doscientas mil personas viajaron al sur de California. Miles de ellas se quedaron para comprar terreno y plantar naranjos y otros cultivos o trabajar en ciudades como Los Ángeles. Éste fue el auge económico del sur de California, parecido al que hubo en el norte del estado 30 años antes. ■

▲ *¿Crees que la compañía Santa Fe competiría con la Southern Pacific en otras partes de California, además del sur?*

■ *Indica dos razones por las que la competencia entre los ferrocarriles ayudó al crecimiento del sur de California.*

R E P A S O

1. **TEMA CENTRAL** Indica dos razones importantes que ayudaron a que creciera el sur de California.

2. **RELACIONA** ¿Por qué el norte de California había crecido más rápido que el sur de California?

3. **ECONOMÍA** ¿Por qué las compañías ferroviarias querían que se trasladara más gente a California? Da por lo menos dos razones.

4. **RAZONAMIENTO CRÍTICO** ¿Qué dirían los anuncios de los ferrocarriles acerca de la vida en California? Explica tu respuesta.

5. **ACTIVIDAD** Haz un cartel para atraer a la gente a venir a vivir a tu ciudad o pueblo.

Avances de la agricultura

Sacar conclusiones

¿Por qué?

Cuando leas, no te limites a recordar los datos e ideas que ves en el papel. Puedes usar esa información como punto de partida para desarrollar tus propias ideas. Este proceso se llama sacar conclusiones. Si sacas conclusiones, entenderás mejor lo que lees y disfrutarás más de la lectura. Por ejemplo, sacando tus propias conclusiones entenderás mejor los cambios que se produjeron en la agricultura de California.

¿Cómo?

Leyendo obtienes información e ideas nuevas sobre distintos temas. Para sacar conclusiones, debes relacionar esas nuevas ideas con lo que ya sabes acerca del tema. El diagrama de abajo muestra cómo sacar una conclusión acerca del clima en el que crecen mejor las naranjas. ¿Qué has leído en esta lección sobre el cultivo de la naranja? ¿Qué sabes del clima de California? ¿Qué conclusiones puedes sacar acerca del clima en el que crecen mejor las naranjas? Relaciona lo que lees con lo que ya sabes y así puedes sacar tu propia conclusión.

Practica

Lee las siguientes oraciones. Te darán información acerca de la agricultura de California. Trata de recordar lo que ya sabes de cada tema. Luego saca una conclusión acerca de cada oración

1. Los naranjos ombligones que llegaron de Brasil crecieron bien en el sur de California.
2. Cuando se fabricaron los vagones refrigerados, se podían enviar muchas más naranjas a la costa este.
3. Los granjeros tenían que rociar los naranjos con productos químicos.
4. El valle Central de California es ideal para cultivar trigo.
5. Muchos chinos decidieron dejar de buscar oro y dedicarse a cultivar verduras.
6. Los granjeros no querían cultivar naranjas secas, agrias y con semillas, como las que se cultivaban anteriormente en las misiones.

Aplícalo

Imagínate que vas a cultivar una flor o una verdura en un huerto. Lee en el paquete de semillas cuáles son las mejores condiciones para cultivar esta planta. La cantidad de luz solar y de agua son muy importantes para que las plantas crezcan bien. ¿Qué sabes del clima de tu región? ¿Qué conclusiones puedes sacar? ¿Crees que esta planta se dará bien en el sitio donde piensas sembrarla?

Nueva idea

Las naranjas crecen en el sur de California, no en el norte.

Lo que ya sabes

El sur de California tiene un clima más cálido y más soleado que el norte de California.

Conclusión

Las naranjas necesitan un clima cálido y soleado para crecer.

L E C C I Ó N   3

Los problemas de la agricultura

A veces lo llamaban el "valle del hambre", porque la vida del granjero en esas tierras era una carrera contra el hambre. Los nuevos colonos se esforzaban por cultivar este valle situado en Tulare Basin, en la parte sur del valle Central. Cada estación traía nuevas dificultades y nuevos retos para los granjeros. Inundaciones, heladas, largas sequías y tormentas de arena atacaban los campos y destruían las cosechas.

Pero un grupo de granjeros muy trabajadores no se asustaba ante las dificultades. Habían comprado tierras en un lugar del valle llamado Mussel Slough y se ayudaban los unos a los otros para responder al reto de la naturaleza y enfrentar juntos los problemas.

Los granjeros de Mussel Slough tenían que trabajar muy duro todo el tiempo para sobrevivir en aquellas tierras. Lentamente, sus esfuerzos comenzaron a dar frutos y las semillas brotaron y crecieron. Por fin los granjeros podrían dejar de llamar a aquella zona el "valle del hambre" y ver el triunfo de sus nuevas granjas en Mussel Slough.

TEMA CENTRAL

¿Qué retos encontraban los granjeros de California entre el 1850 y el 1900?

Términos clave

- irrigación
- ribero
- trabajador migratorio
- arrendatario

◄ *Al igual que los trabajadores del campo que ves en la foto, los granjeros de Mussel Slough tenían que esforzarse para hacer crecer sus cosechas.*

Problemas de agua

En muchas regiones del país los granjeros cuentan con las lluvias del verano para tener buenas cosechas. Pero en muchas partes de California, como en Tulare Basin, llueve poco en el verano. Los granjeros de Mussel Slough tenían que cavar zanjas hasta un río cercano para llevar agua a sus campos.

La red de zanjas que construyeron para regar sus cultivos forma un sistema de **irrigación**. Ahora casi todas las granjas de California cuentan con estos sistemas. Construir un sistema de irrigación es muy caro y, por lo general, un granjero no puede pagar los costos por sí solo. Por eso varios granjeros se unen para compartir el costo y el trabajo de la construcción, como hicieron los granjeros de Mussel Slough.

Otros granjeros compran tierras que ya están irrigadas. Por ejemplo, en 1881 George Chaffey construyó un sistema de irrigación en el sur de California en 2,500 acres de tierra a la que llamó Etiwanda. Luego vendió lotes de esta tierra a algunos granjeros junto con el derecho al agua. Pronto otras personas como Harriet Russell Strong, del valle de San Gabriel, imitaron a Chaffey y construyeron sus propias comunidades.

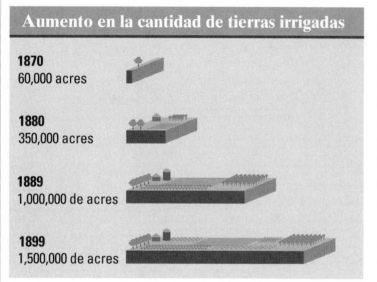

Aumento en la cantidad de tierras irrigadas

1870
60,000 acres

1880
350,000 acres

1889
1,000,000 de acres

1899
1,500,000 de acres

En 30 años la cantidad de tierras irrigadas en California se multiplicó casi por 30.

El agua de un sistema de irrigación puede convertir tierras poco fértiles en granjas muy valiosas.

Demasiada agua

Otros granjeros tenían un problema totalmente diferente con el agua. Por ejemplo, a lo largo del río Sacramento las inundaciones

de primavera destruían las cosechas. Para detener las inundaciones, los granjeros construían lomas llamadas **riberos** a la orilla de los ríos. El primer ribero se construyó poco después de 1850, pero pasaron 50 años hasta que los riberos controlaron totalmente las inundaciones. Afortunadamente para los granjeros, el gobierno estatal y el federal ayudaron a pagar el costo. ■

■ *¿Qué problemas puede causar el agua a los granjeros? Da dos ejemplos.*

Problemas de suelo

Los californianos sabían cooperar con la naturaleza para hacer producir sus granjas. En cambio, no sabían cooperar entre sí.

Hacia el año 1870 unas pocas personas eran dueñas de casi toda la tierra de California. La Southern Pacific era dueña de uno de cada diez acres del estado. La compañía decidió ganar dinero vendiendo algunas tierras para que se convirtieran en granjas. Así fue como obtuvieron sus tierras los granjeros de Mussel Slough. El ferrocarril les vendió la tierra a cinco dólares el acre y los dejó usar las tierras antes de terminar la venta. Los granjeros pensaron que la tierra pronto sería suya; construyeron sistemas de irrigación y plantaron cosechas.

Aumento en el valor de las cosechas

1870 $37,000,000

1880 $72,000,000

1889 $69,000,000

1899 $94,000,000

▲ *La irrigación aumentó el valor de las cosechas. Esto a su vez aumentó el valor de la tierra.*

Entonces la Southern Pacific se dio cuenta de que el trabajo de los granjeros había aumentado el valor de la tierra y decidió romper su compromiso con los granjeros. Encontró a dos hombres que pagaron 25 dólares por cada acre de la misma tierra. Cuando los nuevos dueños trataron de entrar en las tierras que habían comprado, los granjeros de Mussel Slough lucharon por conservarlas y los dos hombres y cinco de los granjeros murieron en la pelea.

A pesar de que mucha gente pensó que la compañía ferroviaria se había portado mal, no pudieron impedir que echaran a los granjeros. Un personaje de *The Octopus*, el libro de Frank Norris, explica el problema:

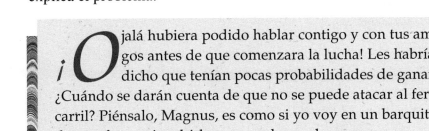

*¡O*jalá hubiera podido hablar contigo y con tus amigos antes de que comenzara la lucha! Les habría dicho que tenían pocas probabilidades de ganar. ¿Cuándo se darán cuenta de que no se puede atacar al ferrocarril? Piénsalo, Magnus, es como si yo voy en un barquito de papel a arrojar chícharos a un barco de guerra.

197

Piensa en lo que acabas de leer. ¿Crees que el libro The Octopus *(El pulpo) está a favor o en contra del ferrocarril? Explica tu respuesta.*

El público no estaba de acuerdo con lo que hizo la compañía ferroviaria en Mussel Slough, pero no podía hacer nada frente al gran poder del ferrocarril. ∎

De ayer a hoy

Lo que sucedió en Mussel Slough se parece mucho a otros acontecimientos que ocurrieron en el estado poco antes del año 1900. Aunque había granjas pequeñas en California, gran parte de la tierra era propiedad de personas ricas o de compañías como la Southern Pacific.

ESTUDIEMOS EL TRABAJO MIGRATORIO

Desde la fiebre del oro, el trabajo migratorio ha sido muy importante para el éxito de la agricultura de California. Los dueños de los campos de trigo necesitaban ayuda todos los años para cosechar el trigo y contrataban miles de trabajadores migratorios chinos. El trabajo era duro y sólo duraba unas semanas al año en cada granja. Cuando terminaban de trabajar en una granja, los chinos tenían que ir a otra granja a buscar trabajo. Muchas veces no lo encontraban.

No todas las granjas empleaban a trabajadores migratorios. Dependía del tipo de cultivos y del tamaño de la granja. En las granjas pequeñas, la familia dueña de las tierras hacía todo el trabajo. Vivía en su granja todo el año y en algunas ocasiones contrataba a unos cuantos trabajadores migratorios.

Contribuciones de muchas personas

Los inmigrantes que llegaron a California venían de México, China, el Japón, las Filipinas y otros países del mundo. Muchas personas de diversas naciones han jugado un papel muy importante en la historia del trabajo migratorio.

A medida que aumentaba el número de inmigrantes en California, también aumentaba el número de trabajadores migratorios. Como había muchos trabajadores, los dueños de las tierras podían pagarles un sueldo muy bajo. Si los trabajadores se quejaban, siempre había otros que hacían el trabajo por poco dinero.

En cierto modo la agricultura de California no ha cambiado mucho en estos días. Todavía hay granjas muy grandes en las que trabajan muchos trabajadores migratorios. Pero afortunadamente, las condiciones de trabajo han mejorado bastante. Los trabajadores migratorios se han unido y han conseguido mejorar su salario y sus condiciones de trabajo y de vida.

En California ha habido pocas granjas familiares pequeñas. La agricultura del estado está controlada por granjas grandes, como la que ves abajo, propiedad de compañías grandes.

Los **trabajadores migratorios** hacían gran parte del trabajo en esas grandes granjas. Estos trabajadores eran migratorios, o sea que viajaban a las granjas y recolectaban las cosechas maduras. Cuando terminaban, iban a trabajar a otras granjas donde ya habían madurado otras cosechas.

Además de los trabajadores migratorios, había otros granjeros llamados **arrendatarios** que pagaban renta para usar las tierras que le pertenecían a otra persona. Generalmente los arrendatarios permanecían en la misma tierra año tras año.

Lo que hemos visto en esta lección sobre la propiedad de las tierras agrícolas antes del año de 1900 es parecido a lo que sucede hoy en California. Las grandes compañías poseen granjas enormes que producen gran cantidad de alimentos. Esos alimentos se consumen en todos los Estados Unidos y en otros países. Igual que hace muchos años, los trabajadores migratorios trabajan en esas granjas. Como has podido ver, la agricultura de California no ha cambiado mucho en los últimos cien años. ■

■ *¿Por qué gran parte del trabajo en las granjas de California es hecho por trabajadores migratorios?*

R E P A S O

1. **TEMA CENTRAL** ¿Qué retos encontraban los granjeros de California entre el 1850 y el 1900.

2. **RELACIONA** Busca en tus lecturas anteriores un ejemplo de un desacuerdo sobre el uso de las tierras agrícolas de California.

3. **GEOGRAFÍA** ¿Por qué los granjeros todavía dependen de los sistemas de irrigación para cultivar sus tierras?

4. **RAZONAMIENTO CRÍTICO** ¿Cómo sería California hoy en día si las grandes granjas se hubieran dividido antes del 1900?

5. **REDACCIÓN** Imagínate que eres un reportero o una reportera que informa sobre los acontecimientos de Mussel Slough. Entrevista a los habitantes del pueblo y describe cómo reaccionan y qué sienten ante esos hechos.

Avances de la agricultura

Repaso del capítulo

Repasa los términos clave

arrendatario (p. 199)
auge económico (p. 193)
competencia (p. 193)
experimento (p. 186)
industria (p. 191)

irrigación (p. 196)
producción (p. 186)
refrigeración (p. 187)
ribero (p. 197)
trabajador migratorio (p. 199)

A. Escribe una oración para cada uno de estos términos. Da detalles que indiquen el significado del término.

1. auge económico
2. experimento
3. ribero
4. producción
5. arrendatario

B. Escoge el término clave que complete mejor cada oración.

1. Las frutas y verduras que se pueden dañar se conservan frescas mediante la _____.
2. Un _____ va de una granja a otra recogiendo las cosechas cuando maduran.
3. Debido a la _____ entre las dos compañías ferroviarias de California, bajó el precio de los boletos para los pasajeros.
4. La _____ de la naranja de California cambió cuando llegaron dos naranjos de Brasil.
5. Para regar sus campos, muchos granjeros de California usan un sistema de _____.

Explora los conceptos

A. Termina esta tabla en una hoja aparte. En la columna de la izquierda, escribe otros cinco problemas que tenían los granjeros de California. En la columna de la derecha, indica cómo resolvieron estos problemas.

Problemas	Soluciones
Las naranjas de las misiones eran secas y agrias y tenían muchas semillas.	Luther Tibbets llevó las naranjas ombligonas a California. Estas naranjas son jugosas y dulces y no tienen semillas.

B. Explica cada una de estas oraciones utilizando dos detalles de este capítulo.

1. Después de la fiebre del oro, la industria agrícola de California pasó por una época de mucho éxito.
2. Entre 1880 y 1890, las compañías ferroviarias alentaron a los granjeros a ir a California.
3. Los granjeros de California recibieron ayuda de los ferrocarriles del estado.
4. El ferrocarril perjudicó a los granjeros de California.
5. El agua ha sido un problema para los granjeros de California.
6. Las grandes granjas de California necesitan muchos trabajadores durante la cosecha y otras épocas importantes.
7. El cultivo de frutas y verduras hizo crecer mucho la agricultura de California de 1870 en adelante.

Repasa las destrezas

1. Saca una conclusión de las dos oraciones siguientes. Los conocimientos que has aprendido en este capítulo te pueden servir como orientación.

a. Como el ferrocarril de la Southern Pacific era el único de California, los precios de sus boletos eran altos.

b. Cuando el ferrocarril Santa Fe comenzó a recorrer el estado de California, la gente empezó a comprar menos boletos de la Southern Pacific.

2. Muchos chinos dejaron de buscar oro y se dedicaron a la agricultura. ¿Por qué lo hicieron?

3. Hacia el año de 1890, muchos granjeros de California empezaron a cultivar nuevas clases de frutas y verduras. ¿Cuál fue la causa?

4. Imagínate que estás interesado en saber más de Luther Burbank y de sus experimentos con las plantas. ¿Qué libros te podrían servir?

Usa tu razonamiento crítico

1. Luther Burbank produjo nuevas variedades de frutas y verduras. Algunos de estos productos tenían mejor sabor que los que se cultivaban antes. ¿Qué otra clase de mejoras crees que los granjeros de California hubieran deseado?

2. "Una naranja es como una tajada del sol de California". "Cada naranja tiene un rayo del sol de California". ¿Por qué son estos lemas buena publicidad para la industria de las naranjas de California? ¿Por qué nos animarían a comprar naranjas?

Para ser buenos ciudadanos

1. **ACTIVIDAD ARTÍSTICA** Imagínate que tienes una granja y que cultivas verduras y frutas. No ha llovido durante varios meses y tus plantas se van a secar si no llevas agua del río a tus tierras. Dibuja un diagrama de un sistema de irrigación para salvar tus cosechas. Asegúrate de que el agua llegue a todas las plantas de tus campos.

2. **REÚNE INFORMACIÓN** Observa y escucha a tu alrededor, buscando anuncios de distintas clases de productos alimenticios. Escribe en un cuaderno una lista de anuncios que veas en la televisión, o en carteles que veas por la calle, en los autobuses o en el tren subterráneo. Recorta anuncios de periódicos y revistas y pégalos en tu cuaderno. Piensa cómo cada uno de esos anuncios te hace querer comer esos alimentos.

3. **TRABAJO EN EQUIPO** Preparen un debate entre los granjeros de Mussel Slough y los representantes del ferrocarril Southern Pacific.

La clase se dividirá en dos equipos. El equipo de granjeros se reunirá para hacer una lista de las razones por las que no quiere pagar 25 dólares por acre para comprar las tierras que ha estado cultivando durante mucho tiempo. El equipo de representantes del ferrocarril hará una lista de las razones por las que ha subido el precio inicial que acordaron, que era de 5 dólares por acre. Los dos equipos deberán usar información de este capítulo para defender sus argumentos.

Cada equipo escogerá dos miembros para explicar sus argumentos durante el debate y para responder a los argumentos del otro equipo.

Capítulo 9

Una mezcla de culturas

Desde la fiebre del oro, California se ganó la reputación de ser la tierra de los sueños. De todas partes del mundo llegaban personas buscando nuevas oportunidades, pero la vida era más dura de lo que esperaban. Los nuevos californianos supieron enfrentar esas dificultades y ayudaron a crear un estado mejor y más rico.

Este grupo escandinavo disfruta de un día de campo en su nuevo hogar, California.

1850	1860	1870	1880

1850

1882 La población china de California empieza a disminuir cuando el Congreso de los Estados Unidos hace más difícil para los chinos el venir a California.

Los japoneses se agruparon en Los Ángeles para ayudarse a empezar una nueva vida en California.

Estas dos etiquetas son indicios de las culturas irlandesa e italiana en California. Los irlandeses y los italianos fueron dos de los grupos más numerosos de inmigrantes.

1890   1900   1910   1920

1920

L E C C I Ó N   1

Los nuevos californianos

TEMA CENTRAL

¿Quiénes son los inmigrantes y por qué vinieron a California?

Término clave

- inmigrante

▼ *Los granjeros inmigrantes cultivaban muchos productos de sus países de origen. Los armenios trajeron los higos al estado de California.*

F ranco Torrano está sentado frente al papel, con la pluma en la mano. Está escribiéndole a su padre que vive en un pueblito italiano, Verbicaro. Franco moja la pluma en el tintero y sus hermanos, Carmelo y Pietro, le dictan la carta.

Hasta que Franco llegó a San Francisco, Carmelo y Pietro enviaban muy pocas cartas a su casa en Italia porque no sabían escribir. Tenían que pagarle a alguien para que escribiera sus cartas y su padre se vivía quejando de la falta de noticias de sus hijos. Por eso Pietro sugirió que Franco, el hermano más pequeño, fuera a la escuela para aprender a escribir. Luego Franco se vendría a California y podría escribir muchas cartas a nombre de sus hermanos mayores.

Al padre no le va a gustar la carta que está escribiendo Franco para sus hermanos. Cuando Carmelo y Pietro llegaron a California en el año de 1906, pensaban quedarse sólo cuatro años y luego volver a Italia. Pero abrieron un taller para arreglar zapatos y están tan contentos que piensan quedarse en California definitivamente. En la carta le dicen al padre que San Francisco va a ser su nuevo hogar.

¿Por qué California?

Los Torrano eran **inmigrantes**, es decir, las personas que se van a otro país a crear un nuevo hogar y a empezar una nueva vida. A veces los inmigrantes buscan mejores oportunidades de trabajo o quieren irse de sus países escapando de la guerra o de la violencia.

A medida que California crecía en el siglo 19, miles de inmigrantes de todo el mundo iban llegando al estado. Las noticias de la fiebre del oro habían viajado por todo el mundo y la gente de otros países creía que era muy fácil hacerse rico en California. Muchos inmigrantes habían oído hablar también del clima cálido y de las fértiles tierras del valle Central. Por eso esperaban que en California podrían tener una vida mejor y lograr que todos sus sueños se hicieran realidad. ■

■ ¿Por qué los inmigrantes veían a California como la tierra donde podían hacerse ricos?

Inmigrantes de Europa y Oriente Medio

Muchos inmigrantes llegaron a los Estados Unidos de países europeos como Irlanda *(Ireland)*, Alemania *(Germany)*, Portugal, Francia *(France)* y Suecia *(Sweden)*. Otros llegaron de países del Oriente Medio. Muchos inmigrantes se establecieron en las grandes ciudades de la costa este, como New York y Boston.

En la parte este de los Estados Unidos, muchos inmigrantes europeos vivían en muy malas condiciones.

Hagop y Garabed Seropian, por ejemplo, llegaron a los Estados Unidos desde Armenia, una nación del Oriente Medio que ahora es parte de la Unión Soviética. Al principio, los Seropian vivían en Massachusetts. Más tarde, un médico le dijo a Hagop que el clima soleado de California sería mejor para su salud que el frío de Nueva Inglaterra. Fue así como los Seropian se convirtieron en los primeros armenios en llegar a California en 1881.

Otros inmigrantes llegaron a California porque no estaban contentos en las ciudades de la costa este. Como los inmigrantes hablaban otro idioma y tenían sus propias tradiciones, los hacían sentirse diferentes de los demás. Las personas que no comprendían sus culturas los trataban con crueldad y los pocos empleos que encontraban eran muy mal pagados. Por eso los inmigrantes tenían que vivir en barrios muy pobres llamados *ghettos*. La vida era tan dura en las ciudades de la costa este, que miles de inmigrantes se fueron a vivir a California. Allí esperaban encontrar la vida que habían venido a buscar en los Estados Unidos. ■

■ ¿Qué dificultades encontraron muchos inmigrantes europeos cuando llegaron a las ciudades del Este de los Estados Unidos?

Inmigrantes de Asia

Miles de inmigrantes llegaron de Europa; otros cruzaron el océano Pacífico desde Asia. Para los inmigrantes de Asia la vida en California significó un cambio tremendo. Muchos no sabían absolutamente nada de la vida en este país. No tenían la ventaja de haber vivido primero en la costa este de los Estados Unidos como los europeos. Por eso, cuando los asiáticos llegaron a California encontraron una población y una cultura extrañas.

Una mezcla de culturas

Tendero chino

11:32 A.M., 14 de agosto de 1872
Un muelle en San Francisco

Sombrero

Es la única prenda de vestir occidental que lleva. El tendero se ha enrollado la coleta bajo el sombrero.

Chaqueta de seda

Un barco de China atraca en medio de la niebla. El tendero mira las caras de todos los pasajeros que bajan del barco buscando a su esposa. Lleva su mejor chaqueta de seda en su honor.

Reloj de bolsillo

El tendero se compró este reloj cuando acabó su trabajo en el ferrocarril. Lo mira nervioso mientras espera a su esposa a quien no ha visto en siete años.

Una carta de su casa

Recibió esta carta de su esposa después de mandarle dinero para el viaje a California. La carta le dice cuándo llegará a San Francisco.

Fruta fresca

El tendero ha traído unos duraznos jugosos de su tienda como regalo de bienvenida. Sabe que su esposa no ha comido fruta fresca desde que salió de China hace dos meses.

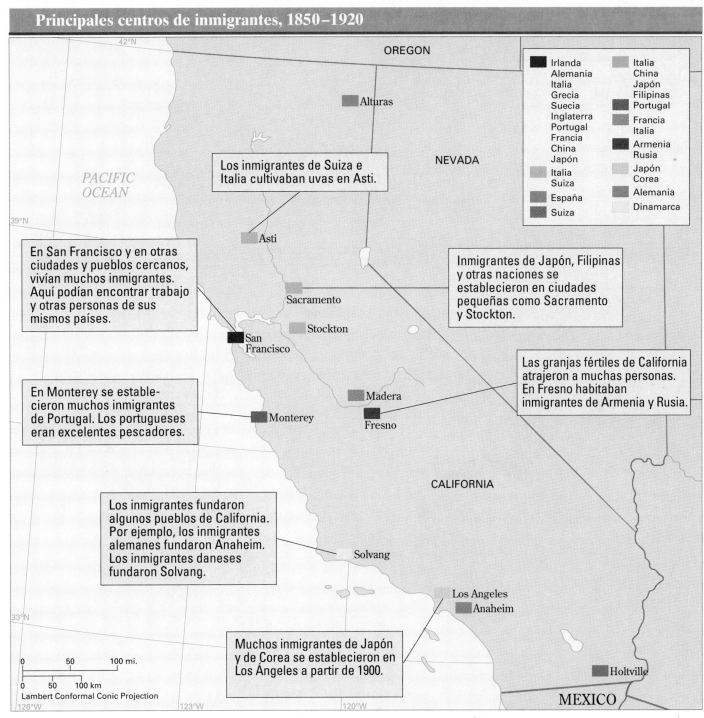

Principales centros de inmigrantes, 1850–1920

OREGON

Alturas

PACIFIC OCEAN

NEVADA

Los inmigrantes de Suiza e Italia cultivaban uvas en Asti.

Asti

En San Francisco y en otras ciudades y pueblos cercanos, vivían muchos inmigrantes. Aquí podían encontrar trabajo y otras personas de sus mismos países.

Sacramento

Inmigrantes de Japón, Filipinas y otras naciones se establecieron en ciudades pequeñas como Sacramento y Stockton.

Stockton

San Francisco

Las granjas fértiles de California atrajeron a muchas personas. En Fresno habitaban inmigrantes de Armenia y Rusia.

En Monterey se establecieron muchos inmigrantes de Portugal. Los portugueses eran excelentes pescadores.

Madera

Monterey

Fresno

CALIFORNIA

Los inmigrantes fundaron algunos pueblos de California. Por ejemplo, los inmigrantes alemanes fundaron Anaheim. Los inmigrantes daneses fundaron Solvang.

Solvang

Los Angeles
Anaheim

Muchos inmigrantes de Japón y de Corea se establecieron en Los Ángeles a partir de 1900.

Holtville

MEXICO

0   50   100 mi.
0   50   100 km
Lambert Conformal Conic Projection

Leyenda:

Irlanda
Alemania
Italia
Grecia
Suecia
Inglaterra
Portugal
Francia
China
Japón

Italia
Suiza

España

Suiza

Italia
China
Japón
Filipinas
Portugal

Francia
Italia

Armenia
Rusia

Japón
Corea

Alemania

Dinamarca

Primeros inmigrantes de Asia

Los primeros inmigrantes de Asia venían de China. Muchos llegaban a California atraídos por la fiebre del oro. Los chinos llamaban a California *Gam Saan,* o Montaña de Oro. Otro grupo importante de chinos fueron los valientes trabajadores que ayudaron a construir el ferrocarril transcontinental. Como muchos otros inmigrantes, los chinos no pensaban quedarse en California para siempre. Sólo querían ahorrar dinero y regresar después a su país de origen. En la sección titulada "En ese momento" de la página 206, viste varios detalles más de la vida de los inmigrantes chinos.

Los inmigrantes casi siempre se establecían en comunidades con otros inmigrantes de su nación. Este mapa indica algunos de los lugares donde se establecieron en California.

Una mezcla de culturas

➤ *Los inmigrantes asiáticos crearon rápidamente un nuevo hogar para ellos y sus familias en los Estados Unidos.*

▼ *Los obreros inmigrantes del Japón usaban sandalias como éstas.*

Llegan más asiáticos

Al final del siglo 19, empezaron a llegar a California inmigrantes de países como el Japón *(Japan)* y las Filipinas *(Philippines)*. Al igual que los chinos, estos inmigrantes viajaban varias semanas para cruzar el océano Pacífico. A su llegada encontraban un mundo de nuevas experiencias. Esta inmigrante japonesa recuerda la primera vez que se puso un vestido en los Estados Unidos:

E*ra muy estrecho y no podía ni mover los brazos. Era la primera vez que me ponía ropa occidental y pensé que así eran todos los vestidos. Más adelante, la Sra. S. me enseñó a hacer mi propia ropa con un patrón que usábamos para hacer el mismo vestido con diferentes telas. Fue entonces cuando averigüé que mi primer vestido me quedaba pequeño.*

Evelyn Nakano Glenn, *Issei, Nisei, War Bride* (Issei, Nisei, Esposa de guerra) 1986

Otra mujer japonesa, Yuki Torigoe, hablaba con sencillez de sus esperanzas y sueños: "Cuando vine a los Estados Unidos me sentía feliz porque había oído que era un país bueno". Pero para muchos inmigrantes la vida en California no fue exactamente lo que esperaban. ■

■ *¿Qué experiencias diferentes tenían los inmigrantes de Europa y los de Asia?*

R E P A S O

1. **TEMA CENTRAL** ¿Quiénes son los inmigrantes y por qué vinieron a California?

2. **RELACIONA** Busca en los capítulos anteriores otros ejemplos de inmigrantes que llegaron a California.

3. **GEOGRAFÍA** ¿Por qué los inmigrantes europeos se establecieron en la costa este cuando llegaron a los Estados Unidos?

4. **RAZONAMIENTO CRÍTICO** ¿Qué esperaban encontrar en California los inmigrantes de China? Explica tu respuesta.

5. **ACTIVIDAD** Compara las distancias entre California y Europa *(Europe)* y entre California y Asia en el mapa de la página 320.

| 1800 | 1825 | | | | 1925 | 1950 | 1975 |
| | | 1850 | | 1920 | | | |

L E C C I Ó N   2

Conflictos entre las culturas

E l señor chino contuvo el aliento, preparándose para el insulto que estaba a punto de recibir. En China, la larga coleta que llevaban los hombres era una tradición muy importante. Según las costumbres chinas, tirarle la

coleta a un hombre era una gran falta de respeto. Pero cortársela, como se lo iban a hacer a aquel señor chino, era una enorme vergüenza, una terrible humillación.

Esta escena sucedía en la ciudad de San Francisco en la década de 1870. Iban a cortarle la coleta a un hombre chino siguiendo una ley de California llamada "la ordenanza de la coleta". Esta ley decía que si un chino cometía un crimen, le cortarían la coleta como parte del castigo.

Los chinos pensaban que la ley era demasiado injusta. ¿Por qué les cortaban la coleta a ellos si no lo hacían con nadie más? ¿No merecían ellos que los trataran como a las demás personas?

¿Cómo trataban a los inmigrantes en California y cómo respondieron ellos?

Términos clave

- discriminación
- reserva

◄ *Los hombres chinos estaban orgullosos de sus largas coletas.*

Tratamiento injusto

En gran parte, los californianos de ese tiempo trataban a los inmigrantes chinos injustamente porque no conocían ni comprendían sus costumbres ni su forma de vida. Los chinos no se vestían, ni hablaban, ni se peinaban como los demás californianos. Como los

209

Una mezcla de culturas

rasgos físicos de los chinos eran diferentes, otras personas los señalaban y los trataban con crueldad. Maltratar a un grupo de personas sólo por su aspecto físico es una forma de **discriminación.** Desgraciadamente en el pasado de California ha habido muchos ejemplos de discriminación.

Cuando los colonos de los Estados Unidos empezaron a llegar a California, había más de 100,000 indígenas en esta tierra. Los colonos no los respetaron. Se apropiaron de sus tierras, echaron a los indígenas y hasta mataron a algunos. El gobierno de los Estados Unidos apartó pequeñas zonas de tierra llamadas **reservas** para que vivieran los indígenas. Pero en muchas reservas no había suficiente alimento para todos. Al comienzo del siglo 20 los indígenas de California casi habían desaparecido a causa del hambre, las enfermedades y la violencia.

Ishi, un miembro de la tribu yahi, logró sobrevivir. Durante la fiebre del oro los mineros mataron a muchos yahi. En 1911 Ishi, hambriento y asustado, llegó a la ciudad de Oroville. Era el último yahi del mundo.

Los que encontraron a Ishi lo trataron bien. A cambio, Ishi ayudó a un grupo de investigadores a conocer y estudiar a su tribu, pero nunca les dijo su verdadero nombre. Sólo se lo diría a otros yahi. Por eso lo llamaban Ishi, que es la palabra yahi que significa "hombre". ■

Durante la fiebre del oro, echaron a la tribu de Ishi a las montañas. En 1911 Ishi era el único sobreviviente.

■ *Explica por qué el número de indígenas de California empezó a disminuir a mediados del siglo 19.*

➤ *Las leyes aprobadas por el gobierno de los Estados Unidos hicieron que disminuyera la población china de California. Compara esta gráfica con la gráfica de población de la Minienciclopedia, en la página 311.*

Más discriminación

Los indígenas sufrieron muchísimo a causa de la discriminación. Los asiáticos también sufrieron una fuerte discriminación y fueron víctimas de ataques violentos, como los indígenas.

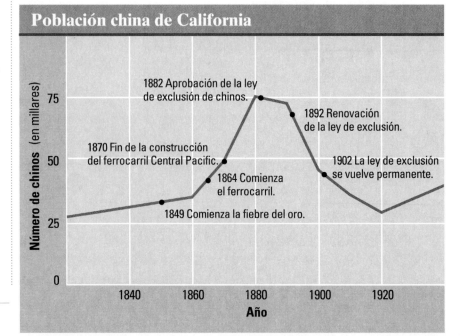

Población china de California

Número de chinos (en millares)

1882 Aprobación de la ley de exclusión de chinos.

1892 Renovación de la ley de exclusión.

1870 Fin de la construcción del ferrocarril Central Pacific.

1902 La ley de exclusión se vuelve permanente.

1864 Comienza el ferrocarril.

1849 Comienza la fiebre del oro.

Año

El gobierno de los Estados Unidos incluso aprobó varias leyes que prohibían la entrada de los inmigrantes asiáticos. Como indica la gráfica de la página 210, estas leyes impidieron que

muchos asiáticos vinieran a nuestro país.

A partir de 1910, los asiáticos que querían entrar a California tenían que detenerse en la isla Angel, en la bahía de San Francisco. Allí, los funcionarios del gobierno les preguntaban sus razones para inmigrar. Las preguntas continuaban durante días, semanas y a veces hasta por un año o más. Mientras tanto, los inmigrantes vivían casi como prisioneros apiñados en edificios. Muchos de ellos nunca pudieron entrar a California.

Muchos chinos se distraían en la isla Angel tallando poemas en las paredes de madera de los edificios. En la página siguiente puedes leer uno de estos poemas.

◄ *Al disminuir la llegada de chinos a California, la población china en general iba envejeciendo. Los pocos niños chinos de California eran como un tesoro.*

ESTUDIEMOS LA DISCRIMINACIÓN

Ha habido muchos casos de maltrato a los inmigrantes en California. Han sido maltratados no porque hayan hecho nada malo, sino por hablar otro idioma o venir de otro país.

La discriminación es cruel e injusta. Dos personas que chocan en un accidente de tráfico tal vez se insulten, pero eso no es discriminación. Esas personas están enojadas una con la otra sólo por el accidente que han tenido y de lo contrario no estarían peleando.

En el caso de la discriminación, todos los que pertenecen al mismo grupo reciben

un trato injusto, hagan lo que hagan o digan lo que digan. Por ejemplo, en algunos pueblos no dejan que las niñas practiquen ciertos deportes. No pueden formar parte de los equipos simplemente por ser niñas.

Para los inmigrantes de California, la discriminación ha sido una verdadera amenaza. Varios grupos de inmigrantes han luchado por conseguir que los traten con justicia, como merece ser tratado todo ser humano. Muchos de esos grupos siguen luchando todavía para acabar con la discriminación.

> En lugar de quedarme en China,
>   elegí convertirme en un buey.
> Quería venir a América
>   para ganarme la vida.
> Los edificios occidentales son muy altos;
>   pero no tengo la suerte de vivir en uno de ellos.
> ¿Cómo iba a saber que mi nuevo hogar
>   sería una prisión?
>
> Del libro *Island* (Isla) de Him
> Mark Lai, Genny Lim y Judy Yung, 1986

Hay muchos poemas como éste en las paredes de la isla Angel: poemas que hablan de la esperanza y del enojo de miles de inmigrantes que pasaron por ahí. ■

■ *¿Qué tipos de discriminación sufrieron los asiáticos en California? Menciona dos ejemplos.*

➤ *Niñas chinas asisten a la escuela en el Barrio Chino de San Francisco.*

▼ *Los italianos usaban en California barcos parecidos a los de Italia. Con estas "feluccas" los italianos montaron buenos negocios de pesca en su nueva tierra.*

La lucha por sobrevivir

A pesar de las dificultades, los inmigrantes no olvidaron los sueños que los habían traído a California. Buscaban maneras de sobrevivir hasta que pudieran hacer realidad sus sueños.

Muchos inmigrantes vivían en grupos para ayudarse entre sí y sentirse menos extraños. En su novela de 1975, *Dragonwings* (Alas de dragón), Laurence Yep relata la llegada de un muchacho chino al Barrio Chino de San Francisco: "De repente me sentí como en mi casa. Las casas y las tiendas tenían colores y formas familiares, porque las habían construido los tang [chinos]. Se parecían a las calles de Cantón, la ciudad de China de donde yo venía. Los techos de las casas tenían tejas con curvas y las paredes, ventanas y puertas eran doradas, rojas o verdes".

Los europeos que habían vivido primero en ciudades de la costa este, ya conocían algunos aspectos de la vida en este país cuando llegaban a California. Algunos habían aprendido inglés y se adaptaban más facilmente que los asiáticos. Por eso no fueron víctimas de tanta discriminación. Sin embargo, también los europeos se encontraron con difi-cultades cuando llegaron a California. Algunos triunfaron usando los conocimientos que traían de sus países. Por ejemplo, los italianos construyeron "feluc-cas" y tuvieron mucho éxito en la industria de la pesca. Los inmi-grantes de Portugal formaron grupos para ayudarse los unos a los otros a establecerse en California. También los inmigrantes irlandeses se unieron para mejorar sus condi-ciones de trabajo.

Para los inmigrantes japoneses era muy importante empezar una familia en California. Pero al prin-cipio del siglo 20 los Estados Unidos dejaban entrar a muy pocas mujeres japonesas al país, a menos que tuvieran familiares aquí. Por eso los japoneses que vivían en California arreglaban matri-monios con mujeres que vivían en el Japón, intercambiando fotografías con ellas y manteniendo un noviazgo por correo. Cuando el matrimonio ya se había decidido, las "novias por correo" podían venir a California a casarse.

A pesar de todas estas dificultades, los inmigrantes de Cali-fornia se ayudaban entre sí para poder alcanzar sus sueños. Gracias a ellos, el estado es hoy un mejor sitio para todos. ∎

▼ *Los matrimonios arreglados por correo eran difíciles para las mujeres y para los hombres, pero ayudaron a los japoneses a establecer sus raíces en los Esta-dos Unidos.*

■ *¿Por qué los inmigrantes europeos sufrieron menos dis-criminación que los asiáticos?*

R E P A S O

1. **TEMA CENTRAL** ¿Cómo trataban a los inmigrantes en California y cómo respondieron ellos?

2. **RELACIONA** Busca un ejemplo de discriminación en la Lección 1 de este capítulo.

3. **VALORES, DERECHOS Y RESPONSABILIDADES CÍVICAS** ¿Por qué la "ordenanza de la coleta" era una clase de discriminación contra los chinos?

4. **RAZONAMIENTO CRÍTICO** ¿Por qué seguían lle-gando inmigrantes a California a pesar de la discriminación?

5. **REDACCIÓN** Escribe en un diario imaginario cómo te sentirías si fueras víctima de alguna clase de discriminación como las que has visto en este capítulo.

Una mezcla de culturas

L E C C I Ó N   3

Contribuciones a California

D omingo Ghirardelli llegó a California desde Italia buscando oro. Como muchos otros buscadores de oro que llegaron alrededor de 1849, se desilusionó porque después de un mes no había hecho fortuna. Comprendió que su esperanza de volverse rico en California se vendría abajo si no preparaba otro plan.

Después de mucho pensar, Ghirardelli encontró la solución. Viendo que a los mineros les gustaban los dulces, empezó a hacer chocolate y caramelos. Los vendía en toda la región minera de California. En 1851 su negocio había crecido tanto que construyó una fábrica que todavía existe en San Francisco. En esta fábrica trabajaron muchos inmigrantes italianos. Ghirardelli realizó su sueño de tener una vida mejor en los Estados Unidos y al mismo tiempo contribuyó a la riqueza del estado.

**TEMA
CENTRAL**

¿Cómo han contribuido los inmigrantes al estado de California?

Términos clave

- semblanzas
- grupo étnico

➤ *El chocolate de Ghirardelli tuvo mucho éxito. También añadió sabor a California.*

Un estado pintoresco

Ghirardelli fue uno de los inmigrantes que convirtieron a California en un estado de muchas naciones. En muchas partes del estado se ven **semblanzas** de esas naciones. Una semblanza es algo que se parece o que nos recuerda a otra cosa, por ejemplo el Barrio Chino de San Francisco que se parece a un barrio de China. Ciudades como Los Ángeles, San Diego y Sacramento están llenas de semblanzas de otros países. En la sección titulada

214

"Visto de cerca" de la página siguiente, verás las contribuciones de los inmigrantes a la ciudad de San Francisco.

No todas las contribuciones de los inmigrantes han sido en las ciudades. Muchos ranchos y granjas de California se construyeron con la ayuda de inmigrantes y casi todos sus trabajadores hoy en día son inmigrantes.

Piensa en los nombres de algunos de los platos que comes y de las calles por donde vives. Estos nombres vienen muchas veces de algún grupo étnico que llegó a vivir a California. Un **grupo étnico** es un grupo de personas que viene del mismo país o que tiene la misma cultura. ■

Contribución de ideas

Muchos californianos han contribuido a mejorar sus comunidades. Aunque han ayudado al progreso de California, casi nadie recuerda su nombre. Sin embargo, algunos se han hecho famosos por su trabajo y sus logros.

María Amparo Ruiz de Burton

María Amparo Ruiz de Burton no era inmigrante pero pertenecía a uno de los grupos étnicos más importantes de California: los californios. En su libro *The Squatter and the Don* (El intruso y el Don), escrito en el año de 1855, Ruiz de Burton relata cómo perdieron sus ranchos los californios: "Me apena ver con cuánta injusticia han tratado a los californios que nacieron en esta tierra. Le aseguro, señor, que ni siquiera un americano en un millón sabe de este ultraje".

Ruiz de Burton se dedicó a escribir para que todo el mundo supiera lo que les había pasado a los californios. Como entre los californios no era común que una mujer fuera escritora, tuvo que escribir su libro usando un pseudónimo, es decir, un nombre falso.

¿Tiene una persona que ser famosa para contribuir a su comunidad? Explica tu respuesta.

En otros tiempos

En los últimos tiempos, miles de inmigrantes han venido a California de países del sureste de Asia como Vietnam y Laos. Estos inmigrantes vinieron para escapar de la guerra.

◀ *En su libro* The Squatter and the Don, *Ruiz de Burton describió cómo acabó la forma de vida del californio, que ilustra este cuadro del fandango, una de las danzas preferidas de los californios.*

215

Una mezcla de culturas

Los inmigrantes traen nuevas ideas

Los recién llegados de todo el mundo contribuyeron con cosas importantes a la vida de San Francisco. Muchas de las cosas maravillosas que se pueden ver, oír y saborear las trajeron los inmigrantes.

Algunas farolas y este hermoso jardín son regalos de Mankoto Hagiwara a San Francisco. Este inmigrante japonés era muy rico y creó estos jardines en 1895 junto a su casa. Hoy en día el jardín japonés de Hagiwara es parte del parque Golden Gate.

Un ingrediente secreto hizo crecer el negocio de Isidore Boudin en 1849. Para hacer cada pan de su famosa panadería, el primer ingrediente era un poco de masa del pan del día anterior.

El fracaso llevó al éxito a Levi Strauss de Alemania. Su primer negocio fue hacer tiendas de campaña para los mineros, pero fracasó. Strauss tiñó la tela que le quedaba de azul para hacer pantalones. Pero los bolsillos donde los mineros metían oro o herramientas se rasgaban. Strauss reforzó las costuras con remaches de cobre.

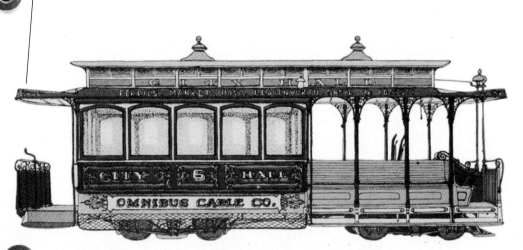

Las calles empinadas de San Francisco inspiraron el invento de Andrew Hallidie. Cuando llegó de Inglaterra en 1894, sentía lástima por los caballos que con frecuencia resbalaban en las cuestas. Hallidie creó un sistema de vagones impulsados por cables enterrados. El sistema de tranvías que inventó sigue funcionando en la actualidad.

Ruiz de Burton usó el nombre C. Royal para conseguir que publicaran su libro. Gracias a su trabajo, hoy en día recordamos su nombre verdadero y su obra.

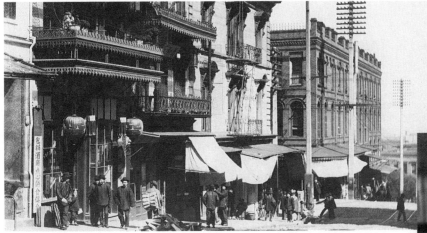

Ng Poon Chew creía que periódicos como el Chung Sai Yat Po *eran "la lengua del pueblo". Ng usó su periódico para ayudar a los chinos a intercambiar ideas y expresar sus preocupaciones.*

Ng Poon Chew

Ng Poon Chew fue otra persona que quería compartir sus ideas con los demás. Ng llegó a California procedente de China cuando tenía 15 años, trabajó como criado y aprendió inglés. En el año de 1884 fue a estudiar a San Francisco. Allí conoció a otros chinos con los que hablaba de los problemas de los inmigrantes.

Ng quería compartir sus ideas con otros chinos y se le ocurrió que los periódicos podrían ser una manera valiosa de comunicar sus ideas. En el año de 1889 fundó un periódico para los lectores chinos, llamado *Chung Sai Yat Po* o *Diario Chino-americano.*

Ng usó el periódico para luchar por los derechos de los chinos. Gracias a sus esfuerzos, muchas veces lo invitaron a hablar en otras ciudades de los Estados Unidos acerca de la discriminación contra los chinos. Ng cruzó el país 86 veces para hablar de sus ideas ante diferentes grupos de personas. No hablaba sólo en su nombre y en el de los inmigrantes chinos de California. Hablaba en nombre de miles de personas que tenían el mismo sueño de lograr una vida mejor en una tierra nueva. ∎

■ *¿Con qué ideas contribuyeron María Amparo Ruiz de Burton y Ng Poon Chew a California?*

R E P A S O

1. **TEMA CENTRAL** ¿Cómo han contribuido los inmigrantes al estado de California?
2. **RELACIONA** ¿Qué contribuciones han hecho los inmigrantes al campo de California?
3. **CULTURA** ¿Qué esperaba conseguir María Amparo Ruiz de Burton con su libro?
4. **RAZONAMIENTO CRÍTICO** ¿Cómo puede cada grupo étnico contribuir a la cultura de nuestra comunidad?
5. **ACTIVIDAD** Dibuja un mapa de tu comunidad. Marca los lugares donde hay semblanzas de diferentes grupos étnicos.

Una mezcla de culturas

Cómo usar el fichero

¿Por qué?

Supongamos que quieres saber más sobre uno de los grupos de inmigrantes que han llegado a California. Para averiguarlo vas a la biblioteca a buscar libros. Entre todos esos libros, ¿cuáles te pueden servir? Para saber qué libros tienen información sobre el tema que te interesa, puedes mirar el fichero de la biblioteca. Si sabes usar un fichero, encontrarás enseguida el libro que necesitas.

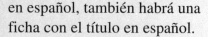

¿Cómo?

El fichero de la biblioteca es un armario con muchos cajones pequeños, o gavetas, llenos de fichas. Al frente de cada cajón hay una o más letras que te indican qué fichas contiene ese cajón. Las fichas están ordenadas en orden alfabético, empezando con las letras que se ven al frente del cajón.

Por cada libro de la biblioteca hay por lo menos tres fichas: una ficha para el título, una ficha para el autor y una o más fichas para el tema o materia.

La ficha del título tiene escrito el título del libro en la parte de arriba. Estas fichas están ordenadas alfabéticamente por la primera letra de la primera palabra del título. (Si el título empieza con un artículo como *Un, Una, El* o *La,* o en inglés *A* o *The,* busca la primera letra de la segunda palabra.) Supongamos que quieres buscar un libro llamado *The Japanese American,* por Harry L. Kitano. Busca en el cajón marcado con la *J* de *"Japanese".* La ficha será como la segunda ficha que ves ilustrada en esta página. Si en tu biblioteca hay libros

en español, también habrá una ficha con el título en español.

Si quieres un libro escrito por Harry L. Kitano pero no sabes el título, puedes buscar la ficha del autor. Será como la que ves abajo. ¿Qué información tiene la ficha en la parte de arriba?

Las fichas de autores también están por orden alfabético en los cajones. Se ordenan según la primera letra del apellido del autor. ¿En qué cajón buscarías libros escritos por Harry Kitano?

Si quieres encontrar libros sobre cierto tema, busca las fichas de temas. Están clasificadas en orden alfabético por la primera letra del nombre del tema. Supongamos que te interesa el tema de los *inmigrantes.* Esta palabra empieza con la letra *I*. Mira la ficha de abajo. El tema está escrito en la parte superior de la ficha en letras mayúsculas, como puedes ver en el ejemplo de abajo. El nombre del autor está debajo del tema. La línea siguiente es el título del libro.

IMMIGRANTS

973.'
04956

Kitano, Harry L.
The Japanese Americans

"The Peoples of North America" series
Chelsea House Publishers, NY 1988
92 pp. Revised Edition

Supongamos que encuentras en el fichero la ficha que buscabas. Ya sabes que el libro está en la biblioteca. ¿Cómo lo encontrarás? A la izquierda de la ficha hay letras o números que indican la sección de la biblioteca y el estante donde puedes encontrar el libro. El número de la ficha que encontrarás corresponde al número marcado en el lomo del libro.

Practica

Para practicar el uso del fichero, contesta estas preguntas.

1. ¿Qué clase de fichas te ayudarían a encontrar libros sobre Angel Island *(isla Angel)*? ¿En qué cajón puedes encontrar esas fichas?

2. ¿Qué clase de ficha te ayudaría a encontrar un libro de Jenny Ling? ¿En qué cajón la encontrarías?

3. ¿Qué clase de ficha te ayudaría a encontrar el libro en español *El intruso y el Don?* ¿Qué letra o letras se encontrarían al frente del cajón donde irías a buscar la ficha?

4. ¿Para qué sirven y cómo se usan los números que ves a la izquierda en casi todas las fichas?

Aplícalo

Muchos inmigrantes vinieron a California desde Chile. Supongamos que quieres saber más sobre ese país. Busca tres libros acerca de Chile en el fichero. Copia el título, el autor y el número de cada libro. Después ve a buscarlos en los estantes.

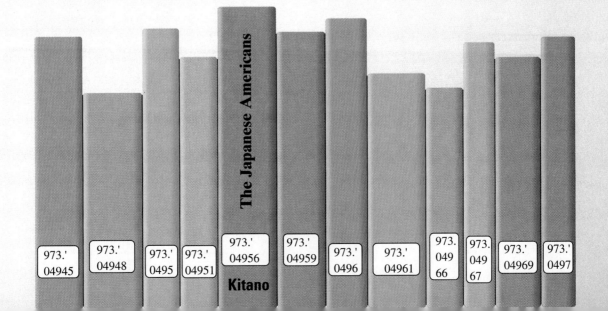

973.'
04945

973.'
04948

973.'
0495

973.'
04951

973.'
04956

973.'
04959

973.'
0496

973.'
04961

973.
049
66

973.'
049
67

973.'
04969

973.'
0497

The Japanese Americans

Kitano

Repaso del capítulo

Repasa los términos clave

discriminación (p. 210)   reserva (p. 210)
grupo étnico (p. 215)   semblanzas (p. 214)
inmigrante (p. 204)

A. Escribe una oración utilizando cada par de palabras. Después escribe otras oraciones que indiquen cómo se relacionan las palabras de cada par.

1. discriminación, injusto
2. inmigrante, cambio
3. semblanza, Barrio Chino
4. grupo étnico, cultura
5. reserva, tierra

B. Escoge los términos clave que completen mejor las oraciones incompletas del párrafo siguiente.

Muchos _____ de Europa y Asia llegaron a California buscando una vida mejor para ellos y sus hijos. Llegaron de muchos países y trajeron su idioma y las costumbres y las tradiciones propias de su país. Como se veían diferentes de las demás personas, fueron víctimas de la _____. También los indígenas de California fueron víctimas de una fuerte discriminación. Los colonos se apoderaron de sus tierras y por eso los indígenas tuvieron que ir a vivir en las _____. A pesar de las dificultades y problemas, cada _____ ha contribuido de manera especial al crecimiento de California. En muchos lugares del estado podemos ver _____ que nos recuerdan las muchas naciones de donde han venido inmigrantes a California.

Explora los conceptos

A. Completa esta tabla en una hoja aparte usando la información del capítulo.

B. Responde con una o dos oraciones a cada una de estas preguntas.

1. ¿Por qué tantos inmigrantes veían a California como la tierra de sus sueños?

Grupo inmigrante	¿De dónde venían?	¿Por qué vinieron?	¿Cómo los trataron?	¿Con qué contribuyeron?
Inmigrantes de Asia				
Inmigrantes de Europa				

2. ¿De qué países venían algunos de los inmigrantes asiáticos?
3. ¿En qué se parecían los inmigrantes de Europa y de Asia?
4. ¿Por qué muchos inmigrantes querían vivir junto a otras personas de sus mismos países?
5. ¿Por qué algunos inmigrantes se trasladaron a California desde las ciudades del Este?
6. ¿Qué les pasó a los inmigrantes de Asia en la isla Angel de San Francisco?
7. ¿Qué hizo María Amparo Ruiz de Burton y por qué es importante su trabajo?

Repasa las destrezas

1. Fíjate en esta ficha de la biblioteca. ¿Qué clase de ficha es? ¿En qué cajón la encontrarías?

2. Supongamos que necesitas información sobre la comunidad china de una ciudad de California. ¿Qué clase de ficha te ayudaría a encontrar un libro en inglés con esta información? ¿Qué palabra verías en la parte de arriba de la ficha? ¿En qué cajón buscarías esta ficha?

3. Fíjate en el mapa de husos horarios de la página 331 del Atlas. Supongamos que son las 12 del mediodía en la zona central. ¿Qué hora es en cada una de las otras tres zonas del continente de los Estados Unidos?

> **IMMIGRANTS**
>
> 973.'   di Franco, Phillip
> 0451   The Italian Americans
>
> "The Peoples of North America" series
> Chelsea House Publishers, NY 1988
> 93 pp.

4. Si quisieras averiguar más sobre la fábrica de chocolates de Ghirardelli, ¿dónde buscarías información al respecto? ¿Qué libros leerías? ¿A quién podrías escribirle para pedir información?

Usa tu razonamiento crítico

1. La discriminación nos perjudica a todos. ¿Por qué perjudica no solamente a las personas que son tratadas injustamente, sino también a las personas que dan ese tipo de trato?

2. Se dice que los Estados Unidos son un "crisol" de nacionalidades y personas diferentes. ¿Qué crees que significa la palabra *crisol*? ¿Cómo crees que los inmigrantes que vinieron a California llegaron a ser parte de este crisol?

3. Tu cultura forma parte de ti, así como la cultura de los inmigrantes que hemos estudiado en esta lección formaba parte de ellos. ¿Cómo pueden aprender a vivir en paz las personas de diferentes culturas?

Para ser buenos ciudadanos

TRABAJO EN EQUIPO   Ng Poon Chew, un inmigrante chino, creía que los periódicos le dan a todas las personas la oportunidad de compartir sus ideas. Hagan en grupo un periódico mensual para los estudiantes de su clase. Todos deben contribuir en este proyecto. Formen diferentes grupos para realizar las siguientes tareas: (1) pensar en temas para artículos, (2) escribir los artículos, (3) dibujar ilustraciones para que acompañen lo que escribieron, (4) imprimir el periódico, (5) juntar las páginas del periódico y (6) repartir el periódico entre los estudiantes de su curso.

El periódico debe tener artículos de interés para los estudiantes y sobre las diferentes actividades que ocurren en la escuela y en la comunidad. Cada edición debe tener al menos un artículo especial sobre una persona que se haya destacado por ser buen ciudadano o ciudadana. También pueden escribir artículos sobre personas o familias que han inmigrado hace poco a California.

Empiecen por escoger una persona de cada grupo que estará encargada de repartir las tareas entre los estudiantes. Pidan orientación a su maestra o maestro si lo necesitan.

221

Unidad 5

La California moderna

Antes de 1900 no había autopistas. La gente viajaba a caballo o en carruajes. El teléfono, la luz eléctrica y el cine todavía eran un misterio. Pero al comenzar el siglo 20, California empezó a ingresar a la era moderna. Los inventos, las nuevas industrias y, sobre todo, sus nuevos habitantes, crearon la California moderna que tú conoces.

1890

Cruce de la Interestatal 980, la Interestatal 880 y la Autopista 24 en Oakland.

2050

Capítulo 10

Una California mejor

"Podemos hacer cualquier cosa". Éste parecía ser el lema de California en el año de 1900. Hacer cualquier cosa, ser cualquier cosa y construir cualquier cosa. Todo era posible. Los californianos se enfrentaban a los problemas valerosamente, como si fueran aventuras. Pensaban que el progreso no tenía límites y, durante mucho tiempo, fue así.

Se cree que este automóvil, llamado El Pionero, fue el primer "carruaje sin caballos" hecho en California.

1890	1900	1910

1895

1911 Las mujeres obtienen el derecho al voto en California.

1929 La piloto Louise Thaden ganó la Carrera Aérea Nacional para Mujeres. Era la primera competencia de aviación de costa a costa para mujeres.

La construcción del puerto de San Pedro permite que los barcos lleguen a Los Ángeles. Esto aumenta el comercio y favorece la industria.

1920

1930

1940

1927 Hollywood produce la primera película sonora.

1940

L E C C I Ó N   1

Crece la industria

TEMA CENTRAL

¿Cómo cuatro acontecimientos importantes hicieron crecer la costa sur de California a principios del siglo 20?

Términos clave

- acueducto
- canal

➤ *El surtidor Charlie Woods, uno de los mayores del mundo, chorreó petróleo a millas de distancia. En 18 meses sacaron más de 9 millones de barriles de petróleo de aquel pozo.*

¡Pobre Charlie Woods! Otra tarde solitaria buscando petróleo en un lugar perdido al que alguien había llamado "Lake View". La única cosa a la vista era un camino de tierra que cruzaba la llanura del valle de San Joaquín. La compañía Union Oil ya no estaba interesada en aquel lugar. Charlie y sus trabajadores iban a perforar un poco más esta noche, hasta unos 2,200 pies de profundidad, pero tampoco esperaban ningún resultado. Woods era capataz de la Union Oil y había visto perforar un pozo tras otro, pero la tierra parecía burlarse de él en esta ocasión. Sólo salían piedras y polvo. Sus trabajadores le pusieron el apodo de "Charlie Pozo Seco". Ese nombre estaba a punto de cambiar. Era el amanecer del 15 de marzo de 1910.

Primero se escuchó un rumor, luego hubo un temblor. La plataforma de perforación se tambaleó y los trabajadores corrieron a esconderse. Con asombro vieron desde lejos cómo se abría un enorme agujero en el suelo. De las profundidades de la tierra brotó al aire un gigantesco chorro de petróleo casi tan ancho como una casa.

Woods bailaba de alegría bajo la lluvia negra de petróleo. A partir de entonces lo llamarían "Charlie Chorro".

El auge del petróleo

Antes de que Charlie perforara su pozo, se había descubierto petróleo en la costa de California desde finales del siglo 19, sobre todo en la zona de Los Ángeles, en el condado de Santa Bárbara y en el valle de San Joaquín, a lo largo del río Kern.

Antes del siglo 19, los indígenas chumash usaban petróleo para sellar sus canoas y los californios lo usaron para hacer los tejados de sus casas de adobe. Pero las máquinas y las industrias nuevas del siglo 20 necesitaban mucho petróleo. El petróleo era tan valioso que lo llamaban "oro negro".

Nuevos usos del "oro negro"

Del petróleo crudo que sale de la tierra se hacen muchos combustibles. Uno de ellos es el diesel. Antes de usar petróleo, los trenes usaban carbón. Por eso dejaban un rastro de humo negro a su paso. El diesel era más limpio y más fácil de usar. Muchas máquinas nuevas, como los tractores, también usaban diesel. Al haber más petróleo, los tractores reemplazaron a los caballos y a los arados que habían usado los agricultores desde hacía mucho tiempo. Pero fueron los automóviles los que se beneficiaron más con el petróleo. Estos nuevos carruajes sin caballos, como se les llamaba, usaban gasolina, otro combustible que se hace con petróleo. A los automóviles también se les dice carros, una palabra que viene de "carruaje".

El auge del petróleo fue uno de los mayores cambios que experimentó California desde que el explorador español Juan Rodríguez Cabrillo desembarcó en la parte sur de la costa. Con el auge del petróleo llegaron el crecimiento, el dinero, nuevas industrias y más habitantes. ◼

En 1909 Earl Gilmore cargó un enorme barril de gasolina en una carreta de caballos y comenzó a vender combustible a 10 centavos por galón. Había abierto la primera gasolinera.

◼ *¿Por qué el petróleo se volvió tan valioso en California?*

227

Una California mejor

Empiezan los problemas de agua

A principios del siglo 20, si querías aventuras y acción te ibas a la parte sur de la costa de California. La región se había vuelto muy activa desde el auge agrícola del siglo anterior. La agricultura crecía, así como también la industria de las conservas de frutas. Nuevas líneas de ferrocarril conectaban las ciudades de la extensa parte sur de la costa. Los trenes iban llenos de viajeros ansiosos de llegar a esa maravillosa tierra. Muchos de ellos querían participar en el auge del petróleo y hacerse ricos rápidamente. Los Ángeles era el centro de toda esa actividad.

Los Ángeles tiene sed

Hacia el año de 1905, Los Ángeles era una ciudad con una población de 200,000 habitantes, elegantes casas, hoteles lujosos y playas. Pero al crecer la ciudad también crecía el problema de la escasez de agua. El río Los Ángeles, que pasaba cerca de la ciudad, no tenía suficiente agua para todos. Fue entonces cuando los funcionarios de la alcaldía tuvieron una idea sorprendente. Llevarían otro río a la ciudad.

Ese otro río estaba en el valle Owens, a casi 250 millas de distancia de la ciudad, separado por grandes desiertos y altas montañas. ¿Podrían llevar el agua desde tan lejos? Sí, dijo William Mulholland, jefe del departamento de agua de la ciudad. Él empezó a dirigir la construcción de una tubería de agua gigantesca, es decir de un **acueducto,** para llevar el agua del río Owens a Los Ángeles. En la sección titulada "Visto de cerca" que encontrarás en la página siguiente, hay una explicación de la construcción de este acueducto. Fue uno de los proyectos de ingeniería más grandes de la historia del país. Muchos pensaron que era imposible llevar a cabo una obra tan grande, pero bajo la dirección de Mulholland el acueducto se terminó de construir en 1913. Ahora Los Ángeles tenía suficiente agua para todos y estaba preparada para crecer. ■

■ *¿Qué problemas de agua tenía Los Ángeles?*

➤ *La calle Spring de Los Ángeles se veía llena de tranvías, tiendas, hoteles y carros en el año de 1900.*

El acueducto de L.A.

Los Ángeles necesitaba agua y los funcionarios de la ciudad estaban dispuestos a todo para conseguirla. Prepararon un plan secreto para llevar el agua del río Owens, a 250 millas de distancia.

A principios del siglo 20 la ciudad de Los Ángeles empezó a comprar en secreto tierras alrededor del río Owens, para poder controlar las aguas del río. Cuando los granjeros del valle se dieron cuenta de que iban a perder su agua lucharon para detener el plan, pero perdieron.

William Mulholland dirigió un equipo de 100,000 trabajadores que usaron tractores modernos y cuadrillas de 20 mulas para construir la gigantesca tubería. Perforaron un túnel a través de la Sierra Nevada y trabajaron en el desierto a más de 100 grados.

El agua empezó a correr por el acueducto el 5 de noviembre de 1913, pero aquello era sólo el principio. Los granjeros enojados dinamitaron dos veces el acueducto. Tomaron el control de una estación de bombeo para tratar de forzar a Los Ángeles a compartir el agua.

SIERRA NEVADA

SAN JOAQUIN VALLEY

San Francisco

Owens River

Los Angeles Aqueduct

MOJAVE DESERT

SAN FERNANDO VALLEY

PACIFIC OCEAN

Los esfuerzos de los granjeros fueron inútiles. El acueducto siguió en marcha y el agua permitió que Los Ángeles creciera. El valle de San Fernando, en las afueras de Los Ángeles, se convirtió en una zona agrícola importante.

Los nuevos proyectos fomentan el comercio

Mientras Mulholland construía su acueducto, otros dos proyectos de ingeniería empezaban a cambiar el futuro de Los Ángeles. Uno era la construcción del puerto de San Pedro. Un puerto es un lugar en la costa con aguas suficientemente profundas para que atraquen los barcos. Como ves en el mapa, la costa de San Francisco es curva. Por eso forma un puerto natural perfecto. En cambio la costa de Los Ángeles es casi recta y sus aguas no eran lo suficientemente profundas para formar un puerto. Por eso tuvieron que excavar para hacer un puerto. El trabajo comenzó en 1899 y terminó en 1914. Gracias al puerto de San Pedro los barcos podían llegar a Los Ángeles.

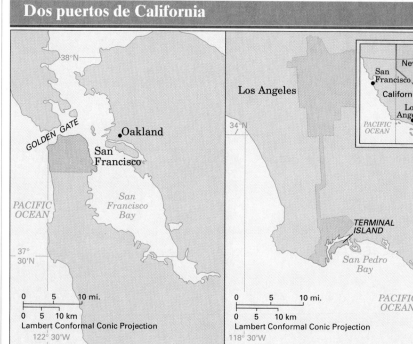

Dos puertos de California

▲ *¿Por qué crees que la geografía de San Francisco contribuyó a que creciera más rápido que Los Ángeles?*

■ *¿Por qué Los Ángeles se benefició con la construcción del puerto de San Pedro y del canal de Panamá?*

Una ruta nueva al Este

Al mismo tiempo se abría una nueva ruta de transporte hasta Los Ángeles en el istmo de Panamá. Los Estados Unidos acababan de construir un **canal,** o un paso artificial para barcos, de 51 millas de largo. El canal de Panamá cortaba el istmo y conectaba los océanos Atlántico y Pacífico. En la página 314 de la Minienciclopedia encontrarás más información acerca del canal de Panamá y su construcción.

Cuando se abrió el canal en 1914, Los Ángeles y otras ciudades se alegraron. Ahora los barcos cargados con productos de California podían llegar a la costa este en un mes. ■

R E P A S O

1. **TEMA CENTRAL** ¿Cómo cuatro acontecimientos importantes hicieron crecer la costa de California a principios del siglo 20?

2. **RELACIONA** ¿Qué cambios hicieron crecer la parte sur de la costa a finales del siglo 19?

3. **HISTORIA** ¿Cuáles fueron los efectos buenos y malos de la construcción del acueducto?

4. **RAZONAMIENTO CRÍTICO** ¿Qué efecto tuvo el canal de Panamá en el ferrocarril?

5. **ACTIVIDAD** Elabora un anuncio para Los Ángeles como si fuera el año de 1915. Haz dibujos que inviten a visitar la ciudad.

Capítulo 10

Cómo hacer una gráfica de barras

¿Por qué?

El agua es ahora aún más valiosa en California que cuando William Mulholland construyó el acueducto de Los Ángeles. Cada californiano consume al día 70 galones de agua para beber, cocinar, bañarse y hacer la limpieza. En total, la población de Los Ángeles consume más de mil millones de galones diarios, o sea, 60 veces más galones que la población de Sacramento.

Las gráficas de barras sirven para representar con claridad estos datos. Estas gráficas son fáciles de leer y son un buen complemento para aclarar un tema. También ayudan a comparar datos acerca de cosas distintas.

¿Cómo?

Fíjate en esta gráfica de barras. En la parte de abajo aparecen nombres de ciudades. Los números de la izquierda representan millones de galones de agua. Al subir por el lado izquierdo de la gráfica, verás que cada línea que cruzas representa diez millones de galones más.

Las barras indican cuántos galones de agua consume la ciudad en un día. Busca la parte de arriba de la barra de Fresno. Ahora mira a la izquierda. La barra llega casi a los 60 millones de galones. Esto quiere decir que Fresno consume unos 59 millones de galones de agua al día.

Supongamos que quieres añadir a la gráfica el consumo diario de agua de Sacramento. Escribe Sacramento al lado de Fresno. La tabla de abajo te indica que Sacramento consume 23 millones de galones de agua al día. Dibuja la barra de Sacramento de modo que la parte de arriba quede justo por encima de la línea de 20 millones.

Consumo doméstico de agua al día

Ciudad	Galones de agua
Anaheim	13 millones
Fresno	59 millones
Sacramento	23 millones
Ventura	4 millones

Practica

Ahora haz tu propia gráfica de barras que indique cuál es el consumo de agua en California. Para empezar, copia la gráfica de barras de esta página. Añade la información referente a Sacramento y Ventura que aparece en la tabla. Usa tu gráfica de barras para contestar estas preguntas: ¿Qué ciudad consume menos agua? ¿Qué ciudad consume más agua, Anaheim o Ventura?

Aplícalo

Haz una gráfica de barras que indique cuántos estudiantes de tu clase tienen ojos color café, ojos azules y ojos verdes.

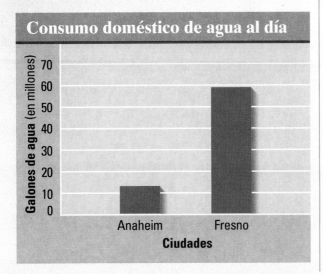

Consumo doméstico de agua al día

Galones de agua (en millones): 70, 60, 50, 40, 30, 20, 10, 0

Ciudades: Anaheim, Fresno

231

L E C C I Ó N   2

Los ciudadanos progresan

TEMA
CENTRAL

¿Qué problemas trataron de resolver los californianos a principios del siglo 20?

Términos clave

- soborno
- progresistas

➤ *El terremoto de 1906 no causó tanto daño como el fuego que provocó. Una familia había puesto la mesa con su mejor vajilla y las cucharas de plata que ves en la foto. Pero el calor del fuego las fundió con las ruinas.*

ran las cinco de la mañana y casi todos estaban dormidos, pero algo despertó a los animales. En toda la ciudad los perros gemian y ladraban. Los caballos pateaban y resoplaban. Los animales sentían algo que los ciudadanos dormidos de San Francisco no sentían.

El policía Jesse Cook que hacía su recorrido al amanecer, vio lo que pasaba. Primero oyó un ruido como de truenos. Luego la calle comenzó a moverse. "Era como si las olas del océano vinieran hacia mí, subiendo y bajando". La ciudad de San Francisco estaba encima de una ola de tierra y roca. ¡Un terremoto!

Los tejados se hundieron, las chimeneas se cayeron en toda la ciudad. Las campanas de las iglesias no dejaban de sonar y la ciudad se balanceaba. Se veía fuego por todas partes. El terremoto había cortado las cañerías de agua de la ciudad y por lo tanto los bomberos no podían hacer nada mientras San Francisco ardía. El terremoto del 18 de abril de 1906 duró menos de un minuto, pero los incendios no se apagaron en tres días. Al final, más de 3,000 personas murieron y 28,000 edificios quedaron destruidos, entre ellos la alcaldía.

◄ *Los habitantes de San Francisco asombraron al resto del país por la rapidez con que reconstruyeron su ciudad.*

La limpieza de San Francisco

Muchos decían que no se podría reconstruir la ciudad, pero se equivocaban. Aun antes de que se disipara el humo, los habitantes de San Francisco empezaron a trabajar. De todo el país llegaron dinero, alimentos y trabajadores. William Randolph Hearst pidió a los lectores de su periódico, el *San Francisco Examiner,* que contribuyeran con todo el dinero que pudieran. El presidente Theodore Roosevelt envió tropas del ejército y dinero del gobierno. El alcalde de la ciudad actuó con rapidez para organizar la reconstrucción.

Reconstrucción del gobierno

Ésta fue la mejor época de Schmitz como alcalde, pero no duró mucho tiempo. Durante años el gobierno municipal de Schmitz estuvo controlado por algunos empresarios poderosos que dirigían las compañías de gas, teléfonos y ferrocarriles. Ellos les daban sobornos al alcalde y a otros funcionarios. Un **soborno** es el dinero que se da a alguien para convencerlo de que actúe deshonestamente. Los funcionarios del gobierno de San Francisco aceptaron miles de dólares en sobornos y, a cambio, permitieron que compañías como la Southern Pacific cobraran precios muy altos. Esto perjudicó a muchos comercios y empresas de California que no podían pagar tanto dinero como las grandes compañías.

Por eso, cuando los ciudadanos de San Francisco reconstruyeron su ciudad, decidieron reconstruir también su gobierno. Un grupo de ciudadanos, luchó para impedir que las compañías pagaran sobornos. Llevaron a juicio a muchos empresarios y funcionarios públicos, y el alcalde Schmitz perdió su puesto. ∎

En otros tiempos

El 17 de octubre de 1989, la zona de San Francisco recibió otra sacudida muy fuerte. Después del terremoto de 1906, el de 1989 ha sido el más fuerte en California en el siglo 20. Sucedió a las 5:04 P.M. y mató a más de 60 personas. Como en 1906, en 1989 los ciudadanos de San Francisco repararon rápidamente los daños por miles de millones de dólares que causó el terremoto. En la página 312 de la Minienciclopedia hay más información acerca de los terremotos.

∎ *¿Por qué era necesario reconstruir el gobierno de San Francisco?*

233

Una California mejor

California forma un gobierno mejor

Las grandes industrias de principios del siglo 20 hicieron progresar mucho a California, pero en San Francisco y en todo el estado algunas empresas tenían demasiado poder. La compañía más odiada de todas era la compañía de ferrocarril Southern Pacific. Tenía poder sobre la prensa, los transportes, otros negocios y hasta sobre el gobierno del estado. Finalmente un hombre se atrevió a levantarse para luchar contra la Southern Pacific. Se llamaba Hiram Johnson y era un abogado que había ayudado a echar al alcalde Schmitz de su puesto.

Johnson era un progresista. Los **progresistas** eran un grupo de personas de los Estados Unidos que querían un gobierno y una sociedad mejores. Trabajaban para que se crearan leyes que impidieran a los negocios controlar al gobierno. En el año de 1910 Johnson quiso ser gobernador de California. Prometía "echar a la compañía Southern Pacific de la política".

Las promesas de Johnson lo hicieron muy popular y ganó las elecciones. El nuevo gobernador cumplió su palabra. Creó nuevos reglamentos que mantenían bajos los precios del ferrocarril e impidió los sobornos. La Southern Pacific, que había tenido tanto poder, por fin era derrotada. ■

➤ Hiram Johnson viajó 20,000 millas en carro por malas carreteras durante su campaña para ser gobernador. En aquella época los trenes eran el mejor transporte, pero Johnson era enemigo de la Southern Pacific y se negaba a utilizar el ferrocarril.

■ ¿Qué clase de progreso trataban de conseguir los progresistas?

Las mujeres y el cambio

En la reconstrucción del gobierno sólo participaron los hombres porque en ese entonces las mujeres no formaban parte del gobierno. Ni siquiera podían votar. Sin embargo, ellas se convirtieron en una fuerza de progreso en California.

Las mujeres veían el sufrimiento de las familias de trabajadores. Hombres, mujeres y hasta niños trabajaban muchas horas en fábricas de conservas del sur de California y en las lavanderías de San Francisco. Aunque trabajaban mucho, les pagaban tan poco que muchas familias estaban hambrientas. Las casas eran viejas y no tenían suficiente espacio. La comida muchas veces no estaba en buenas condiciones.

Las mujeres no tenían poder en el gobierno y no podían cambiar la situación, pero tenían otra arma: la pluma para escribir.

En revistas, periódicos y libros pidieron un mejor tratamiento para los trabajadores y sus familias. Charlotte Perkins Gilman luchó por el cambio de esta manera. Amaba a los niños y trabajó mucho para mejorar su vida. En 1908 escribió un poema pidiendo ayuda para los niños:

> *D*ame lo mejor de ti
> para que yo, el niño, pueda crecer.
> Luz durante todo el día,
> comida sana que me haga fuerte,
> un hogar y ropa limpia,
> agua pura y aire puro,
> una escuela para aprender
> y espacio para que un niño pueda jugar.

En sus escritos, Gilman y otras mujeres pedían al gobierno que creara leyes para proteger a los trabajadores y sus familias. Las mujeres ayudaron a que se crearan nuevas escuelas y casas, a tener mejores alimentos y sueldos más altos para los obreros. Una de sus grandes victorias fue una ley aprobada por los progresistas en 1911 que dio el derecho al voto a las mujeres. ■

◄ *A principios del siglo 20, algunos niños trabajaban muchas horas en fábricas de conservas como la de esta foto.*

R E P A S O

1. **TEMA CENTRAL** ¿Qué problemas trataron de resolver los californianos a principios del siglo 20?

2. **RELACIONA** ¿Qué beneficios y qué problemas crearon las industrias en crecimiento?

3. **CULTURA** ¿Qué problemas atacó Charlotte Perkins Gilman en su poema?

4. **RAZONAMIENTO CRÍTICO** ¿Por qué es malo que una persona soborne a otra?

5. **REDACCIÓN** Imagínate que eres un reportero o una reportera en el año de 1906. Escribe un artículo que describa el terremoto y el incendio que se extendió por todo San Francisco.

El gran terremoto

Eleanor Deering Mathews

En la Lección 2 leíste acerca del Gran Terremoto de 1906. Ahora veamos lo que le pasó a una familia.

Dentro de un viejo baúl en su ático, Edgar Matthews Sliney encontró un diario que su mamá había escrito cuando tenía nueve años. En este diario ella describe los acontecimientos del terremoto de 1906. Lee este pasaje para ver cómo cambió la vida en San Francisco después del desastre.

temblor Movimiento de la Tierra.

El miércoles 18 de abril del año 1906, a las 5 y 17 de la mañana, ocurrió el gran terremoto.

Todos dormíamos cuando nos despertó el horrible sonido de las chimeneas derrumbándose; los ladrillos de las chimeneas se cayeron y tumbaron los escalones de entrada de nuestra casa y de otras casas. Duró 47 segundos. Luego, en cuanto terminó, papá nos hizo levantar y vestir rápidamente para que pudiéramos salir y hablar con otras personas.

Mientras nos vestíamos hubo otros temblores, pero ninguno como el primero. En San Francisco fue peor que en ningún otro lugar. En cuanto nos vestimos, salimos al frente y casi no pudimos pasar porque los escalones estaban cubiertos con ladrillos caídos y con partes de los escalones de madera que se habían derrumbado.

Cuando cruzamos la calle, una señora nos dijo que había salido de su casa cuando vio que la chimenea se caía y tumbaba nuestros escalones.

Había montones de gente en la calle, con sus batas de dormir y sus zapatillas, mirando todas las chimeneas que se habían caído. Algunos dimos la vuelta a la manzana para ver las demás casas.

Durante nuestro recorrido vimos una casa cuya fachada estaba a punto de caerse. Algunas casas no habían sufrido daños por fuera, pero muchos de sus adornos adentro se habían quebrado.

Al poco rato, mamá nos dijo que entráramos y comiéramos algo. Casi no podíamos cocinar porque el gas salía muy despacio y no podíamos usar el fogón porque no había chimenea, así que desayunamos muy poco.

Por supuesto, no queríamos estar dentro de la casa, así que salimos. Al poco rato decidimos ir a la Alta Plaza, un parquecito a dos cuadras de distancia. Mamá entró a preparar algo de almuerzo para que lo comiéramos en el parque. Luego nos fuimos con los Thompson y los Mullins. Llevábamos unas mantas que pusimos en el césped para no mojarnos. Pasamos el rato haciendo guirnaldas de flores y a cada rato íbamos a ver el incendio que había en el distrito de la Misión. Nos parecía que estaba muy cerca y que toda la ciudad estaba en llamas. El incendio había empezado porque unas personas del distrito que se habían despertado temprano, prendieron el fogón y, cuando ocurrió el terremoto, el fuego se extendió a toda la casa.

Otro incendio comenzó en el valle de Hayes y creció y creció hasta juntarse con el otro.

Les preguntamos a unos hombres que venían del centro cómo era el incendio. Algunos dijeron que se dirigía hacia el puerto. La humareda del incendio era gris y roja, y cada vez que mirábamos nos parecía más grande.

Al poco rato almorzamos y pronto llegó un perrito que se comió nuestras sardinas en lata.

Al final de la tarde regresamos a casa y cenamos sólo unas pocas galletas, una taza de leche y un plato de chícharos que había quedado de una comida anterior.

Los Thompson se iban a quedar en el parque toda la noche y nosotros queríamos hacer lo mismo. Nos llevamos dos abrigos cada uno, algunas mantas, un colchón y una canasta con alimentos.

Vimos que los Thompson habían encontrado un buen lugar entre los arbustos, así que escogimos un lugar cerca de ellos. Los Mullins y otros de nuestros amigos estaban allí también. Algunos tenían carpas donde dormir.

A la mañana siguiente, como a las 5 y media, empacamos y nos fuimos a casa.

Todo el jueves la gente pasó con cargas sobre las espaldas. Algunos arrastraban baúles, otros llevaban perros y jaulas de canarios. La escena era muy divertida.

canario Pajarito verde o amarillo de lindo canto.

alpiste Semilla que sirve de alimento a los pájaros.

. . . Papá y yo fuimos a ver a la Sra. Thompson y le preguntamos si el incendio había cruzado la calle Van Ness. Alguien dijo que sí, y papá regresó y nos dijo que preparáramos nuestras cosas y saliéramos.

Cogí a mi pajarito Olé en una mano y su lata de alpiste en la otra, y salí. Hester cargaba muchas cosas y mamá también. Papá iba detrás con la ropa de cama y el colchón sobre la espalda.

. . . Llegamos cerca del Presidio con todas nuestras cosas.

Al poco tiempo, Hester y Papá llegaron con un baúl que llevaban sobre un carrito. Poco después un soldado nos dijo que debíamos entrar en el Presidio. Mamá y yo regresamos a casa a buscar más cosas. Francamente, no me gustaba pensar que nuestra casa se pudiera quemar totalmente. . . .

Cuando regresamos a donde habíamos dejado nuestras cosas, empezamos a llevarlas dentro del Presidio. Las cenizas del incendio caían por todas partes, pero en el sitio donde nosotros estábamos no caían tantas.

. . . Al rato vimos a Papá y al Sr. Kauser llegar con unos bultos. El Sr. Kauser había traído una caja de bizcochuelos de higos. El hombre le iba a cobrar 5 dólares, pero los rebajó a dos y medio. El hombre también le iba a cobrar un dólar por una botella de leche, pero la rebajó a 30 centavos. Pronto cenamos y nos fuimos a dormir.

Durante la noche me despertó una yegua que andaba suelta. Estaba muy cerca de nosotros, así que nos levantamos y traspasamos la pared de piedras. Hester tropezó con una roca, de la prisa que tenía.

El Sr. Kauser comenzó a perseguir a la yegua y la hizo correr aún más, pero papá trató de amansarla. Al poco rato se fue y, había otro caballo amarrado cerca de nosotros, pero ese no nos molestó. A la mañana los dueños de la yegua no la pudieron encontrar por ninguna parte, de manera que debió de haber desaparecido durante la noche.

Poco después, fui a ver en dónde estaban los Thompson y los Mullins. Vi sus mantas, pero no los vi a ellos. Más tarde alguien nos dijo que se habían ido a la Alameda.

Un poco más tarde regresamos a casa con nuestras cosas y descubrimos que el incendio sólo había cruzado Van Ness por la calle Bush y que estaba controlado. También venía hacia el puerto. Habían cortado el servicio de agua para que los bomberos pudieran usarla para apagar el incendio. Tomábamos agua directamente de las botellas, porque no había agua para lavar las tazas. Los hidrantes todavía tenían agua, pero había que hervirla antes de tomarla. Luego quedaba suficiente agua para fregar los platos.

El viernes hicimos un pequeño fogón de ladrillos en la calle. Algunas personas habían sacado los fogones de sus casas para cocinar.

No usamos servilletas para cenar porque se ensuciarían tanto que no quedarían limpias aunque se lavaran, así que usamos una sola servilleta que compartimos entre todos. . . .

Al rato regresó papá y entramos. Nos metimos en la cama con la ropa puesta. A la mañana papá fue al Presidio a buscar a nuestros amigos. No pudo encontrarlos, pero vio a algunas personas que habían perdido todas sus cosas en el incendio, así que papá les dio una alfombra, un colchón, algunas mantas y mi almohadita.

Después del almuerzo vio a una mujer que lloraba y le preguntó qué le pasaba. Ella le dijo que su esposo estaba en el Presidio y que lo estaba esperando. Dijo que su casa se había quemado y que no les quedaba casi nada. Papá le dijo que ella y su esposo podían usar un cuarto en nuestra casa. Al poco tiempo sonó el timbre de la puerta y ella nos entregó una nota que papá les había dado, en la que decía que podían usar el cuarto de Hester, si no estaba ocupado.

El Sr. y la Sra. Wood, como se apellidaban, fueron a buscar sus cosas y pronto regresaron a casa.

Todos seguimos cocinando en la calle, pero cada día la comida sabía mejor. Las ollas y las cacerolas se ensuciaron tanto que no creo que nadie las hubiera podido limpiar nunca.

© Con permiso del *San Francisco Chronicle*

Reconoce los hechos y las opiniones

¿Por qué?

Los progresistas, como Ellen Gates Starr, quien aparece en la foto de abajo, escribieron muchos artículos acerca de los peligros que corrían los niños al trabajar. Trataron de convencer a los legisladores de que protegieran a los niños. A veces informaban los hechos. A veces, daban sus opiniones.

Cuando alguien trata de convencerte de que hagas o pienses algo, es importante que reconozcas la diferencia entre un hecho y una opinión.

¿Cómo?

Un hecho es algo que es cierto. Se puede verificar o comprobar. Una opinión es algo que una persona cree que es cierto. No se puede verificar.

Fíjate en estas dos oraciones:

1. En el año de 1900, en las minas de carbón de Pennsylvania trabajaban muchachos de 16 años.
2. Creo que los muchachos de 16 años son demasiado jóvenes para trabajar.

La primera oración expresa un hecho. Puedes verificarlo en un almanaque. La segunda oración expresa una opinión. Dice lo que una persona cree que es cierto.

Las palabras como *creo, pienso, estoy de acuerdo con, no estoy de acuerdo con,* indican que lo que sigue es una opinión. En la segunda oración la palabra *creo* te indica que esta oración es lo que una persona opina que es verdad. Otras personas quizás no estén de acuerdo con ese punto de vista.

Practica

Lee las siguientes oraciones. Decide si cada una de ellas representa un hecho o una opinión. Para ayudarte a decidir, pregúntate si la oración se puede verificar y busca palabras indicativas como las que vimos.

1. En una fábrica de lana de Philadelphia, un niño ganaba sólo tres dólares a la semana.
2. Los niños menores de 16 años de edad deberían ir a la escuela en lugar de trabajar en fábricas.
3. Los reporteros vieron que había niños de seis años trabajando en las fábricas de conservas.
4. Estoy de acuerdo con que 15 horas de trabajo al día pueden hacer enfermar a un niño.
5. En las minas de carbón, el trabajo más peligroso era inclinarse sobre los pozos para separar el carbón de las otras piedras.

Aplícalo

Fíjate en un periódico. Busca dos oraciones que expresen hechos y otras dos que expresen opiniones. Trae estas oraciones a la clase. Pide a un compañero que decida cuáles son hechos y cuáles son opiniones.

L E C C I Ó N   3

Nuevos retos

¿Tienes cinco centavos? ¡Pues entonces vamos al cine! Es el año de 1915 y por cinco centavos puedes ir a uno de los primeros cines que se abrieron en el mundo. La gente está impaciente esperando a que se llene el teatro y a que comience la película. Los niños se mueven inquietos en sus asientos. El escenario tiene cortinas de terciopelo azul. A un lado, un pianista toca una alegre melodía. Finalmente se abren las cortinas y comienza el espectáculo.

¿Qué pasa? ¿No hay sonido? Claro que no, porque van a pasar una película muda. El pianista toca música alegre durante las escenas alegres y música triste durante las escenas tristes. Pero los espectadores van al cine a pasarlo bien, de modo que casi toda la película es divertida y hasta un poco tonta. Un policía se cae en un barril de harina, a alguien le tiran un pastel a la cara, una señora muy elegante se cae por un agujero del suelo, otro pastel a la cara, un ladrón que trata de escapar se cae por una chimenea llena de hollín y otra persona acaba con otro pastel en la cara. Al final, todos los actores de la película quedan untados con crema de pastel. Y el público ríe divertido.

TEMA
CENTRAL

¿Qué acontecimientos ayudaron y perjudicaron a California entre 1917 y 1940?

Términos clave

- turismo
- Cuenca Polvorienta
- Gran Depresión
- Nuevo Trato

◄ *A principios del siglo 20 el público acudía a montones a ver las películas. En todo el país se abrían cines como el International Theatre de Los Ángeles que vemos en la foto.*

Crecimiento durante la guerra y durante la paz

Al público de principios de este siglo le gustaban estas películas. Lo ayudaban a olvidarse de los problemas que tenían. En 1917 los Estados Unidos entraron en la Primera Guerra Mundial. Aunque la lucha sucedía en Europa, varias familias estadounidenses perdieron al padre, a los hermanos y a los hijos en las batallas. Pero la guerra también trajo crecimiento y desarrollo. Las industrias de California producían comida para las tropas, algodón para los uniformes, petróleo para las máquinas de guerra y barcos para la marina.

El auge del cine

La industria del cine también se benefició con la Primera Guerra Mundial. Mucha gente iba al cine a divertirse y a olvidar la guerra. En California el cine se convirtió en una gran industria. El clima y la belleza de California atrajeron a muchos directores de cine. Se construyeron muchos estudios en la ciudad de Hollywood. Cuando acabó la guerra en 1918, creció aún más. A finales de la década de 1920 las películas mudas fueron reemplazadas por películas sonoras. Estas películas trajeron más dinero y empleos a Hollywood y los artistas de cine se hicieron ricos y famosos.

Además, gracias al cine, llegaban visitantes al estado para ver los estudios y los actores. El **turismo,** o hacer viajes por placer, se estaba convirtiendo en una gran industria. Las industrias del turismo, del cine, del petróleo y de la agricultura hicieron crecer a California en la década de 1920. Pero se acercaban tiempos difíciles. ■

¿Cómo creció California durante la Primera Guerra Mundial y después?

En los primeros estudios de cine todo el mundo aprendía los trucos de esta nueva industria. Buster Keaton, sentado en el carro, fue uno de los actores más graciosos y populares de las películas mudas.

La depresión y el sueño de California

No podías escaparte del polvo. Lo sentías en la piel, en los ojos, en la boca y hasta en los pulmones. Las tormentas de polvo se veían a millas de distancia, como gigantescas nubes oscuras y amenazadoras.

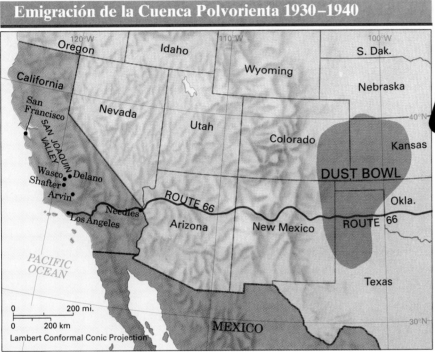

Emigración de la Cuenca Polvorienta 1930–1940

◀ *Numerosas familias de Kansas y Oklahoma, estados ubicados en la Cuenca Polvorienta, siguieron la carretera 66 a través de New Mexico y Arizona para llegar a California.*

Estas tormentas azotaban la región que ves en este mapa, llamada la Cuenca Polvorienta *(Dust Bowl)*. La **Cuenca Polvorienta** era una región de 50 millones de acres en medio de los Estados Unidos, azotada por las tormentas de polvo en las décadas de 1920 y 1930. La causa principal de tanto polvo era la sequía, que es un período largo sin lluvias. La sequía dejaba el suelo muy seco y el viento levantaba la tierra formando cortinas de polvo gigantescas. Estas tormentas de polvo destruyeron muchas granjas.

La Gran Depresión perjudica a los trabajadores

Al mismo tiempo sucedía otro grave acontecimiento: la Gran Depresión. La **Gran Depresión** fue una época en la que muchos trabajadores se quedaron sin trabajo. La gente no tenía dinero para pagar sus cuentas ni alimentar a sus familias. A causa de la Gran Depresión y de la Cuenca Polvorienta, muchas familias perdieron sus casas, sus granjas y sus negocios. Algunas perdieron tanto que pensaron en marcharse y empezar una nueva vida en otro lugar. California parecía ser el lugar adecuado.

En las películas, todos los habitantes de California se veían ricos y felices. Atraídas por esta imagen de California, muchas familias

243

HISTORIA *Dorothea Lange foto-grafió las dificultades de la depresión y los esfuerzos heroi-cos de las familias para sobrevivir. Sus famosas foto-grafías de la Cuenca Polvorienta son un recuerdo de este triste período de la historia.*

de otros estados más pobres cargaban sus carros con todo lo que poseían y viajaban al oeste siguiendo la carretera 66, la autopista principal que va desde el este hasta California.

Las familias llegaban a los pueblos agrícolas de California con la esperanza de encontrar trabajo en las granjas. Hombres, mujeres y niños trabajaban en los campos, muchas veces ganando tan sólo 90 centavos al día. En su libro *Blue Willow* (Sauce azul), la escritora Doris Gates cuenta la historia de Janey Larkin, la hija de unos granjeros de la Cuenca Polvorienta que se fueron a California. La casa de Janey en la historia era como las casas en las que tenían que vivir los trabajadores agrícolas de esa época.

Era igual que el interior de un gallinero y no mucho más grande que éste. En una esquina había una cama de hierro con más herrumbre que pintura. Tenía colocado encima el colchón que había viajado sobre el carro de los Larkin . . . Al otro lado estaba la estufa, tan oxidada como la cama. Dos sillas colocadas una frente a la otra eran la base para una tina para lavar. El único mueble restante era una mesa chueca.

Junto a los ríos, cerca de las granjas, había campamentos con docenas de casas como la de Janey. Había poca comida y pocos cuartos de baño. Las familias se trasladaban de un pueblo a otro, siguiendo las cosechas. Recogían algodón durante una estación y papas o remolachas durante la siguiente. Los niños iban a la escuela cuando podían.

La vida en California no era como en las películas. Pero era mejor que morirse de hambre y por eso seguían llegando más familias. ■

■ *¿Cómo afectaron la Cuenca Polvorienta y la Gran Depresión a California?*

➤ *Dorothea Lange tomó esta foto de una familia sin hogar en 1938. Algunas familias pasaban tanta hambre que vendían sus carros para comprar comida. Luego tenían que caminar de pueblo en pueblo, buscando trabajo.*

Ayuda para los necesitados

A principios de la década de 1930 la nación estaba desesperanzada. No había trabajo; sólo había hambre y sufrimiento. Cuando Franklin Delano Roosevelt fue elegido presidente en 1933, prometió al país "un nuevo trato". El **Nuevo Trato** era el nombre de un conjunto de programas creados por Roosevelt para dar esperanza al país y levantarlo de la Gran Depresión. Esos programas crearon empleo para miles de personas en la construcción de carreteras, canales y parques en todos los Estados Unidos.

Construcción de un puente

Cuando el presidente Roosevelt anunció al país su Nuevo Trato, California ya había empezado a dar trabajo a muchas personas en una obra muy importante. Por encima de las aguas heladas de la bahía de San Francisco tomaba forma una estructura gigantesca. Era el magnífico puente Golden Gate.

Se necesitaron miles de personas y cuatro años para construir el puente de casi dos millas de largo. El trabajo fue duro y peligroso, pero los trabajadores que no habían tenido empleo en varios años estaban agradecidos.

Los trabajadores sabían que estaban construyendo "la estructura más grande del mundo", como les gustaba llamar al puente. Eso los hacía sentir muy orgullosos. El puente Golden Gate se terminó de construir en el año de 1937. Era un símbolo de la fuerza que sacaría al país de la Gran Depresión. ■

Los trabajadores del puente Golden Gate peleaban con el fuerte viento y con la niebla. Entre ellos y el agua helada sólo había una red. Durante el proyecto murieron once trabajadores.

■ ¿Cómo ayudó el Nuevo Trato a California?

R E P A S O

1. **TEMA CENTRAL** ¿Qué acontecimientos ayudaron y perjudicaron a California entre 1917 y 1940?

2. **RELACIONA** ¿Por qué crees que el petróleo y la tecnología ayudaron a fomentar el turismo a principios del siglo 20?

3. **HISTORIA** ¿Por qué California atraía a los granjeros de la Cuenca Polvorienta?

4. **RAZONAMIENTO CRÍTICO** ¿Por qué era importante levantar el espíritu de la nación durante la Gran Depresión?

5. **REDACCIÓN** Imagínate que eres de una familia de la Cuenca Polvorienta. Escribe en tu diario qué sientes al marcharte de ahí y empezar una vida nueva en California.

Una California mejor

Repaso del capítulo

Repasa los términos clave

acueducto (p. 228)
canal (p. 230)
Cuenca Polvorienta (p. 243)
Gran Depresión (p. 243)

Nuevo Trato (p. 245)
progresistas (p. 238)
soborno (p. 237)
turismo (p. 242)

A. Escoge el término clave que complete mejor cada oración.

1. Durante la _____, las compañías cerraron y los trabajadores se quedaron sin trabajo.

2. Los _____ trabajaban para crear una sociedad y un gobierno mejores.

3. El viento y la falta de lluvia crearon una _____en Oklahoma y Kansas.

4. El _____ y la industria del cine trajeron muchos visitantes a California.

5. El presidente Franklin Delano Roosevelt creó un programa llamado el_____ para superar los problemas del país.

6. El _____ de Los Ángeles es una tubería gigantesca que lleva el agua hasta la ciudad.

B. Escribe una oración para cada uno de estos pares de palabras:

1. progresistas, sobornos
2. canal, Panamá
3. acueducto, río Owens

Estudiemos los conceptos

A. Completa la tabla de abajo en una hoja aparte usando la información del capítulo.

B. Apoya cada una de las oraciones siguientes con dos detalles de este capítulo.

1. El auge del petróleo cambió la vida de muchos californianos.

2. Los habitantes del valle Owens y de la ciudad de Los Ángeles tenían grandes desacuerdos a causa del agua.

3. Un buen transporte marítimo era importante para Los Ángeles.

4. Después del terremoto de 1906, los habitantes de San Francisco tuvieron que reconstruir su gobierno, además de su ciudad.

5. Los progresistas de California ayudaron a los trabajadores a conseguir protección.

6. La Gran Depresión fue una época muy difícil para mucha gente.

7. El Nuevo Trato y sus programas contribuyeron a sacar al país de la Gran Depresión.

Lugar	Problema	Causa	Solución
Los Ángeles	La ciudad necesitaba agua.		
San Francisco	El gobierno de la ciudad era deshonesto.		
Los Estados Unidos	Muchos trabajadores perdieron su empleo.		

Repasa las destrezas

1. La tabla de la derecha indica cuántos barriles de petróleo produjeron cinco estados
en el año de 1910. Usa esta información
para hacer una gráfica de barras. Contesta
estas preguntas: ¿Qué representan las barras
de tu gráfica? ¿Por qué las gráficas de barras son adecuadas para organizar
información?

2. Fíjate en estas dos oraciones. ¿Qué oración
expresa un hecho y cuál expresa una
opinión?

a. Creo que Hiram Johnson fue un buen
alcalde de San Francisco.

b. El canal de Panamá abrió un camino más
corto entre los océanos Atlántico y
Pacífico.

3. Supongamos que quieres leer más sobre el

Producción de petróleo, 1910	
Estado	**Barriles de petróleo**
California	73 millones
Illinois	33 millones
Oklahoma	52 millones
Texas	9 millones
West Virginia	12 millones

presidente Franklin D. Roosevelt. ¿Qué
libros te servirían para averiguar más al
respecto?

4. ¿Qué clase de ficha de la biblioteca te ayudaría a encontrar otro libro de Doris Gates?

Usa tu razonamiento crítico

1. Imagínate que no existiera el acueducto de
Los Ángeles. ¿Por qué sería diferente la
vida para la ciudad de Los Ángeles y para el
valle del río Owens?

2. Ciudadanas como Charlotte Perkins Gilman
convencieron a los legisladores de que cam-
biaran ciertas leyes del gobierno escribiendo
artículos en periódicos y revistas. Ésa era su

forma de presionar al gobierno. ¿Qué otras
maneras tienen los ciudadanos de los Estados Unidos en la actualidad para cambiar su
gobierno?

3. Los programas del Nuevo Trato creado por
el presidente Roosevelt mejoraron mucho al
estado de California. ¿Qué mejoras te gustaría ver en California hoy en día?

Para ser buenos ciudadanos

1. **REDACCIÓN** Escribe una carta a un funcionario o una funcionaria del gobierno
acerca de un problema de tu ciudad o
pueblo. Describe el problema y da una posible solución. Trata de convencerlos de que
hagan algo para cambiar esa situación.

2. **ACTIVIDAD DE GRUPO** Imagínate que tienes la
oportunidad de planear tu propia ciudad.
Trabaja en un grupo para hacer un mapa de
tu ciudad. Piensa qué recursos humanos y
naturales necesita esa ciudad y cómo estará
unida al resto del país. Usa símbolos y una

leyenda para el mapa y ponle nombre a tu
ciudad. Cada grupo debe describir ante la
clase la ciudad que diseñó.

3. **TRABAJO EN EQUIPO** Toda la clase va a planear una película acerca del viaje de una
familia de granjeros desde la Cuenca
Polvorienta hasta California. En grupos
pequeños preparen escenas que describan
las casas que dejaron atrás, su viaje a California y el campamento adonde llegan.
Indiquen en la película cómo ha cambiado
la vida de la familia.

Capítulo 11

Más allá de la Segunda Guerra Mundial

Entre los años de 1931 y 1945, los Estados Unidos pasaron por una depresión y una guerra. Cuando terminó la Segunda Guerra Mundial todo el mundo quería vivir mejor. Las nuevas industrias de California hicieron que el estado cambiara y progresara. Por eso llegó más gente a California, buscando el estado de la belleza, del sol, de las nuevas industrias y de los inventos.

Después de la guerra las familias comenzaron a aumentar. Los niños que crecieron entre los años 1950 y 1959 disfrutaron de una infancia muy diferente a la de sus padres.

1950 Las autopistas unen a las nuevas urbanizaciones de California. Empieza un nuevo estilo de vida.

| 1940 | 1945 | 1950 |

1945 Termina la Segunda Guerra Mundial.

1940

Hacia el año de 1966 ya había un televisor en la mayoría de los hogares de los Estados Unidos. La televisión cambió la vida de las familias e impulsó las películas de Hollywood.

8 out of 10 owners say, "De Soto is the most satisfactory car I ever owned"

Este anuncio de una revista muestra un carro marca DeSoto, nuevo y brillante. Los carros grandes y cómodos eran una parte importante de la vida en los suburbios de California.

1955   1960   1965

1955 Se abre el primer parque Walt Disney en Anaheim.

1965

LECCIÓN 1

California vive la guerra

¿Cómo cambió la Segunda Guerra Mundial la vida en California?

Términos clave

- manufactura
- astillero

➤ *Un niño estadounidense de origen japonés sentado en una maleta, espera a que lo envíen a un campamento de internamiento.*

Sacrificamos el carro nuevo, la magnífica cocina de gas, la nevera, la aspiradora, las alfombras, el sofá y el resto de los muebles de la casa. Papá tenía una hermosa colección de peces tropicales. . . . Poco a poco la casa se fue quedando desocupada y todos los sueños que habíamos planeado para ti tuvieron que cambiar.

Ellen Kiskiyama escribió estas palabras a su hijo Arthur en 1942, cuando era apenas un bebé, para que cuando él creciera supiera las cosas tan dolorosas por las que había pasado su familia en esa época.

Todo empezó el 7 de diciembre de 1941. Los Kiskiyama escucharon en la radio la terrible noticia. Los japoneses habían bombardeado una base militar estadounidense en Pearl Harbor, Hawaii. Los Estados Unidos declararon la guerra al Japón. Ellen Kiskiyama, una estadounidense de origen japonés, estaba asustada y muy preocupada. ¿Qué le pasaría a su familia? Sus amigos le dijeron que no se preocupara, porque los Kiskiyama eran ciudadanos estadounidenses y no habían hecho absolutamente nada malo.

Pero la señora Kiskiyama tenía razón de estar preocupada. Ella y su familia tuvieron que presentarse en una oficina del gobierno, vender todo lo que poseían y trasladarse a un campamento de internamiento en Wyoming. Así como los Kiskiyama, miles de personas que eran de origen japonés estuvieron encerradas en estos campamentos hasta el final de la guerra.

La guerra en el Pacífico causa temor

El ataque sorpresivo del Japón a Pearl Harbor costó la vida a 3,700 personas. Las bombas destruyeron 18 barcos y 170 aviones. Al día siguiente los Estados Unidos declararon la guerra al Japón y entraron en la Segunda Guerra Mundial. Los estadounidenses estaban enojados y asustados, y los californianos estaban especialmente preocupados.

California está frente al Japón, atravesando el océano Pacífico. Algunos esperaban ver aviones japoneses sobre Los Ángeles en cualquier momento. Temían que los estadounidenses de origen japonés ayudaran al Japón a invadir al país. Por eso el gobierno de California le pidió al gobierno federal que estableciera campamentos de internamiento.

Desde 1942, hasta que el Japón perdió la guerra en 1945, más de 100,000 estadounidenses de origen japonés estuvieron encerrados en los polvorientos y tristes campamentos construidos en los desiertos de California, Arizona, Utah y otras regiones lejos de la costa. Vivían en edificios de concreto, acero o madera, rodeados de alambre de púas y vigilados permanentemente por soldados para evitar que alguien escapara.

Muchos de los que estaban encerrados se preguntaban por qué los tenían allí. No tenían ninguna intención de ayudar al Japón a invadir la costa oeste. Por el contrario, los estadounidenses de origen japonés fueron muy leales al país durante la Segunda Guerra Mundial. Por fin muchos años después, el gobierno se dio cuenta de que había cometido un grave error y una gran injusticia, pero en aquel entonces sólo se preocupaba por defender la costa. ■

La guerra origina nuevos empleos

Para luchar en la guerra, los Estados Unidos necesitaban alimentos para los soldados y petróleo para los aviones y los tanques. Igual que en la Primera Guerra Mundial, California proporcionó muchas de estas cosas. La Segunda Guerra Mundial hizo surgir en el estado una enorme industria de manufactura. La **manufactura** es el proceso de convertir materiales en productos acabados. Por ejemplo, los aviones y los barcos están hechos de acero. En la página 311 de la Minienciclopedia podrás averiguar más sobre la industria de la manufactura en California.

▼ *Las noticias sobre Pearl Harbor sacudieron a la nación. Todo el país se unió para ganar la guerra.*

LIFE

ANNAPOLIS · JUNE WEEK

IN THE NEWS

Los Angeles Examiner WAR EXTRA

COAST RAID ALARM!
PHILIPPINES INVADED

■ *¿Por qué la Segunda Guerra Mundial causó tanto miedo en California?*

▼ *Las mujeres ayudaron mucho durante la guerra fabricando armas y maquinaria. Esta mujer, por ejemplo, une piezas de metal con un soplete.*

▼ *En la foto aparece un modelo de los barcos Liberty que construía Henry Kaiser. Estos enormes barcos llevaban suministros de guerra a todo el mundo. Con el fin de tener suficiente acero para fabricar estos barcos, Kaiser creó la compañía Kaiser Steel, en Fontana.*

El país necesitaba rápidamente muchos barcos para poder luchar en el mar y para transportar soldados y provisiones. Si no tenía suficientes barcos, perdería la guerra.

El presidente Roosevelt pidió la ayuda de Henry Kaiser, un ingeniero que a pesar de no haber fabricado barcos, era famoso por haber dirigido muchos proyectos importantes y difíciles, como la construcción de la represa Hoover.

Respondiendo al llamado del presidente, Kaiser empezó a fabricar barcos tipo Liberty en sus cuatro **astilleros** de Richmond, localizados en la bahía de San Francisco. Un astillero es un sitio donde se fabrican barcos. Durante la guerra los trabajadores de Kaiser fabricaron casi unos 700 barcos en esos astilleros. Cada barco Liberty pesaba 10,000 toneladas, pero construirlo era como armar un juguete. Cada parte del barco tenía un número. Los trabajadores unían una parte numerada con la siguiente y podían hacer un barco Liberty en tres días y medio. Antes de la guerra, el mismo trabajo se hubiera demorado un año.

Oportunidades para las mujeres

Con la guerra la industria creció velozmente en California. Las fábricas de aviones y los astilleros emplearon a 600,000 personas. California necesitaba más trabajadores. Antes de la guerra, en las fábricas trabajaban sobre todo hombres, pero ahora muchos de ellos se habían ido a luchar y las compañías tuvieron que ofrecer empleo a las mujeres.

Antes de la Segunda Guerra Mundial casi todas las mujeres se quedaban en la casa cuidando la familia, pero ahora tenían que unirse a la causa de la guerra. Algunas fueron al extranjero con el ejército y manejaron jeeps o trabajaron en almacenes y hospitales. Otras se quedaron y trabajaron en fábricas y astilleros. Las mujeres hacían toda clase de trabajos, como poner remaches de acero en los barcos con herramientas pesadas.

UNITED STATES MARITIME COMMISSION
LIBERTY SHIP
BUILT AND ENGINEERED UNDER THE DIRECTION OF
ADMIRAL E.S. LAND AND ADMIRAL H.L. VICKERY
BY THE
OREGON SHIPBUILDING CORPORATION
PORTLAND, OREGON

La guerra cambió la vida de muchas mujeres. Marguerite Hoffman, por ejemplo, trabajó en la Douglas Aircraft de Los Ángeles. Al hablar de esta experiencia Marguerite dice: "Aprendí a valerme por mí misma, trabajando al lado de muchos hombres todos esos años en la Douglas".

Oportunidades para los negros

Las compañías necesitaban tantos trabajadores, que tomaron otra decisión importante. Comenzaron a contratar empleados negros. Antes de la guerra muchas compañías se negaban a contratarlos, pero durante el año de 1942, cuando los astilleros comenzaron a emplearlos, cada mes llegaban a California 10,000 negros desde el Sur y el Este de los Estados Unidos. Los negros crearon nuevas comunidades en Oakland, cerca de San Francisco, y en San Pedro, cerca de Los Ángeles.

La Segunda Guerra Mundial fue un período difícil en la historia del país, pero muchos californianos se sentían orgullosos. Estaban unidos para ayudar al país. Además, con la guerra terminó la Gran Depresión porque se crearon nuevos empleos. La manufactura se convirtió en una industria importante en California. ■

En otros tiempos

La Segunda Guerra Mundial se vivió en todo el mundo. Los Estados Unidos estaban en guerra no sólo con el Japón, sino también con Alemania e Italia. Sin embargo, hoy en día todos esos países son amigos.

■ *¿Por qué las fábricas contrataron a nuevos grupos de trabajadores durante la Segunda Guerra Mundial?*

REPASO

1. **TEMA CENTRAL** ¿Cómo cambió la Segunda Guerra Mundial la vida en California?

2. **RELACIONA** ¿Por qué la guerra puso fin a la Gran Depresión?

3. **HISTORIA** ¿Cómo cambió la guerra la vida de las mujeres de California?

4. **RAZONAMIENTO CRÍTICO** ¿Por qué el sistema de Kaiser mejoró la construcción de barcos?

5. **REDACCIÓN** Imagínate que tienes que dejar tu casa y todo lo que tienes, y mudarte al desierto. Escribe una carta a un amigo o una amiga contándole la experiencia.

Cómo hacer una entrevista

¿Por qué?

Algunos de tus parientes y vecinos vivieron durante la Segunda Guerra Mundial. Quizás alguno de ellos trabajó en una fábrica haciendo productos para la guerra. Puedes entrevistarlos para averiguar más sobre esa guerra.

¿Cómo?

¿Has visto una entrevista en la televisión? Es como una conversación entre dos personas. El entrevistador hace preguntas y el entrevistado las contesta.

En una entrevista es importante hacer las preguntas adecuadas para conseguir la información que deseas. La siguiente guía puede servirte para hacer una entrevista.

1. Decide primero qué es lo que quieres saber.
2. Haz preguntas que empiecen con *¿quién, qué, dónde, cuándo, por qué, cómo?* Así no te podrán responder solamente *sí* o *no* y podrás averiguar muchas más cosas.
3. Explica a la otra persona la razón de tu entrevista.
4. Haz las preguntas con claridad y escucha atentamente las respuestas.
5. Toma apuntes pero no escribas todo lo que escuchas. Escribe sólo las palabras suficientes para recordar lo que dijo esa persona.
6. Si no entiendes una respuesta, haz más preguntas para entenderla.
7. Da las gracias al final.
8. Repasa tus apuntes y escribe un resumen de lo más importante.

Practica

Trabaja con una compañera o un compañero. Por turnos entrevístense el uno al otro sobre su actividad preferida. Elaboren una lista de preguntas y sigan la guía.

Aplícalo

Entrevista a un familiar o vecino mayor acerca de su experiencia durante la Segunda Guerra Mundial. Puedes preguntar lo siguiente:
1. ¿Dónde vivía durante la guerra?
2. ¿Cambió su vida con la guerra?
3. ¿Tuvó experiencias interesantes?

1. ¿Dónde vivía durante la guerra?
2. ¿Cambió su vida con la guerra?
3. ¿Pasó por alguna experiencia interesante?

L E C C I Ó N   2

Avanzan la ciencia y la tecnología

¿Sería esto posible? ¿Podría una persona viajar a una velocidad supersónica, es decir, más rápido que el sonido? Cuando un piloto británico lo intentó en 1947, su avión explotó. Ahora Chuck Yeager, piloto de pruebas de la base aérea de Edwards, iba a arriesgar la vida para intentarlo de nuevo.

En octubre de 1947 Yeager voló en un jet secreto de la marina, el X-1. En su autobiografía de 1985, *Yeager,* describe así la experiencia:

> El X-1 vuela como un pájaro. Me muevo en un silencio total; el único sonido es mi propia respiración a través de la máscara de oxígeno. Mi avión es delicado y se deja pilotear en forma maravillosa. El viaje es tan fabuloso que ojalá no acabara nunca.

El 14 de octubre, una semana más tarde, Yeager subió nuevamente a la cabina del avión X-1. Cada vez que encendía uno de los cuatro motores, una llamarada de 20 pies de largo brotaba del avión. El X-1 subió a 45,000 pies de altura y Yeager notó que cuanto más rápido volaba, más suave era el vuelo. De pronto, la aguja del velocímetro alcanzó las 700 millas por hora y no sucedió nada malo. Había tenido éxito.

Yeager casi no podía creer que el X-1 volara a velocidad supersónica, más rápido y más alto de lo que ningún piloto había volado antes. Debajo de él un ruido tremendo sacudió el desierto. Era una onda sonora, es decir, el ruido causado por una onda de choque cuando un objeto alcanza la velocidad del sonido. Era la primera vez que se oía aquel ruido. El X-1 le dio a Yeager la oportunidad de tener un lugar en los libros de historia.

T E M A
CENTRAL

¿Qué beneficios trajo la nueva tecnología a California entre 1945 y 1965?

Términos clave

- aviación
- industria aeroespacial

Chuck Yeager pasó muchos años en la base de Edwards probando nuevos aviones.

La ciencia rompe barreras

Acabó la guerra y los viejos aviones fueron a parar al depósito de chatarra. Estaba comenzando una nueva era de la aviación. La **aviación,** o sea la construcción y pilotaje de aviones, se convirtió en una industria gigantesca en California después de la Segunda Guerra Mundial.

Una de las razones del crecimiento de la aviación fue la invención del jet, o avión a reacción. El gobierno escogió la base aérea de Edwards en el desierto de California como base principal para probar los nuevos aviones. Allí las pruebas se podían hacer en secreto por ser un lugar apartado y encontrarse a campo abierto.

California tenía todos los recursos necesarios para la aviación. Tenía universidades donde trabajaban científicos de todo el mundo, que crearon diseños mejores y motores más potentes para los aviones. California también tenía industrias de manufactura que habían crecido durante la última guerra, donde se podían hacer aviones a reacción en lugar de los viejos aviones de guerra. Otras compañías fabricaban las piezas para motores y otras el acero.

Los nuevos aviones como el que pilotó Yeager podían volar muy alto. Pero eso no bastaba: se quería llegar más allá del cielo y entrar a la oscuridad del espacio. Por eso se ideó la tecnología de cohetes. La industria de California que empezó a diseñar y probar cohetes recibió el nombre de **industria aeroespacial.** Esta palabra combina los aviones y las naves espaciales. En la sección "Visto de cerca" leerás sobre la historia de la industria aeroespacial de California.

Historia aeroespacial

De los aviones a las naves espaciales, California ha sido la pionera de la ingeniería aeroespacial. Estas tres aeronaves representan tres épocas distintas de la historia aeroespacial.

Los aviones de hélice se elevan al cielo. En la década de 1920, T. Claude Ryan de San Diego construyó el *Spirit of St. Louis.* Su piloto, Charles Lindbergh, fue la primera persona que cruzó por aire el océano Atlántico.

Nuevas profundidades

Mientras los pilotos exploraban el cielo, el investigador Francis P. Shepard se dedicaba a explorar el fondo del mar. Shepard pasó casi 30 años en la costa de San Diego investigando los grandes valles, volcanes, cañones y montañas que se encuentran en el suelo del océano.

Shepard sabía que el fondo del mar era muy hermoso, pero lamentablemente no podía verlo. Se podía imaginar cómo era el fondo del mar gracias a sus instrumentos científicos, sus mediciones y lo que simplemente podía adivinar. Los buceadores ya no podían bajar más, pero Shepard quería ir todavía más lejos.

En 1964 lo consiguió. Shepard fue el primer científico estadounidense que exploró el fondo del mar en un submarino especialmente diseñado por el famoso explorador francés Jacques Cousteau para alcanzar grandes profundidades marinas. Este submarino le permitió a Shepard bajar a 800 pies de profundidad. Por la ventanilla del submarino vio al descender plantas y peces con los colores del arco iris. Por fin podía ver ese mundo misterioso que había estudiado durante casi toda su vida. En sus anotaciones decía: "Es un mundo tan extraordinario, que le quita a uno el aliento". ∎

▼ *Cuando Shepard exploró el fondo del océano vio, entre otras cosas, bancos de peces, esponjas de colores brillantes y un paisaje rocoso.*

■ *¿Cómo se desarrollaron y cambiaron la aviación y la ciencia en California después de la Segunda Guerra Mundial?*

Las **bombas** envían combustibles a la cámara.

Las **válvulas** controlan el paso del combustible.

En la **cámara** los combustibles se mezclan y se queman.

Los **tanques de combustible** contienen los dos combustibles líquidos.

California voló a la era del jet.

El avión a reacción *X-15*, diseñado y construido en California en la década de 1950, tenía un motor de cohete que le daba más potencia y alcance. En los motores de cohetes, dos combustibles líquidos se mezclan y arden. Los gases escapan rápidamente a altas temperaturas y el reactor avanza velozmente.

En la década de 1960 llegó la era espacial.

El Instituto de Tecnología de California ideó los cohetes que llevaron a los astronautas estadounidenses a la Luna. En la década de 1970, los científicos crearon el *Voyager 2* que años más tarde envió a la Tierra fotos de los anillos de Saturno y de las lunas heladas de Neptuno.

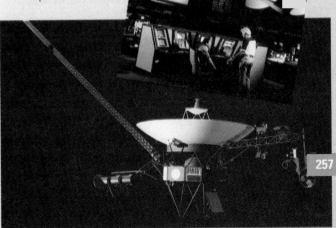

257

Se fortalece la agricultura

Desde que se inventaron las máquinas, nos hemos preguntado si la tecnología podrá reemplazar a los seres humanos. En el caso de la agricultura de California, los trabajadores y las máquinas trabajaron unidos después de la Segunda Guerra Mundial.

La parte humana de las granjas de California había cambiado muy poco desde los días de los hortelanos chinos y de las familias de la Cuenca Polvorienta. Las granjas necesitaban trabajadores migratorios para sembrar, cuidar y recoger las cosechas. Durante muchos años estos trabajadores vinieron de México. Viajaban con el cambio de las estaciones del año por la ruta que indica el mapa.

▼ *Este mapa te ayudará a entender cómo afectaba el clima la ruta que seguían los trabajadores migratorios.*

Ruta de los trabajadores migratorios en California, 1940–1964

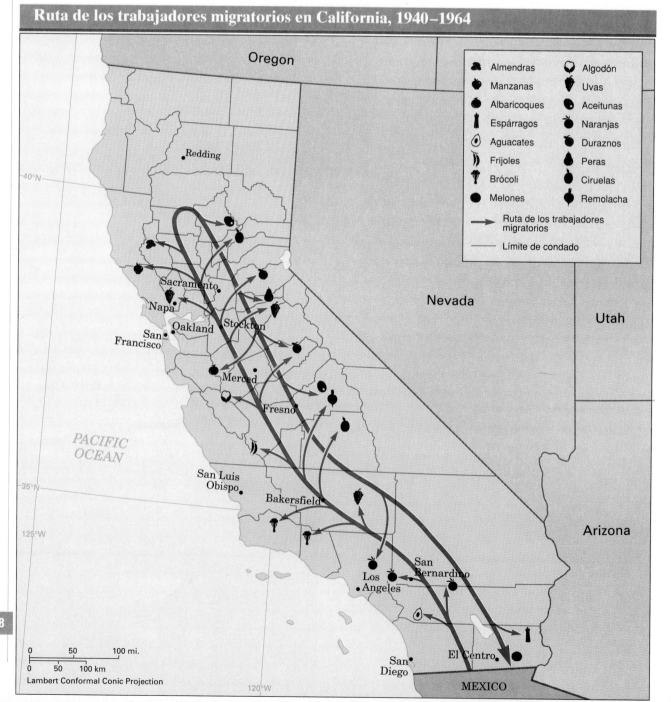

◀ *Los agricultores usan máquinas para envasar tomates en esta fábrica de conservas de Sacramento. California es el líder del país en la industria del tomate y en la producción y venta de almendras.*

A los agricultores siempre les preocupaba si tendrían suficientes trabajadores para recoger las cosechas. Esta preocupación originó dos cambios importantes en las granjas de California. Uno fue el programa de los braceros. Como parte de este programa, México acordó proporcionar trabajadores llamados "braceros" a los agricultores de California. A cambio, los agricultores prometían darles alimento, casa y salario.

El desarrollo de la ciencia y la tecnología en las universidades de California también ayudó a mejorar la agricultura en esta época. Por ejemplo, en la década de 1940 una extraña enfermedad destruyó casi toda la cosecha de naranjas del estado. Después de dos años de estudios, el programa experimental de cítricos de la Universidad de California, en Riverside, encontró un remedio que salvó la industria de las naranjas.

La investigación en las universidades llevó además a inventar máquinas agrícolas mejores y más veloces. Por ejemplo, se inventó una nueva recolectora de tomates tan delicada que podía recoger un huevo y ponerlo en una caja sin romperlo. Otra máquina podía sacudir las frutas y nueces maduras de los árboles. Gracias a las máquinas y a los trabajadores, la industria agrícola de California se convirtió en la mayor y más variada de la nación. ■

■ *¿Cómo cambió la agricultura de California después de la Segunda Guerra Mundial?*

R E P A S O

1. **TEMA CENTRAL** ¿Qué beneficios trajo la nueva tecnología a California entre 1945 y 1965?

2. **RELACIONA** ¿Por qué crees que la industria de la aviación se desarrolló en California después de la Segunda Guerra Mundial, pero no la construcción de barcos?

3. **ECONOMÍA** Explica cómo ayudaron los braceros al crecimiento de la agricultura de California.

4. **RAZONAMIENTO CRÍTICO** ¿Qué encontró Francis Shepard cuando exploró el fondo del océano?

5. **ACTIVIDAD** Haz un dibujo de unos buceadores explorando el fondo del mar.

Más allá de la Segunda Guerra Mundial

L E C C I Ó N   3

Nuevos modos de vivir

TEMA CENTRAL

¿Qué diferencias había entre la vida en los suburbios y la vida en las ciudades después de la Segunda Guerra Mundial?

Términos clave

- suburbio
- congestión de tráfico

➤ *En la década de 1950 se pensaba que el plástico era un material que duraba para siempre. La casa del futuro en forma de burbuja estaba hecha casi totalmente de plástico. Hasta los muebles eran de plástico.*

"Algún día, el teléfono de botones reemplazará al teléfono de disco". El maravilloso teléfono de botones fue uno de los inventos modernos que se exhibían en la casa del futuro del parque de diversiones Walt Disney en 1957. Hoy en día nadie se detendría a mirar ese teléfono, pero en esa época parecía algo realmente asombroso. La casa del futuro estaba llena de inventos que nadie había visto antes. ¡Hasta un triturador de basuras y un horno de microondas! Casi toda la casa estaba hecha de plástico. Este nuevo material de construcción parecía limpio y moderno. Los visitantes estaban muy sorprendidos.

¿Tú no te sorprendes? Pues piensa en estos otros inventos. El lavaplatos usaba ondas sonoras para despegar la comida de los platos. En cada habitación había un panel electrónico que controlaba la temperatura del aire y perfumaba el ambiente con esencia de pino o de flores. El horno desaparecía en la pared al tocar un botón. Estos diseños de hace 30 años siguen siendo modernos incluso hoy en día.

A Walt Disney le encantaban las ideas nuevas. Cuando construyó su parque en 1955 quería que fuera un lugar lleno de fantasía y diversión. Pero en su Casa del Futuro, Disney no sólo buscaba divertir a sus visitantes sino que también celebraba el progreso del ser humano.

El crecimiento de los suburbios

Walt Disney no era el único que estaba fascinado por la nueva tecnología de su época. En aquellos años muchas cosas que ahora nos parecen comunes, como las neveras y las autopistas, eran verdaderas novedades. Después de los años de depresión y de guerra, vino un período de progreso. La gente quería entonces una vida cómoda, buenos empleos y casas modernas.

California tenía todos los ingredientes para ofrecer esa clase de vida. El estado tenía suficiente espacio, era hermoso y cálido y, lo más importante, había trabajo. Las industrias, como la industria aeroespacial, ofrecían sueldos muy altos a los licenciados. Después de la guerra, estas oportunidades atraían a California a 1,500 personas al día. En la página 311 de la Minienciclopedia podrías ver con qué rapidez creció la población de California.

Los nuevos californianos construyeron miles de casas. Hasta entonces las casas normalmente se construían de una en una, pero ahora se necesitaban muchas a la vez. Los constructores edificaron cientos de casas, todas iguales, que se levantaban una junto a la otra en terrenos pequeños.

Muchas de estas zonas de casas nacieron en las afueras de las ciudades importantes. Estas zonas se llamaron **suburbios.** Los suburbios crecieron y algunos se convirtieron en pueblos independientes. Tenían centros comerciales, escuelas modernas y cines. Muchos suburbios ocuparon tierras que antes estaban dedicadas a la agricultura. Las filas de casas reemplazaron a las filas de naranjos en lugares como el condado de Orange.

En Los Ángeles se construyeron suburbios como éste, con filas de casas iguales.

¿Cómo lo sabemos?

HISTORIA *Los programas de televisión entre los años de 1955 y 1960 nos indican lo que pensaba la gente de California. En los programas de televisión de Hollywood, mamá, papá, los niños y el perro viven felices en una cómoda casa de un pueblo muy bonito. La televisión mostró el sueño de California por todo el país.*

Pasear bajo el sol de California en un moderno carro era algo con que todos soñaban.

Los californianos siempre han estado enamorados de sus carros. Usa esta gráfica para averiguar cuántos carros había en 1960 en comparación con 1930.

La construcción de nuevas carreteras

Los suburbios y las autopistas crecieron al mismo tiempo. La autopista Pasadena, cerca de Los Ángeles, tenía nueve millas de largo y se construyó en 1940. Fue la primera autopista del estado. Hacia el año de 1959, California gastaba más de un millón de dólares al día en construir autopistas. Se podrían haber conectado las ciudades y los suburbios mediante tranvías y trenes, pero los californianos preferían manejar su propio carro y por eso construyeron autopistas. Como indica la gráfica, el número de carros creció rápidamente en California de 1930 a 1960. Esto fue aumentando la **congestión de tráfico,** que significa la acumulación de vehículos en las calles o autopistas. En la sección "Decisiones" de las páginas 264 y 265 se habla de la decisión entre los tranvías y los carros.

Por las autopistas se iba de las casas de los suburbios a los trabajos de la ciudad, pasando por barrios de la ciudad que los habitantes de los suburbios casi no conocían. En estos barrios de la ciudad, la vida era muy diferente de la vida en los suburbios. ■

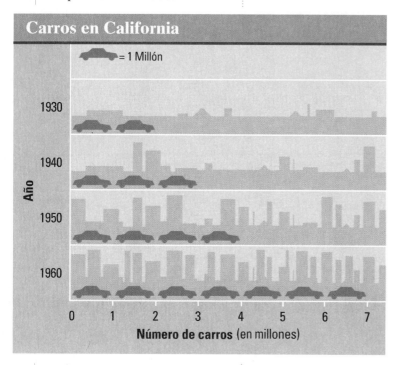

Carros en California

= 1 Millón

Año

| 1930 |
| 1940 |
| 1950 |
| 1960 |

0 1 2 3 4 5 6 7

Número de carros (en millones)

■ *¿Por qué se crearon los suburbios?*

➤ *Los niños hispanos juegan a romper una piñata de colores llena de dulces, frutas y juguetes.*

El crecimiento de las ciudades

Casi se ha hecho de noche en la ciudad. Un grupo de alegres niños ríe y juega en las calles. Las casas recuerdan los colores de una piñata: amarillo, rosado y blanco. Las tiendas y los restaurantes tienen nombres en español.

Esto ocurre en el barrio East Los Angeles. Después de la Segunda Guerra Mundial este barrio creció mucho y llegó a ser la tercera comunidad mexicana en tamaño del mundo entero. Más y más familias empezaron a llegar al barrio buscando protección y seguridad. Como muchas personas de East Los Angeles hablaban español, los recién llegados se sentían mucho más cómodos viviendo en ese barrio que en otras partes de la cuidad.

▽ *Personas de diversas culturas y grupos étnicos se reúnen en el animado Barrio Chino de Los Ángeles.*

Barrios étnicos

Las ciudades de California crecieron rápidamente después de la guerra a causa de la gran cantidad de gente que llegó al estado. Empezaron a crecer los barrios étnicos de negros, armenios, mexicanos, chinos, judíos e italianos. Los barrios grandes se convirtieron en ciudades dentro de las ciudades. Algunos de esos barrios eran muy pobres.

Los negros por lo general vivían en los peores barrios. En esa época la discriminación contra los negros era fuerte en California y no tenían dinero ni ayuda para mejorar sus barrios. A causa de la discriminación, no podían mudarse a zonas mejores de los suburbios y, por lo tanto, comenzaron a sentirse muy descontentos.

Al comenzar la década de 1960, la gente empezó a preocuparse por la diferencia que había entre la vida en los suburbios y en las ciudades. Los negros y otros grupos étnicos querían encontrar la forma de conservar la cultura de sus comunidades y, al mismo tiempo, disfrutar de de una vida mejor en sus barrios. ■

■ *¿Por qué crecieron los barrios hispanos y otras*

R E P A S O

1. **TEMA CENTRAL** ¿Qué diferencias había entre la vida en los suburbios y la vida en las ciudades después de la Segunda Guerra Mundial?

2. **RELACIONA** Compara el Barrio Chino de San Francisco al final del siglo 19 con los barrios étnicos de Los Ángeles después de la Segunda Guerra Mundial. ¿Qué hacía atractiva la vida en estas comunidades?

3. **ECONOMÍA** ¿Qué efecto tuvieron los carros en la vida en California?

4. **RAZONAMIENTO CRÍTICO** El turismo creció mucho en California hacia 1955. ¿Cómo ayudó la nueva tecnología a que los turistas visitaran más el estado?

5. **ACTIVIDAD** Dibuja tres cosas que eran parte de la vida en los suburbios de California.

Más allá de la Segunda Guerra Mundial

¿Tranvías o carros?

> **N**orteamérica vive sobre ruedas y tenemos que hacer autopistas para mantener la clase de vida que deseamos.
>
> George M. Humphrey, ex Secretario de Hacienda de los E.U.A.

> **C**asi todos estaban seguros de que la única solución al problema del transporte eran las autopistas, pero estábamos equivocados.
>
> Francis Sargent, ex gobernador de Massachusetts.

Información general

Es tan difícil imaginarse a Los Ángeles sin carros como al sur de California sin sol. Sin embargo desde 1880 hasta 1920, cuando la ciudad era más pequeña, tranvías como el de la foto de abajo eran un medio de transporte muy común. Casi todos los habitantes de Los Ángeles vivían a menos de cuatro cuadras de una línea de tranvía.

Los carros llegaron hacia el año de 1900. Al mismo tiempo, Los Ángeles se extendió y, como los tranvías no eran suficientes para todos, muchas personas compraron un carro. Las compañías de tranvías empezaron a perder dinero y fueron cerrándose.

Los carros causaron grandes problemas en Los Ángeles. La congestión de tráfico se convirtió en parte de la vida diaria y el cielo estaba siempre sucio por el humo de los carros. La ciudad trató de solucionar estos problemas construyendo autopistas, pero eso tan sólo hizo que más californianos se mudaran a los suburbios, lejos de la ciudad, y que usaran aún más sus carros.

▲ *Al principio, los habitantes de Los Ángeles viajaban en tranvías de caballos. Más tarde usaron tranvías eléctricos como éste. Estos tranvías se parecían mucho a los que todavía circulan por San Francisco.*

Cómo emplear el dinero: Un conflicto

Había que hacer algo. Entre los años de 1962 y 1968, algunos funcionarios del gobierno municipal trataron de forzar a los conductores de carro a usar otros medios de transporte que ensuciaran menos el aire y que causaran menos congestión de tráfico. Querían gastar menos dinero del gobierno en la construcción de autopistas y más en transportes públicos, como los autobuses, los trenes y los subterráneos, que pueden transportar a muchas personas al mismo tiempo. Construir una sola milla de transporte público cuesta alrededor de 100 millones de dólares. Como los suburbios de Los Ángeles a veces están a 25 millas del centro, el costo sería muy alto.

Muchos conductores de carros no querían pagar más impuestos para construir un sistema de transporte que no iban a usar. Se quejaban de que el transporte público no llegaba a todas partes y de que había que esperar mucho tiempo al autobús o al tren. ¿Por qué no gastar el dinero de los impuestos en mejores autopistas?

La ciudad de Los Ángeles continúa buscando hoy la respuesta a sus graves problemas de transporte. Mientras tanto, cada día hay más carros en las autopistas y el aire de la ciudad está más sucio.

Decisiones

1. ¿Cuáles son los efectos buenos y malos de usar el transporte público?
2. ¿Cuáles son los efectos buenos y malos de usar carros?
3. ¿Qué consideran más importante los que quieren transporte público?
4. ¿Qué consideran más importante los que prefieren el carro?
5. Da algunas soluciones creativas o diferentes al problema del tráfico en Los Ángeles y haz un dibujo de la solución que más te guste.

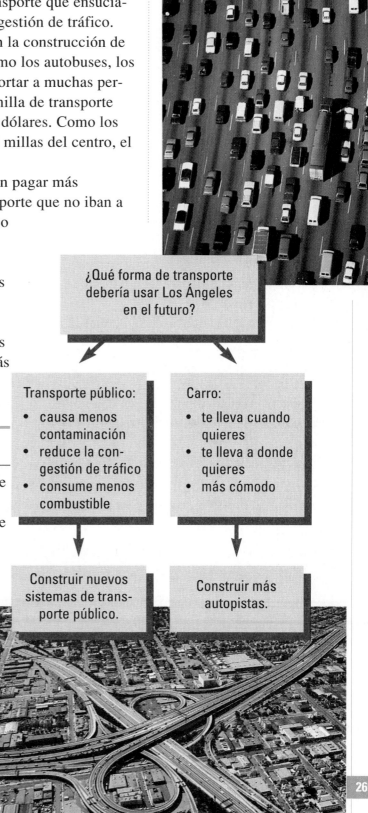

¿Qué forma de transporte debería usar Los Ángeles en el futuro?

Transporte público:
- causa menos contaminación
- reduce la congestión de tráfico
- consume menos combustible

Carro:
- te lleva cuando quieres
- te lleva a donde quieres
- más cómodo

Construir nuevos sistemas de transporte público.

Construir más autopistas.

Repaso del capítulo

Repasa los términos clave

astilleros (p. 252)
aviación (p. 256)
congestión de tráfico (p. 263)
industria aeroespacial (p. 256)
manufactura (p. 251)
suburbio (p. 261)

A. Escoge el término clave que complete mejor cada oración.

1. Durante la Segunda Guerra Mundial, dos industrias de _____ de California eran la construcción de barcos y de aviones.
2. El vuelo de Charles Lindbergh sobre el océano Atlántico fue un hecho importante en la historia de la _____.
3. El nuevo sistema de Kaiser ayudó a los _____ de Richmond a construir un barco Liberty cada 10 días.
4. Al aumentar los carros en California también aumentó la _____.

B. Escribe una oración para cada una de las parejas de palabras siguientes. Después escribe una oración que indique cómo se relacionan las palabras de cada pareja.

1. congestión de tráfico, carros
2. manufactura, barcos
3. cohete, industria aeroespacial
4. ciudad, suburbio

Explora los conceptos

A. Copia esta línea cronológica en una hoja aparte y extiéndela hasta 1965. Añádele estos hechos:

1. 1947: Chuck Yeager vuela más rápido que el sonido.
2. 1955: Walt Disney construye un parque de diversiones en Anaheim.
3. 1964: Francis P. Shepard explora el océano.

B. Escribe una o dos oraciones para contestar cada una de las preguntas. Usa detalles de este capítulo para apoyar tus respuestas.

1. ¿Por qué el 7 de diciembre de 1941 es una fecha importante en la historia de los Estados Unidos?
2. ¿Por qué encerraron a las familias japonesas en campamentos de internamiento?
3. ¿Qué empleos nuevos se crearon a causa de la Segunda Guerra Mundial?
4. ¿Qué cambios en la agricultura causaron las máquinas recolectoras?
5. ¿Cómo cambió la vida en las ciudades y en los suburbios de California a causa de las autopistas?

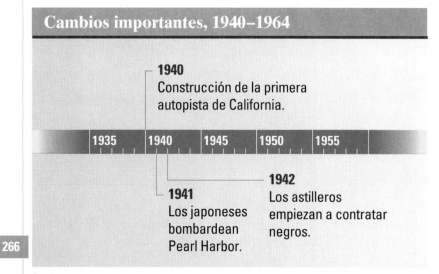

Cambios importantes, 1940–1964

1940
Construcción de la primera autopista de California.

1935 | 1940 | 1945 | 1950 | 1955

1941
Los japoneses bombardean Pearl Harbor.

1942
Los astilleros empiezan a contratar negros.

Repasa las destrezas

1. Imagínate que vas a entrevistar al escritor o escritora del libreto de un espectáculo de televisión. ¿Qué te interesaría saber sobre su trabajo? Haz una lista de preguntas acerca de cómo se hace este espectáculo. No olvides hacer preguntas que comiencen con las palabras *quién, qué, cuándo, dónde, por qué* y *cómo*.

2. Fíjate en esta gráfica lineal. ¿Cuántas millas de autopistas había en California en 1945? ¿Y en 1965?

3. La fotógrafa estadounidense Dorothea Lange tomó muchas fotos de personas que participaron de forma directa o indirecta en la Segunda Guerra Mundial. ¿Dónde buscarías información acerca de esta importante fotógrafa?

Millas de autopistas de California, 1945 – 1965

Número de millas (eje vertical): 0, 250, 500, 750, 1000, 1250, 1500, 1750

Año (eje horizontal): 1945, 1950, 1955, 1960, 1965

Usa tu razonamiento crítico

1. A medida que crecían las ciudades de California, se creaban barrios separados de estadounidenses negros, de estadounidenses de origen mexicano, de estadounidenses de origen japonés y de otros grupos étnicos. Cada grupo trató de continuar sus propias tradiciones culturales. ¿Cómo conservan los barrios hoy en día la cultura de la gente que vive o vivía en ellos? Si puedes, contesta con detalles acerca de tu propio barrio.

2. "Los trabajadores van a donde consigan buenos empleos". Después de haber leído este capítulo, ¿estás de acuerdo con esta oración? ¿Qué trabajos especiales hace la gente donde tú vives?

Para ser buenos ciudadanos

1. **REÚNE INFORMACIÓN** En California se usan muchas clases de transporte además del carro. Busca y recorta en revistas y periódicos fotos de los distintos medios de transporte que tenemos en California. Pégalas en un papel grande y escribe una nota para identificar cada una de las fotos. Busca una foto que muestre el medio de transporte que utilizas para ir de tu casa a la escuela.

2. **TRABAJO EN EQUIPO** Hagan un mural como proyecto de clase sobre el tema "La California del futuro". Antes de comenzar, decidan entre todos cuál será el diseño del mural y qué quieren poner en él. Cada estudiante debe decir qué le gustaría ver en el futuro o cómo se imagina que será el futuro de California. Cada uno debe dar sus ideas sobre los siguientes temas: transporte, ciudades, parques, casas, diversiones, empleos y escuelas. Trabajen en grupos pequeños para diseñar las diferentes partes del mural y hagan esquemas o bocetos con lápiz. Después coloreen los dibujos entre todos. Cuando esté terminado su mural, pueden mostrárselo al resto de la escuela.

Más allá de la Segunda Guerra Mundial

Capítulo 12

Otros pasos hacia adelante

El progreso no siempre significa construir casas o carreteras. A veces significa mejorar la vida de todos. En las décadas de 1960 y 1970, los californianos lucharon por acabar la discriminación que durante mucho tiempo había sido parte de la historia del estado. A veces la lucha ha sido difícil, pero gracias a ella California es ahora un lugar mejor para todos.

California ha dado un ejemplo en el campo de la educación. El estado abrió sus instituciones de educación superior a todos los estudiantes que tengan buenas calificaciones.

El gobierno de los Estados Unidos cambió sus leyes para permitir la entrada de más asiáticos y de otros inmigrantes al país.

1965	1970	1975	1980

1980 La venta de computadoras para uso personal causa un auge económico en el valle del Silicio de California.

1965

En Los Ángeles hay muchos murales, o pinturas en las paredes, que muestran el orgullo de los diversos grupos étnicos y culturas de la ciudad.

Hoy en día, California vende muchos artículos, entre ellos productos agrícolas, a los países de la cuenca del Pacífico. El comercio hace crecer la industria de California y proporciona muchos empleos.

1985	1990	1995	2000

1986 California admite a 21,984 inmigrantes del sureste de Asia. Los inmigrantes de esta región se establecen por todo el estado en la década de 1980. La población inmigrante del sureste de Asia es la que aumenta más rápidamente en California.

2000

L E C C I Ó N   1

La lucha por los derechos

TEMA CENTRAL

¿Cuáles fueron los derechos civiles por los que lucharon las minorías durante las décadas de 1960 y 1970?

Términos clave

- derechos civiles
- minoría
- protesta
- sindicato
- huelga
- boicoteo

➤ *Muchas personas de San Francisco ayudaron a los indígenas de la isla con alimentos, agua y ropa.*

¿Conoces el nombre de Alcatraz? Es el nombre de una isla en la bahía de San Francisco donde antes había una cárcel para los criminales más peligrosos del país. Se decía que nadie podía escapar de allí.

Esa cárcel se cerró en el año de 1963. En noviembre de 1969 80 indígenas remaron en un bote hasta Alcatraz con la intención de quedarse en la isla. Llegaron durante la noche, atracaron en la orilla y establecieron un campamento junto a la cárcel abandonada. Así se apoderaron de Alcatraz.

Este grupo de indígenas de diversas tribus estaba enojado porque el gobierno trataba de quitarles sus tierras y llevarlos a vivir a las ciudades. La cultura de los indígenas estaba unida a su tierra. Querían conservar el derecho de vivir a su manera, con sus propias tradiciones y costumbres.

Los indígenas se quedaron en la isla durante casi dos años, durmiendo en las celdas vacías de la cárcel y cocinando al aire libre. Querían construir en la isla un centro de estudios sobre su cultura, pero el gobierno no les vendía la isla. Los indígenas perdieron Alcatraz, pero atrajeron la atención de la nación. Ahora todo el mundo conocía los problemas que estaban viviendo los indígenas.

Los negros buscan derechos iguales

Los indígenas no eran los únicos que estaban cansados de la injusticia. También otras personas, como Odis Jackson, estaban cansadas. En 1963, Jackson, un abogado de 30 años, trató de comprar una casa en un suburbio de Los Ángeles, pero como era negro, el dueño no se la quiso vender. Esta clase de discriminación no era nada raro. Muchos

blancos no querían que los estadounidenses negros vivieran en los nuevos suburbios y se negaban a venderles o alquilarles casas. Los negros tampoco podían obtener los empleos mejor pagados ni asistir a las mejores escuelas.

En las décadas de 1940 y 1950 los negros trataron de conseguir que el gobierno aprobara nuevas leyes para impedir la discriminación, pero mucha gente no hacía caso de esas leyes. Todo parecía inútil. Por eso, en la década de 1960, los negros empezaron a luchar más por sus **derechos civiles**, o sea, el conjunto de libertades que debe tener todo ciudadano.

◄ *Una mujer negra sujeta un cartel que pide la integración. Los negros luchaban por el derecho a vivir en vecindarios blancos y a ir a escuelas para blancos.*

ESTUDIEMOS LOS DERECHOS CIVILES

Odis Jackson quería que lo dejaran vivir donde él quisiera. Rosa Parks, una mujer negra de Montgomery, Alabama, quería sentarse para descansar. Ambos lucharon por sus derechos civiles.

En 1955, Parks se sentó en la parte de adelante de un autobús. Pero esos asientos estaban reservados para personas blancas. El chofer la envió a la parte de atrás, pero Parks estaba cansada y no se quería mover. Por eso la llevaron a la cárcel. Su protesta inició una batalla nacional. Después de mucho esfuerzo, los negros lograron que se aprobaran leyes para terminar con las secciones "sólo para blancos" en los autobuses, restaurantes y teatros.

El derecho de los negros a que los traten de la misma forma que a los blancos es un derecho civil. Los derechos civiles son el conjunto de libertades que las leyes de los Estados Unidos reconocen a todos los ciudadanos, como por ejemplo, el derecho a decir lo que piensas, a escoger tu religión y a poseer tierras. Hay que tratar a todos los ciudadanos con igualdad y justicia, sean negros o blancos, ricos o pobres, hombres o mujeres.

En las décadas de 1960 y 1970, mucha gente empezó a defender sus derechos civiles. Las mujeres lucharon por su derecho a ser juezas, reporteras o médicas. Estos empleos eran sólo para hombres hasta que las mujeres lucharon por obtenerlos.

A los negros se unieron blancos y otros grupos en esta protesta por los derechos civiles.

En 1972, Yvonne Braithwaite Burke fue la primera mujer negra elegida para el Congreso de los Estados Unidos por el estado de California. Anteriormente había trabajado en un comité que investigó los disturbios de Watts.

■ ¿Cómo ayudaron las protestas a que los negros consiguieran sus derechos civiles?

Entre los derechos civiles están la libertad de votar, de decir lo que uno piensa y de vivir donde quiere. Personas blancas, negras y de otros grupos de todo el país se unieron en la lucha por conseguir derechos civiles para todos.

La lucha en California

California tuvo un papel importante en la lucha por obtener nuevas libertades para las minorías. Una **minoría** es un grupo de personas, por lo general perteneciente a un grupo étnico, que forma una parte pequeña de la población de un país. En Los Ángeles la gente decidió **protestar** cuando Odis Jackson no pudo comprar una casa. Es decir, decidió mostrar al dueño y al público que se oponía a la manera en que lo habían tratado. Los partidarios de Jackson marcharon con carteles por las calles del vecindario, hasta que el dueño cedió y le vendió la casa.

Otros grupos protestaron contra la discriminación en diversas partes del estado. Un grupo en San Francisco protestó contra una cadena de supermercados que no contrataba a negros, llenando carritos con alimentos congelados y dejándolos en las cajas.

Pero no todas las protestas fueron pacíficas. En 1965 hubo un disturbio violento en Watts, un vecindario de Los Ángeles. Los negros enojados destrozaron tiendas e incendiaron muchas casas. Murieron 34 personas y el país, asombrado, comprendió que había llegado el momento de cambiar las cosas.

El trabajo de grupos e individuos en California ayudó a que las minorías tuvieran más derechos, pero la lucha no ha terminado. Como dijo la congresista Yvonne Braithwaite Burke: "Tenemos por delante la tarea de crear nuevas oportunidades y de construir un lugar agradable para que vivan los niños". ■

Capítulo 12

Los trabajadores agrícolas se organizan

Afuera de las ciudades, en los campos de California, otro grupo luchó por sus derechos civiles. Los trabajadores migratorios, dirigidos por César Chávez, lucharon por conseguir jornales justos y mejores condiciones de trabajo.

Chávez conocía en carne propia cómo era la dura vida de los trabajadores migratorios de California. Durante la Gran Depresión, cuando tenía 10 años de edad, él y su familia perdieron su granja y tuvieron que trabajar muchas horas en el campo, llenando cajas de frutas y verduras como trabajadores migratorios. A veces los Chávez ni siquiera ganaban suficiente dinero en un día para pagar los 70 centavos que les costaba el autobús para ir a trabajar a un campo. Chávez recuerda cómo caminaba por la carretera con su hermano buscando el papel de estaño de los paquetes de cigarrillos. Luego hacían bolas con el papel y las vendían.

Además de la pobreza, los trabajadores migratorios pasaban muchas otras dificultades. Como las familias se tenían que trasladar buscando trabajo, los niños no recibían una buena educación. Chávez, por ejemplo, asistió a 35 escuelas y sólo pudo llegar hasta el octavo grado. Además los trabajadores migratorios ganaban jornales muy bajos y pagaban rentas muy altas por vivir en cobertizos casi en ruinas. La comida era muy cara. En una granja, por ejemplo, el capataz les cobraba a los trabajadores 25 centavos por un vaso de agua.

Frente a un campo de uvas, Chávez protesta con los trabajadores migratorios. El cartel y la bandera del sindicato llevan la palabra "Huelga".

Reunión de fuerzas

Chávez quería mejorar la vida y las condiciones de trabajo de los trabajadores, pero sabía que no lo podía hacer solo. Entonces decidió recorrer la región de pueblo en pueblo hablando con quien lo quisiera escuchar. Quería organizar a los trabajadores en un solo grupo para trabajar por una meta común. Pensaba que si se unían suficientes personas, tendrían el poder necesario para conseguir que les reconocieran sus derechos. Chávez explicaba que su idea era como recoger uvas:

▼ *Esta gráfica indica que los hispanos son el grupo minoritario más grande de California. Los hispanos vinieron de países donde se habla español.*

> *S* i hablas con las personas las podrás organizar, pero ellas no te van a buscar a ti, tú tienes que ir a ellas. Es un trabajo difícil. Cuando recoges uvas, recoges un racimo cada vez y, al final, recoges toda la viña. Así se organiza a la gente.
>
> César Chávez:
> *Autobiografía de La Causa, 1975*

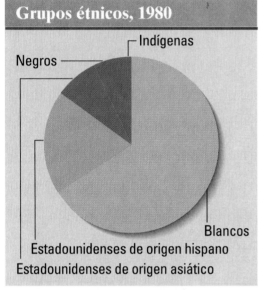

Grupos étnicos, 1980

- Indígenas
- Negros
- Blancos
- Estadounidenses de origen hispano
- Estadounidenses de origen asiático

➤ *Las personas que se unieron al boicoteo llevaban insignias como la que ves a la derecha.*

■ *¿Cómo forzaron los trabajadores migratorios a los granjeros a mejorar las condiciones de trabajo en las granjas de California?*

Chávez convenció a suficientes trabajadores de que se unieran y formaran un sindicato. Un **sindicato** es un grupo de trabajadores unidos para proteger sus derechos. Los trabajadores que no pertenecen al sindicato pueden perder su empleo si se quejan del trato injusto, pero los miembros del sindicato se pueden quejar porque su sindicato los protege.

El boicoteo de las uvas

En 1965 Chávez y el sindicato pidieron a los trabajadores que recogían uvas que fueran a la **huelga**. Esto significa que se negaran a trabajar hasta que los granjeros hicieran lo que pedía el sindicato. Los trabajadores pedían mejores salarios y mejores condiciones de trabajo. También querían que los granjeros dialogaran con el sindicato. Los granjeros se negaron.

Chávez también le pidió al público que se uniera a un **boicoteo** de las uvas, o sea, que el público ayudara a la huelga dejando de comprar uvas. La gente de todo el país se unió al boicoteo, los cargadores de los muelles se negaron a cargar uvas en los barcos, los niños no querían comer uvas.

Finalmente, en 1976 los granjeros prometieron pagar mejor a los trabajadores, darles habitaciones gratis y mejores condiciones de trabajo. El duro trabajo de Chávez había dado fruto. El sindicato había conseguido los derechos de los trabajadores. ■

R E P A S O

1. **TEMA CENTRAL** ¿Cuáles fueron los derechos civiles por los que lucharon las minorías durante las décadas de 1960 y 1970?

2. **RELACIONA** Compara la vida de la familia de César Chávez con la de los granjeros de la Cuenca Polvorienta que llegaron a California durante la Gran Depresión. ¿En qué se parecen?

3. **CIUDADANÍA** ¿Por qué los negros tenían que

protestar para obtener sus derechos civiles?

4. **RAZONAMIENTO CRÍTICO** ¿Qué oportunidades tienen hoy las minorías que no tenían en la década de 1960?

5. **REDACCIÓN** Escribe un artículo acerca de uno de los acontecimientos que se tratan en la lección. Lee tu artículo al resto de la clase.

Cómo comparar las partes de un todo

¿Por qué?

Cuando lees una gráfica circular que contiene datos sobre la agricultura de California, puedes aprender mucho de un solo vistazo. Una gráfica circular indica cómo está dividido en partes un todo. También compara, los tamaños de las partes.

¿Cómo?

Las gráficas circulares parecen un pastel cortado en trozos. Estos trozos, o partes, por lo general son de tamaños diferentes. Vamos a

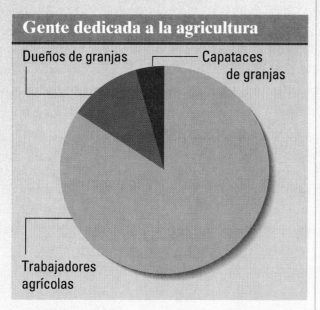

Gente dedicada a la agricultura

Dueños de granjas
Capataces de granjas
Trabajadores agrícolas

analizar la gráfica de arriba. Todo el círculo representa a la gente que se dedicaba a la agricultura en California en el año de 1975. Las tres partes, o trozos, en que está dividido representan a los dueños de las granjas, a los capataces y a los trabajadores de las granjas. ¿Qué parte es más grande? Las partes que representan a los dueños y capataces son bastante pequeñas. La parte que representa a los trabajadores es mucho mayor que las otras dos partes juntas. La gráfica muestra claramente que en 1975 en California había

muchos más trabajadores agrícolas que dueños de granjas y capataces.

Practica

Fíjate en la gráfica circular de abajo. Representa la cantidad de uvas de mesa que se produjeron en siete regiones de California en el año de 1988. ¿Qué región produjo más uvas aquel año? ¿Cuál produjo menos cantidad de uvas? Compara los tamaños de las otras partes de la gráfica.

Aplícalo

Busca en una enciclopedia gráficas circulares con datos sobre un estado, un país o un tema como la agricultura. ¿Qué representa la gráfica en su totalidad y qué representan las partes en que está dividida? Compara los tamaños y piensa en su significado.

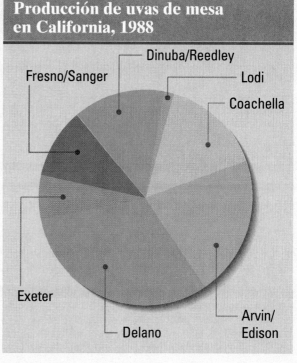

Producción de uvas de mesa en California, 1988

Fresno/Sanger
Dinuba/Reedley
Lodi
Coachella
Exeter
Delano
Arvin/Edison

L E C C I Ó N   2

Una nueva ola de inmigrantes

T E M A
C E N T R A L

¿Por qué la nueva ola de inmigrantes fue buena para ellos mismos y para California?

Términos clave

- refugiado
- costumbre

➤ *El pueblo mon-jmer hace hermosos tapices que cuentan historias de su cultura.*

C uando llegaron a California, los aldeanos se asustaron con el ruido y el tamaño de las ciudades. Nunca habían visto tantos carros, luces brillantes ni edificios tan altos. Los mon-jmer (hmong) venían de un lugar donde no había carros ni carreteras. En sus pueblos de la montaña, los mon-jmer no poseían tierras; simplemente vivían donde querían. Cultivaban sus propios alimentos y cocinaban con fogatas.

Los mon-jmer habían dejado su país, Laos, para escapar de la violencia y la destrucción. La guerra había destrozado la región, dejando a cientos de personas sin hogar. Familias enteras abandonaron el país.

Muchos mon-jmer decidieron irse a vivir al valle Central de California donde había granjas muy grandes. Era muy diferente de sus aldeas en la montaña. No tenían dinero para comprar tierras para cultivar, así que tuvieron que aprender inglés y buscar otros trabajos distintos a la agricultura.

El cambio fue muy difícil, pero los mon-jmer lo supieron enfrentar con valentía porque querían tener una vida nueva en California. Algunas iglesias, universidades y ciudadanos los ayudaron a encontrar trabajo y casa. Hoy en día los hijos de los campesinos mon-jmer consideran a California su hogar y a los Estados Unidos su patria.

Bienvenida a los nuevos inmigrantes

En el año de 1965, el gobierno de los Estados Unidos aprobó una ley que fue un claro mensaje de bienvenida a los inmigrantes de muchas partes del mundo. La nueva ley permitió que muchos otros inmigrantes de países tales como China, el Japón y México vinieran a vivir a los Estados Unidos. La ley también daba la bienvenida a los pueblos de los países de la cuenca del Pacífico, una región que aparece en el mapa de abajo.

Uno de los grupos más grandes de inmigrantes llegó de los países de una región llamada el sureste de Asia. En las décadas de 1960 y 1970, los Estados Unidos participaron en la guerra de Vietnam, un país del sureste de Asia. La destrucción causada por esa guerra se extendió a varios países de la región, como Camboya, Tailandia y Laos. Sus habitantes sufrieron mucho durante esta época y algunos decidieron abandonar sus países.

Los refugiados de la guerra

La guerra creó miles y miles de **refugiados**, o sea personas que escapan de su patria para buscar seguridad o libertad. Los refugiados por lo general huyen de la violencia generada por la guerra o del trato injusto y cruel de su gobierno.

Los mon-jmer eran refugiados que escaparon de su país por mar, como también lo hicieron otros refugiados del sureste de Asia. Como escaparon en pequeños botes, en inglés se les dio el nombre de "boat people". Sus largos viajes en busca de un país

Los refugiados del sureste de Asia corrieron muchos peligros, como ataques de piratas.

Muchos inmigrantes que llegan a California vienen de los países del océano Pacífico. Esta región se conoce como la cuenca del Pacífico.

Inmigrantes a California

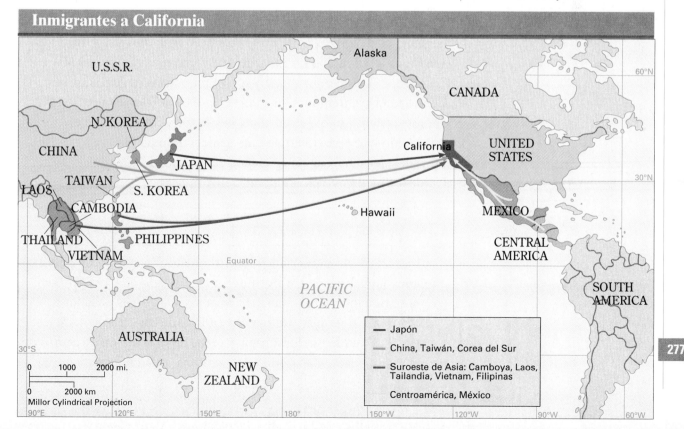

U.S.S.R.
Alaska
CANADA
N. KOREA
CHINA
California
UNITED STATES
JAPAN
TAIWAN
LAOS
S. KOREA
CAMBODIA
Hawaii
MEXICO
THAILAND
PHILIPPINES
VIETNAM
CENTRAL AMERICA
Equator
PACIFIC OCEAN
SOUTH AMERICA
AUSTRALIA
NEW ZEALAND

0 1000 2000 mi.
0 2000 km
Millor Cylindrical Projection

— Japón
— China, Taiwán, Corea del Sur
— Suroeste de Asia: Camboya, Laos, Tailandia, Vietnam, Filipinas
  Centroamérica, México

> *Muchos inmigrantes asiáticos han encontrado trabajo en la industria de computadoras de California. Estas mujeres trabajan en una fábrica de piezas para computadoras en Sunnyvale. Abajo, una familia de inmigrantes camboyanos lee un libro.*

que los aceptara, eran peligrosos. En el libro de 1980 *Wrapped in the Windshawl* (Arropado en el chal del viento), un refugiado vietnamita recuerda su viaje desde Vietnam en un barco:

> E l barco tenía 36 pies de largo y 6 de ancho y había 174 personas a bordo. Cuando me senté, tuve que acurrucarme para dejar sitio a otras personas. . . . Navegamos de noche, casi sin comida ni agua para dejar todo el espacio posible para más gente. Hasta arrojamos comida por la borda para hacer más espacio. A los dos días tuvimos que beber la misma agua que se había usado para enfriar el motor del barco.

Después de meses o años de dificultades, muchos refugiados llegaron al estado de California. Ahora los pueblos del sureste de Asia son la población inmigrante que crece más rápidamente en California. También ha aumentado el número de refugiados de Centroamérica, debido a las guerras que ha sufrido esa región durante muchos años. Gran cantidad de familias centroamericanas han tenido que abandonar su país, especialmente Nicaragua y El Salvador, para buscar refugio en diversas ciudades de los Estados Unidos. Muchos viven ahora en California. ■

■ *¿Por qué llegaron tantos inmigrantes nuevos a California después de 1965?*

Los inmigrantes enriquecen la cultura

La mezcla de inmigrantes ha enriquecido la cultura de muchas ciudades y pueblos de California. En el condado de Orange, por ejemplo, hay muchas tiendas de abarrotes y de otros productos vietnamitas. En Artesia, un pueblo en las afueras de Los Ángeles, los tenderos venden dulces, ropa y joyas de la India en un barrio de cuatro cuadras de extensión. Y en Gardena, una ciudad al sur de

Comidas de Los Ángeles

En muchas cafeterías y restaurantes puedes almorzar un sándwich de salchichas alemanas.

El arroz frito, que se come con palillos o con un tenedor, es una comida china completa.

El "sushi" hecho de pescado crudo, arroz cocido y verduras, es uno de los platillos preferidos en el Japón.

El pan italiano es ideal para mojarlo en una sabrosa salsa de tomate.

El rico pan de maíz nos recuerda la importancia que tenía la harina de maíz para los indígenas de las Américas.

El pan "pita" en forma de bolsa viene del Oriente Medio y se puede rellenar con muchas clases de verduras y carnes.

Alimentos como el trigo, el maíz, los tomates y el pescado son la base de varios platillos saludables.

Frijoles, verduras, carne y queso envueltos en tortillas de maíz: una comida mexicana deliciosa y nutritiva.

Los Ángeles, la comunidad japonesa es tan numerosa que tiene su propia estación de televisión.

Las costumbres que trajeron los inmigrantes también han enriquecido la cultura de California. Una **costumbre** es un hábito, una tradición o un modo de vida característico de a las personas de un país o de una cultura. Por ejemplo, inclinarse para saludar es una costumbre japonesa. De la misma forma, otras personas de diversas partes del mundo han traído sus costumbres a California. Su arte, su música, sus juegos y danzas, añaden interés y belleza a la cultura del estado.

Por todo California se ven ejemplos de las culturas de los inmigrantes. Los alimentos y platillos que ves arriba han cambiado nuestra manera de comer. ¿Has probado bagels, arroz frito con verduras o salchichas alemanas? Estas comidas te permiten disfrutar del sabor de las culturas de los inmigrantes. ■

■ *¿Qué clase de costumbres traen los inmigrantes a California?*

R E P A S O

1. **TEMA CENTRAL** ¿Por qué la nueva ola de inmigrantes fue buena para ellos mismos y para California?

2. **RELACIONA** ¿Por qué la ola de inmigrantes de 1965 a 1980 era diferente de la que vino de 1849 a 1910?

3. **GEOGRAFÍA** ¿Por qué crees que tantos refugiados de la cuenca del Pacífico vinieron a California y no a otro lugar?

4. **RAZONAMIENTO CRÍTICO** ¿Por qué crees que los inmigrantes conservan algunas costumbres de su país en lugar de adquirir las de aquí?

5. **REDACCIÓN** Haz una lista de cosas de tu barrio afectadas por los inmigrantes.

Otros pasos hacia adelante

Un cántaro de sueños

Yoshiko Uchida

La joven Rinko y su familia viven ahora en los Estados Unidos. Cuando la tía Waka viene de visita del Japón y trae un quimono de regalo, Rinko siente emociones contradictorias sobre su familia japonesa y su vida en los Estados Unidos. Sus pensamientos y acciones muestran las dificultades que experimentan muchos inmigrantes cuando se van a vivir a un país nuevo. Al leer este cuento, trata de imaginarte qué sentirías al estar en el lugar de Rinko.

Al igual que Rinko y su familia, muchos de los inmigrantes que se mencionan en este capítulo han tomado prestadas costumbres de su país adoptivo, al mismo tiempo que conservan otras de sus lugares de origen.

papel de arroz Papel delgado que se elabora con la espiga del arroz.

traslapar Montar total o parcialmente una cosa sobre otra.

brocado Tela pesada de trama elaborada.

Una promesa se debe cumplir. Así pues, el domingo, después de la cena, saqué el quimono que tía Waka me había traído. Estaba en el cajón de mi armario, bien dobladito todavía y envuelto en suave papel de arroz.

Una buena cosa de los quimonos es que, si se doblan debidamente por las costuras, no se arrugan. Además, casi cualquier persona puede usar la misma talla porque no tienen botones ni broches. Si eres baja de estatura, sólo tienes que levantarlo para hacer un pliegue y atarlo en su sitio con un cordón de seda. Cuando la tía Waka me lo explicó, me pareció algo muy ingenioso.

Tuvo que ayudarme a ponerme el quimono porque, ciertamente, yo no podía hacerlo sola. Se aseguró de que traslapara el lado izquierdo sobre el derecho (los muchachos hacen lo contrario), me amarró el obi ancho de brocado una y otra vez sobre la cintura y lo ató con un nudo enorme en la espalda.

Me sentí como si estuviera envuelta en un capullo de seda y a duras penas podía doblarme para ponerme los calcetines tabi blancos en los pies. Caminar también resultaba difícil porque las correas de los zori— las sandalias —se me encajaban entre los dedos de los pies, y descubrí por qué tía Waka daba esos pasitos tan menudos cuando caminaba. Con el quimono largo y angosto que llega hasta los tobillos, no hay otro remedio.

—Vaya, te ves preciosa —exclamó tía Waka cuando acabó—. Ve a mirarte en el espejo.

Me dirigí hasta el armario dando pasitos menudos y me contemplé. Extendí los brazos para echar un vistazo a las peonías que florecían en las largas mangas azules de seda. Me di la vuelta y volví la cabeza para verme el nudo del obi en la espalda. En ese momento supe exactamente cómo se sentía tía Waka cuando la obligábamos a ponerse ropa occidental.

peonías Flores grandes de bellos colores.

—Me siento extraña —dije.

La tía Waka sonrió.

—Sé cómo te sientes; pero yo no te veo rara.

Luego se apresuró a llevarme hacia la sala para que Papá y Mamá vieran cómo lucía.

Los ojos de Mamá brillaron al verme.

—Rinko, hija, te ves tan bella —y luego añadió—: ahora párate derecha.

Pero no lo dijo como lo hace normalmente cuando quiere corregir mi postura. Lo dijo como si deseara que me sintiera orgullosa de mí misma.

Me imagino que Papá se sentía tan halagado como Mamá. Dio un paso hacia atrás y me estudió como si se estuviera grabando mi imagen en la memoria.

—Supongo que no querrás ir al hospital a mostrarle a tío Kanda cómo te ves, ¿verdad? Como sabes, eso realmente lo alegraría.

—Ni en un millón de años —contesté.

Entonces, Papá le dijo a Joji que trajera la cámara fotográfica que había recibido en Navidad y me sacara una foto para llevársela a tío Kanda. Tía Waka trajo su cámara también. Todos desfilamos hacia afuera y nos colocamos bajo el durazno haciendo guiños al sol.

—Deja de guiñar los ojos, Rinko Tinko —me dijo Joji.

—No me llames así, Joji Tsujimura —le advertí. Levanté el brazo para darle una palmada y en ese momento fue cuando me tomó la foto.

—Sonríe —dijo tía Waka, enfocando su cámara.

Parpadeé y fue entonces cuando oprimió el obturador.

Mamá quería una foto de todos nosotros juntos, de modo que fui a llamar a la señora Rosas, quien reaccionó exactamente como me imaginé que lo haría cuando me viera vistiendo un quimono. Su boca hizo la forma de una O gigante; pero no emitió ni el más leve sonido.

Luego exclamó:

—Vaya, si es mi dulce japonesita Rinko —y me dio un abrazo; pero me resultó difícil darle un abrazo a mi vez, envuelta como estaba como si fuera un paquete enrollado en

obturador Pieza de una cámara que abre el objetivo para dejar pasar la luz y exponer la película.

ese brocado tieso.

La señora Rosas nos puso en fila frente al taller de Papá y se aseguró de que su gran letrero saliera también en la foto.

—Ya está —dijo, después de tomar tres fotos—. Esto conmemorará perfectamente la visita de tu tía.

Sonó igual que la gente de la iglesia. Siempre están sacando fotos para conmemorar el domingo de Resurrección o el día en Memoria de los Caídos, el bautismo o incluso un entierro.

A duras penas podía esperar a quitarme el quimono cuando termináramos de sacar todas esas fotos. Tía Waka desató y lo desenredó todo, y yo me sacudí los huesos para recuperar la circulación.

—Cielos, ¡qué contenta estoy de quitarme esa cosa! —exclamé.

Luego recordé que el quimono era regalo de tía Waka y traté de pensar en algo más agradable que decir.

—Le pediré a Mamá que lo guarde en su baúl y lo cubra con bolas de naftalina —comenté.

Me imagino que tampoco eso era exactamente lo que a tía Waka le habría agradado escuchar. Pensé que tal vez le habría gustado que dijera más bien que lo sacaría y lo usaría de vez en cuando.

Sin embargo, no dijo eso, sólo se sonrió y comentó:

—Ay, Rinko, ciertamente eres una niña estadounidense.

Luego se puso seria y añadió:

—Pero no olvides jamás que una parte tuya siempre será japonesa también, aunque nunca vuelvas a ponerte un quimono.

Lo sé —le dije—. Esa parte es la que me hace sentir diferente e inferior a los demás.

Fue algo sumamente extraño. De pronto, fue como si hubiera abierto una llave en mi mente y todo lo que ésta contenía saliera a borbotones. Le conté a tía Waka todo lo referente a cómo me sentía en la escuela: que los muchachos me decían cosas y las niñas me hacían sentirme una extraña. Y le revelé un secreto terrible que siempre había guardado en mi interior y nunca se lo había contado a nadie.

Una vez en que se iba a celebrar una reunión de maestros y padres de familia en la escuela y nos habían dado una notificación para llevar a casa, yo rompí mi aviso y nunca se lo entregué a Mamá. Lo hice porque no quería que ella asistiera. No deseaba que les hiciera reverencias a todos mis maestros y que les hablara en ese inglés tan peculiar que usa a veces. No

circulación El flujo de la sangre por el cuerpo.

bolas de naftalina Bolas pequeñas que se colocan entre la ropa para que no se la coman las polillas.

quería que la menospreciaran ni que la relegaran a un rincón. Creo que estaba un poco avergonzada de Mamá; pero, sobre todo, estaba avergonzada de mí misma.

—Detesto ser siempre diferente y verme rechazada —le confesé a tía Waka.

Tía Waka estaba doblando mi quimono y el obi encima de la cama, alisándolos con cuidado para que no se arrugaran. Volvió a envolverlos en el suave papel de arroz y los ató exactamente como estaban cuando los trajo. Luego los puso a un lado y se sentó en mi cama.

—Creo que entiendo cómo te sientes, Rinko —me dijo en voz baja y suave—. Cuando yo era joven y no podía correr o jugar con mis amigos, solían burlarse de mí y decirme inválida. Me hacían llorar con frecuencia.

Recordé la vieja fotografía de tía Waka donde aparecía sosteniéndose con una muleta.

—Pero estabas sonriendo a pesar de todo —le dije como si ella supiera lo que yo estaba recordando.

—El solo hecho de ser diferente a las demás personas no significa que no valgas tanto como ellas o que no estés contenta contigo misma —dijo.

Me miró fijamente a los ojos, como si pudiera ver todas las cosas que me daban vueltas en la mente.

—Rinko, jamás te sientas avergonzada de ser quien eres —me dijo—. Sólo trata de ser lo mejor que puedas. Cree en tu propio valor. Sé que algún día te sentirás orgullosa de ti misma, incluso de esa parte tuya que es diferente . . . la parte que es japonesa.

Yo continuaba sentada al lado de tía Waka, vistiendo sólo mi fondo, flexionando los dedos de los pies mientras la escuchaba. Y fue entonces cuando entendí; fue como si una lámpara se hubiera encendido en mi mente. En ese mismo instante comprendí qué era lo que hacía de tía Waka alguien tan especial. Era exactamente el tipo de persona que me estaba aconsejando que yo debía ser. Ella creía en sí misma y le agradaba ser quien era; pero, sobre todo, creo que se sentía orgullosa de su persona.

inválido Persona parcialmente incapacitada o lisiada.

flexionar Doblar y mover.

L E C C I Ó N   3

California crece

TEMA
CENTRAL

¿Cómo han ayudado la tecnología, el comercio y la educación al crecimiento de California en los últimos 25 años?

Términos clave

- producto de exportación
- producto de importación

➤ *Esta diminuta hormiga sujeta con la boca un "chip" de silicio que se usa en una computadora.*

Las primeras computadoras que fueron inventadas parecían monstruos. Eran tan grandes como tu salón de clase, lentas y muy caras. Pero en 1959 se inventaron en California unos diminutos circuitos hechos de un metal llamado silicio que cambiaron todo el concepto de las computadoras. Un circuito de computadora es tan pequeño que la hormiga de la foto de abajo puede sujetarlo con la boca. El circuito, o "chip", como se le dice en el lenguaje de las computadoras, es el cerebro de una computadora y tiene millones de trozos de información almacenados en su memoria. El chip le indica a la computadora cómo resolver en un instante problemas muy difíciles: puede dar instrucciones para un juego, para hacer complicados cálculos matemáticos o para construir un rascacielos.

La computadora pequeña para uso personal cambió el mundo y especialmente a California. Muchas de las computadoras modernas nacieron en una región al sur de San Francisco llamada el valle de Santa Clara. Anteriormente este valle estaba cubierto de árboles frutales y se le llamaba el "valle de las Delicias Celestiales". Pero en las décadas de 1970 y 1980 comenzaron a operar compañías de computadoras donde había miles de huertos de ciruelas, duraznos y cerezas. Ahora se le llama a esta región el "valle del Silicio" por el material del que están hechos los "chips."

La tecnología y el auge comercial

Las computadoras causaron un auge comercial en California, igual que el oro, el petróleo y la industria aeroespacial lo habían hecho en el pasado. En todo el mundo se usan las computadoras y la tecnología que se desarrollaron en el valle del Silicio. En la sección siguiente, "En ese momento", verás cómo usa un científico la tecnología de las computadoras. Este auge hizo que el estado creciera y que se crearan nuevos empleos.

La juventud de California fue parte de este auge. Hacia el año de 1968, algunos jóvenes inteligentes y curiosos empezaron a desarmar y estudiar computadoras en sus garajes y sótanos. De esta forma, encontraron mejores maneras de construirlas y utilizarlas. Sus descubrimientos ayudaron a que la industria de las computadoras de California sea hoy en día una de las mayores del mundo.

Las computadoras han ayudado a otra industria importante de California, la del cine. También fueron jóvenes quienes hicieron posible los avances en este campo. Ellos utilizaron las computadoras para crear "efectos especiales", como los trucos que hacen parecer reales los rayos láser, las naves espaciales o los extraterrestres como E.T. Los jóvenes cineastas, con sus nuevas ideas, han originado un período nuevo del cine.

Exportación e importación

Las computadoras y las películas son algunos de los principales **productos de exportación** de California. Éstos son productos que se envían y se venden a otros países. Así como los indígenas en el pasado trocaban alimentos y mercancías con otras tribus, los países modernos intercambian productos.

En otros tiempos

Durante la Segunda Guerra Mundial se arruinaron muchas fábricas del Japón. Pero con la ayuda de los Estados Unidos, el Japón se ha reconstruido y ahora los productos japoneses son conocidos por su alta calidad.

▼ *¡Acción! El chasquido del pizarrón indica que las cámaras están filmando y que comienza la escena.*

Camarógrafo del fondo del mar

5:07 A.M., 7 de abril, 1989
A cuatro millas de la orilla
en la bahía de Monterey

Caja de control remoto
El buceador lleva esta caja impermeable colgada al cuello. Las palancas de la caja permiten apuntar la cámara hacia arriba, hacia abajo o hacia los lados. También controlan la velocidad de la cámara cuando baja.

Traje impermeable
Este científico se va a sumergir en aguas frías, a 200 pies de profundidad. Este traje lo mantendrá caliente mientras explora un acantilado submarino. Después, el suelo de la bahía cae a un cañón demasiado profundo para explorar.

Minicámara
El buceador toma su cámara de color de 56 libras y se prepara para sumergirse. Cuando llegue al borde del acantilado, hará bajar su cámara en la oscuridad para filmar la vida submarina del fondo del cañón.

Cable
La tecnología de las computadoras es el "cerebro" de este sistema. Las señales que envían los circuítos de la computadora desde la caja de control van hasta la cámara por este cable. El cable permite que la cámara baje hasta 2,000 pies de profundidad.

Otros productos de exportación de California son el petróleo, los pantalones vaqueros, los productos agrícolas y los aviones.

Sin embargo California no puede hacer todos los productos que se necesitan en el estado y por eso necesita **productos de importación,** es decir, productos que compra de otros países. Estas importaciones llegan de países de la cuenca del Pacífico. Muchas de las cámaras, los carros y las telas de seda que compran los estadounidenses son importaciones del Japón, Corea y Taiwán. ■

■ ¿Por qué las industrias de las computadoras y del cine son importantes para California?

La educación ofrece oportunidades

Los jóvenes de talento han contribuido mucho al crecimiento y al éxito de las industrias de las computadoras y del cine de California. Los gobernantes del estado reconocieron desde hace mucho tiempo lo importante que es ofrecer una buena educación a los jóvenes. Por eso California creó el mayor sistema de educación superior del país, que en la actualidad cuenta con veinte universidades.

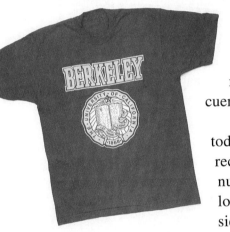

◄ Esta camiseta es de la Universidad de California en Berkeley. La universidad se inauguró en 1868 y es una de las más importantes para California.

También es importante que todos tengan la oportunidad de recibir educación superior. Los nuevos inmigrantes, las minorías y los hijos de familias pobres no siempre están en capacidad de pagar esta educación. En 1960 el estado aprobó una ley para ayudar a esos estudiantes. La ley dice que todos los graduados de la escuela secundaria que tengan buenas calificaciones pueden continuar su educación universitaria, tanto si tienen dinero para pagarla como si no lo tienen.

El sistema de educación superior de California beneficia al estado y a su gente, como al resto del país y del mundo. La educación es parte muy importante el crecimiento, el progreso y el éxito de California. ■

■ ¿Por qué cambió California su sistema universitario en 1960?

R E P A S O

1. **TEMA CENTRAL** ¿Cómo han ayudado la tecnología, el comercio y la educación al crecimiento de California en los últimos 25 años?

2. **RELACIONA** ¿Qué otras industrias, además de las computadoras, han causado un auge económico en California?

3. **ECONOMÍA** ¿Por qué los diminutos circuitos de las computadoras, o "chips", tuvieron un impacto tan grande en California?

4. **RAZONAMIENTO CRÍTICO** ¿Cómo benefician las universidades de California a las minorías, a los nuevos inmigrantes y a las exportaciones?

5. **ACTIVIDAD** ¿Cuántos productos importados ves en tu casa o en el salón de clase? Haz una lista. Aquí tienes una pista: mira las etiquetas de tu ropa y de tus zapatos.

Repaso del capítulo

Repasa los términos clave

boicoteo (p. 274)
costumbres (p. 279)
derechos civiles (p. 271)
huelga (p. 274)
minoría (p. 272)
producto de exportación
(p. 285)

producto de importación
(p. 285)
protesta (p. 272)
refugiado (p. 277)
sindicato (p. 274)

A. Escribe el término clave para cada frase:
1. un grupo de trabajadores que se une para proteger sus derechos
2. pequeña parte de la población de un país
3. un producto comprado a otro país
4. negarse a comprar o a consumir un producto
5. un producto vendido a otro país
6. hábitos, prácticas o maneras de vivir

B. Escoge el término clave que complete mejor cada oración.
1. César Chávez organizó a los trabajadores en una _____ hasta que los dueños cambiaron las condiciones de trabajo.
2. En San Francisco hubo una _____ contra una cadena de supermercados porque no contrataba a negros.
3. Las minorías de los Estados Unidos han tenido que luchar por sus _____.
4. Los mon-jmer eran _____ que huyeron de su país para escapar de la guerra.
5. El público apoyó al sindicato de César Chávez, uniéndose en un _____ a las uvas.
6. El arte, la música y las _____ de los inmigrantes enriquecen la cultura de California.

Explora los conceptos

Grupo	Causa	Efecto
Indígenas		Ocuparon Alcatraz.
Trabajadores migratorios	Condiciones de trabajo eran malas.	
Negros		
Inmigrantes asiáticos		
Personas que trabajaban con computadoras	Se inventa el "chip" para computadoras.	

A. Completa la tabla de la izquierda en una hoja aparte añadiendo causas y efectos. Cada causa debe ser algo que les sucedió a las personas de cada grupo. Cada efecto debe ser algo que sucedió como resultado.

B. Escribe una o dos oraciones para contestar cada una de estas preguntas. Usa detalles de este capítulo para apoyar tus respuestas.
1. ¿Por qué los trabajadores se unieron al sindicato de César Chávez?
2. ¿Por qué los refugiados del sureste de Asia y de Centroamérica vienen a vivir a California?
3. ¿Cómo cambiaron los "chips" para computadoras el valle de Santa Clara?
4. ¿Qué hace California para ayudar a su juventud?

Repasa las destrezas

1. Fíjate en la gráfica circular de la derecha. Escribe las respuestas a estas preguntas: ¿Cuál es el todo dividido en partes? ¿En cuántas partes está dividida la gráfica? ¿Qué te indica la gráfica acerca de la industria del cine en California? ¿Qué estado fue el segundo productor de películas en 1988? ¿Cuántos estados se encruentran en la parte titulada "Otros"?

2. Lee las siguientes oraciones. Escribe en una hoja aparte qué oraciones expresan hechos y qué oraciones expresan opiniones. Escribe una oración para explicar cada una de tus respuestas.

   a. Alcatraz es una isla ubicada en la bahía de San Francisco.

   b. Puedes comprar ropa y otros productos de la India en un pueblo cerca de Los Ángeles.

   c. La uva es la fruta más rica que se cultiva en California.

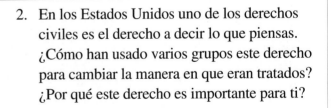

Producción de películas, 1988

Illinois, Nevada, North Carolina, Texas, New Jersey, Florida, Otros, New York, California

   d. Pienso que las montañas de California son más bonitas que el desierto.

Usa tu razonamiento crítico

1. Muchas veces un problema se puede resolver de varias maneras. ¿Cuáles eran los problemas de los trabajadores migratorios? ¿Qué maneras de resolver esos problemas buscó César Chávez?

2. En los Estados Unidos uno de los derechos civiles es el derecho a decir lo que piensas. ¿Cómo han usado varios grupos este derecho para cambiar la manera en que eran tratados? ¿Por qué este derecho es importante para ti?

Para ser buenos ciudadanos

1. **ENTREVISTAS** Entrevista a varias personas y pregúntales qué significa para ellas ser un buen ciudadano o una buena ciudadana de los Estados Unidos. Toma notas durante las entrevistas para que no olvides las respuestas. Luego escribe un resumen de cada respuesta.

2. **TRABAJO EN EQUIPO** Formen un comité en la clase que se encargue de darle la bienvenida a los estudiantes nuevos de la escuela. Piensen especialmente en los estudiantes que han llegado hace poco tiempo a California. Decidan entre todos qué cosas le podrían dar a estos estudiantes para que puedan orientarse mejor y se familiaricen con la escuela: quizás un mapa de la escuela, una lista con los nombres de los maestros y un cartel con la palabra "¡Bienvenidos!" que tenga las firmas de todos los alumnos de la clase. Trabajen en grupos pequeños para hacer los materiales que van a necesitar.

289

Capítulo 13
Decisiones para el futuro

¿Te gusta soñar con el futuro? No siempre los sueños se hacen realidad, pero a lo largo de la historia, los sueños, las visiones y las esperanzas de los californianos han ayudado a que haya progreso. Las decisiones que tomamos hoy afectarán a la California del mañana.

El artista David Em hizo este cuadro con una computadora. La tecnología moderna de las computadoras puede ayudarnos a planear el futuro.

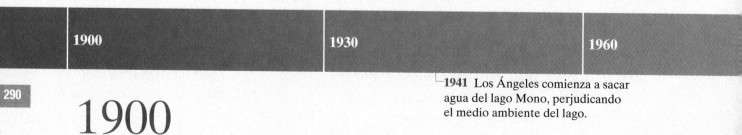

1900	1930	1960

1900

1941 Los Ángeles comienza a sacar agua del lago Mono, perjudicando el medio ambiente del lago.

¿Cómo será en el futuro este salón de clase de California?

Los molinos de viento usan la energía del viento para generar electricidad, en lugar de quemar combustibles que ensucian el aire. En instalaciones cercanas a Livermore y Palm Springs, los molinos de viento proporcionan parte de la electricidad que necesita el estado y ayudan a que el cielo de California esté más limpio.

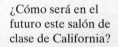

1990   2020   2050

1990 Con la ayuda del gobierno estatal, Los Ángeles se prepara para poner en práctica el plan más importante en todo el país contra la contaminación.

2050

L E C C I Ó N 1

El pasado da forma al futuro

¿Cómo ha afectado el acueducto de Los Ángeles el crecimiento de la ciudad y el medio ambiente de California?

Términos clave

- medio ambiente
- conservación ambiental

▼ *Cuando te bajes de la máquina del tiempo en el año 2050, lo primero que puedes hacer es mirar tu reloj para ver el día y la hora.*

Con este libro has viajado a través del tiempo y has visitado algunas de las épocas más importantes en la historia de California. Has conocido a muchas personas que vivieron en California. Viste a los indígenas miwok moler las bellotas para hacer harina. Viste al padre Junípero Serra levantar una cruz en alto para tomar posesión de las tierras de California en nombre del cristianismo y de España. Observaste cómo se hacía rico un buscador de oro por allá por 1849.

En tu viaje has presenciado momentos muy tristes: viste que los californios perdían sus ranchos y que las familias de la Cuenca Polvorienta pasaban hambre y penalidades durante su viaje a California. Pero también hubo momentos muy emocionantes. Te alegraste cuando "Charlie Chorro" bailaba bajo la lluvia de petróleo y volaste con el piloto Chuck Yeager a una velocidad más rápida que la del sonido.

Ahora que ya has visto el pasado, ¿cómo crees que será el futuro? Si usas tu imaginación puedes viajar al futuro en una máquina del tiempo, recorriendo miles de días y de noches en unos pocos minutos. Llegas al año 2050 y cuando la máquina del tiempo se detiene, te encuentras en un lugar que casi no reconoces. Has aterrizado en la California del futuro.

Sí, éste es tu vecindario; aquélla es la calle donde vivías, pero todo es diferente ahora. Hay una escuela nueva donde antes estaba tu vieja escuela. La gente que pasa a tu lado lleva ropa extraña y los carros se parecen mucho a los que se ven en las películas de ciencia ficción. No hay periódicos, sino un "Centro de información" con filas de computadoras donde puedes ver las noticias más actuales del estado y de todo el mundo en general.

¿Qué dicen los periódicos de esta nueva California? ¿Se vive mejor ahora que en el pasado? ¿Quiénes son los héroes y los personajes de estos años?

El pasado afecta al presente

A veces los acontecimientos de la historia son como fichas de un dominó. Si empujas la primera, se van cayendo todas una por una. Así como las fichas del dominó, los acontecimientos de la historia también están conectados. Una decisión que se tomó en el pasado puede desencadenar una serie de sucesos a lo largo de muchos años. La lucha por el agua en California es un ejemplo de una de esas series de sucesos.

En 1906, cuando construyeron el acueducto de Los Ángeles, la población pensó que ya no habría más problemas de agua. El periódico *Los Angeles Times* decía: "La victoria de Los Ángeles es total". Pero el acueducto fue la primera ficha de dominó en caer, desencadenando una serie de hechos que todavía hoy, después de muchos años, continúa.

El acueducto ayuda y perjudica

Fíjate en el efecto que ha tenido el acueducto en la vida moderna de California. Ahora hay tormentas de polvo en el valle Owens, donde antes pastaba el ganado y se producían muchas cosechas. Por otra parte, haber tomado esa decisión hizo posible el enorme crecimiento de la ciudad de Los Ángeles. El agua la convirtió en una ciudad grande e importante.

Imagínate qué habría pasado si Los Ángeles hubiera decidido no construir el acueducto. La ciudad se habría quedado sin agua y muy probablemente hubiera sido abandonada. En su lugar, el valle Owens, con un suelo fértil y mucha agua, sería el centro agrícola del estado. Las pequeñas ciudades del valle, como Bishop o Independence, podrían ser hoy ciudades muy grandes y prósperas.

▼ *La foto más grande muestra parte del acueducto que lleva agua a Los Ángeles. En la foto pequeña ves una tormenta de polvo como tantas otras que se producen en el valle Owens.*

Continúa la búsqueda del agua

La siguiente ficha de dominó cayó en 1941. La Ciudad de Los Ángeles necesitaba más agua otra vez, así que la ciudad extendió el acueducto más hacia el norte, hasta el lago Mono. Aunque cinco arroyos llegaban a este lago, el agua era salada y casi nadie la usaba. Cuando el escritor Mark Twain visitó el lago en la década de 1860, lo describió de la siguiente manera poco atractiva en su libro *Roughing It* (A la brega):

> En el lago Mono no hay peces, ni ranas, ni serpientes ni renacuajos, nada que haga la vida atractiva. Sobre la superficie nadan millones de patos y gaviotas, pero no existe ningún ser vivo *bajo* la superficie, excepto una especie de gusano blanco con plumas.

Esta gráfica muestra hasta qué punto los seres humanos dependemos del agua para vivir. Los alimentos que comemos a diario necesitan mucha agua para ser cultivados o producidos.

En realidad no era un gusano, sino una clase de camarón con el que se alimentaban los pájaros que anidaban en la isla Negit, en el centro del lago Mono. En 1941 a nadie le importaba todavía qué le pasaría a la fauna del lago con la construcción del acueducto. Ahora puedes ver los efectos de aquella decisión. Cuando tomaron el agua dulce de cuatro de los cinco arroyos del lago para el acueducto, el nivel del lago bajó más de 40 pies a partir de 1941, haciendo que el agua se volviera más salada. Como consecuencia, los camarones, que sirven de alimento a los pájaros, empezaron a desaparecer.

A veces, al satisfacer las necesidades de los seres humanos, destruimos el **medio ambiente,** o sea el conjunto de recursos naturales que nos rodea, como el suelo, el agua, los animales, las plantas y el aire. Pero en el año de 1941 pocos pensaron en lo que le podría pasar al lago Mono si alargaban el acueducto de Los Ángeles. Ahora nosotros tenemos que enfrentarnos con ese problema. ■

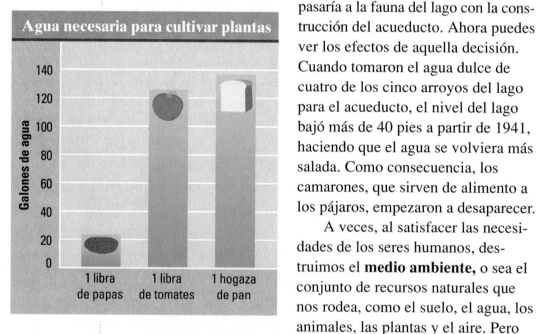

Agua necesaria para cultivar plantas

Galones de agua — 140, 120, 100, 80, 60, 40, 20, 0

1 libra de papas — 1 libra de tomates — 1 hogaza de pan

■ *¿Cómo cambió el medio ambiente del valle Owens y del lago Mono al perder agua?*

El presente afecta al futuro

La serie del dominó continúa con las nuevas decisiones que se toman hoy y que tendrán efecto en el futuro. En los últimos años, los habitantes de California han empezado a pensar más en la

conservación ambiental cuando toman decisiones. La **conservación ambiental** es la protección de todos los recursos naturales, tales como el agua y los bosques. Ahora la gente sabe que la conservación ambiental es muy importante para el presente y para el futuro. En 1989 la ciudad de Los Ángeles acordó sacar menos agua del lago Mono para ayudar a conservarlo y proteger sus plantas y animales. Los Angeles también prometió compartir el agua del río Owens con los habitantes del valle Owens.

Pero entonces, ¿de dónde sacará más agua la ciudad? ¿Se producirán más daños al medio ambiente? Tendremos que seguirnos preguntando esto en el futuro.

Además de los asuntos sobre el medio ambiente, tu generación tomará otras decisiones muy importantes que afectarán el futuro. Los habitantes de California tenemos la capacidad de resolver muchos problemas utilizando diversos medios . En el resto de este capítulo verás cómo podemos hacer que California sea mejor. En la Lección 2 verás qué puede hacer el gobierno del estado. En la Lección 3 verás qué pueden hacer las personas cuando se unen y actúan juntas. También verás todo lo que puede hacer una sola persona para cambiar el mundo.

El trabajo no es fácil, pero puede ser interesantísimo. Y los californianos del futuro, a quienes has visitado en la máquina del tiempo, te darán las gracias. ■

■ *¿Cómo afectarán el futuro las decisiones tomadas hoy acerca de la conservación del agua?*

R E P A S O

1. **TEMA CENTRAL** ¿Cómo ha afectado el acueducto de Los Ángeles el crecimiento de la ciudad y el medio ambiente de California?

2. **RELACIONA** ¿Cómo ha cambiado la actitud de los californianos hacia el medio ambiente desde 1906 hasta ahora?

3. **ECONOMÍA** Nombra tres recursos naturales que California necesita conservar.

4. **RAZONAMIENTO CRÍTICO** ¿Crees que el lago Mono era valioso, aunque las personas no lo usaran para beber? Explica tu respuesta.

5. **REDACCIÓN** Imagínate que has viajado en la máquina del tiempo al año 2050. Escribe un artículo sobre lo que viste en el viaje.

L E C C I Ó N   2

California lucha contra el esmog

¿Cómo ayuda el gobierno estatal a resolver los problemas?

Términos clave

- rama legislativa
- gobernador
- gobernadora
- rama ejecutiva
- rama judicial
- contaminación

➤ *Las montañas que rodean a Los Ángeles se ven envueltas por el esmog de la ciudad.*

Cuando el explorador español Juan Rodríguez Cabrillo entró en la bahía de San Pedro en el año de 1542, vio algo extraño. La tierra estaba cubierta de un humo tan denso que casi no se veían las montañas a lo lejos. Cabrillo la llamó *La bahía de los humos*. Ese humo venía de las hogueras de los indígenas.

Aunque ahora no hay hogueras, la ciudad moderna de Los Ángeles sigue envuelta en una neblina densa que tapa a las montañas de San Bernardino. Esta neblina parece una mezcla de niebla y humo y la llamamos esmog (de las palabras *smoke* = humo y *fog* = niebla).

El esmog se forma sobre todo al quemar combustible, como la gasolina de los carros. Los Ángeles se ha vuelto tan grande, que sus habitantes necesitan cada vez más carros. Ahora la ciudad tiene el peor problema de esmog de todo el país.

Algunas personas han tenido ideas sorprendentes para librarse del esmog, como excavar túneles en las montañas y poner ventiladores gigantescos en los túneles que echarían el esmog al otro lado de las montañas. ¿Qué harías tú?

Cómo funciona el gobierno estatal

Desafortunadamente, el esmog no se queda en un solo lugar. El viento lo va arrastrando por muchas millas, de tal manera que el esmog causado por los carros, las fábricas e incluso por las barbacoas, termina por afectar a toda California. Cuando un problema afecta a todo el estado, sus habitantes tienen que unirse para buscar una solución adecuada.

Por eso California tiene un gobierno estatal, o sea un gobierno para el estado, que está formado por diversas personas, desde los funcionarios que ves en las noticias, hasta los policías de las carreteras. El gobierno estatal administra muchas escuelas, hospitales y cárceles. El estado construye carreteras, ayuda a los necesitados y se ocupa de los problemas importantes como el esmog.

En el gobierno estatal trabajan miles y miles de personas. Los altos funcionarios del gobierno trabajan por lo general en Sacramento, una ciudad al norte del estado que es la capital, o centro del gobierno de California.

El gobierno estatal de California está dividido en tres partes llamadas ramas. La **rama legislativa** está formada por legisladores elegidos por los ciudadanos de California. Los miembros de

La rama legislativa se reúne para decidir sobre las leyes del estado. Trabaja en el capitolio del estado localizado en Sacramento.

¿Cómo lo sabemos?

HISTORIA *El gobierno del estado genera pilas de documentos. Una sola ley puede tener tantas páginas como este libro. Todos los documentos oficiales de California se guardan en un lugar llamado archivos del estado.*

Las tres ramas del gobierno estatal

Rama legislativa

Los ciudadanos eligen a los miembros de la rama legislativa. Los legisladores proponen nuevas leyes, hablan y actúan en nombre de las personas que los eligieron y ayudan a decidir cómo invertir el dinero del estado.

Rama ejecutiva

El jefe de la rama ejecutiva es el gobernador, o la gobernadora: el principal funcionario del gobierno del estado y se ocupa de que se cumplan las leyes. Las dependencias estatales son parte de esta rama.

Rama judicial

Los tribunales y los jueces del estado deciden si se ha violado la ley y castigan a los culpables. También deciden si las leyes están de acuerdo con la constitución del estado. A la cabeza de esta rama está la Suprema Corte.

esta rama o legisladores, escriben proyectos de ley, que son ideas para crear una nueva ley del estado. Algunos legisladores apoyan la ley nueva y otros no; por eso debaten, o discuten, los puntos buenos y malos del proyecto. Después votan para decidir si el proyecto se convertirá en ley.

Si la mayoría de los legisladores vota a favor de un proyecto de ley propuesto, la rama legislativa pide al gobernador o a la gobernadora que lo apruebe. Una ley es oficial únicamente cuando la firma el gobernador. El **gobernador** o la **gobernadora** es el funcionario principal del gobierno estatal y a su vez es jefe de la **rama ejecutiva**. Esta rama está encargada de que se cumplan las leyes. Por ejemplo, hay departamentos de la rama ejecutiva a cargo de resolver el problema del esmog.

Cuando los ciudadanos creen que una nueva ley no es necesaria o no es justa, tienen derecho a expresar su desacuerdo ante un tribunal. Para eso está la **rama judicial** del gobierno estatal, formada por los tribunales y los jueces. Los tribunales de California deciden si una ley es justa o no. Si la ley es injusta, pueden anularla. Los tribunales estatales también castigan a la gente que viola la ley. En la página 315 de la Minienciclopedia puedes aprender más sobre el funcionamiento del gobierno estatal. ■

■ *Indica las tres ramas del gobierno estatal y explica qué hace cada una de ellas.*

ESTUDIEMOS LA REPRESENTACIÓN

É rase una vez un rey que tenía poder sobre todo el reino de California. Cuando el rey estaba de buen humor, creaba leyes buenas. Pero si estaba de mal humor, creaba leyes terribles.

Éste es un cuento de hadas, naturalmente. El estado de California nunca ha tenido un rey y no sería prudente dar todo el poder a una sola persona. A cambio California tiene un sistema de gobierno mucho mejor y más equitativo que se llama representación.

Los ciudadanos de California votan en las elecciones para elegir a un grupo de personas que los representan, o sea, que actúan y toman decisiones en nombre de ellos. En California los ciudadanos eligen a los miembros de la legislatura del estado, al gobernador y a muchos jueces.

La representación funciona bien cuando

los ciudadanos eligen a hombres y mujeres honestos que toman buenas decisiones. Es importante que los votantes sepan lo que está sucediendo en el estado, para saber si sus representantes están actuando correctamente y tomando las decisiones adecuadas. Si tienes algo que te preocupa o interesa sobre un asunto, debes informárselo a tu representante. Él o ella deberá tomar en cuenta tus puntos de vista. Así tendrás influencia en lo que hace tu gobierno.

El gobierno estatal actúa contra el esmog

Uno de los problemas más importantes y difíciles para el gobierno de California es el esmog. El esmog perjudica a los seres humanos y a las plantas en diversas partes del estado. Los científicos calculan que el daño que causa el esmog a las cosechas le cuesta al estado casi mil millones de dólares al año. El dibujo muestra cómo el esmog afecta las plantas.

Parte del problema del esmog se debe a la geografía de Los Ángeles. La ciudad está en un terreno en forma de cuenca. Las montañas que rodean la ciudad son las paredes de la cuenca y atrapan el esmog producido por los carros, las fábricas, los negocios y la gente.

Muchos habitantes de Los Ángeles se han acostumbrado a ver la ciudad cubierta de esmog, pero los visitantes y los recién llegados se sorprenden al ver la densa capa que ensucia el cielo. En 1979 un reportero hizo una descripción de la neblina que cubre a Los Ángeles:

> **D**esde que amaneció, el sol parecía una mancha rojiza en el esmog. A media mañana el aire parecía gas mostaza. No se movía nada. Alrededor de las cinco, Los Ángeles tenía encima una capa de esmog tan densa y venenosa, que se aconsejaba incluso a las personas que no tenían problemas del corazón ni de los pulmones no salir a la calle.

Leyes para controlar el esmog

El gobierno estatal decidió hacer algo a fin de reducir el esmog en California.. En 1960 los legisladores del estado aprobaron la primera ley para controlar el esmog. La ley dice que todos los carros y camiones nuevos tienen que llevar un aparato que atrapa la contaminación del escape del motor. La **contaminación** es el humo, los gases y cualquier otra sustancia que perjudica al medio ambiente. Otras leyes más recientes mandan que los escapes de los carros sean más limpios.

Las leyes para controlar el esmog de California han tenido mucho éxito. Hoy en día hay ocho millones de carros en Los Ángeles, pero sólo añaden al aire tanto esmog como los dos millones y medio que había en 1950, porque entonces los carros no tenían nada en el motor para controlar la contaminación. Además, los carros modernos consumen menos gasolina que los de la década de 1950.

En 1982 los científicos hicieron un experimento para ver cómo crecían las plantas en aire puro y cómo crecían en aire con esmog. La planta de la derecha creció varias pulgadas menos de lo normal (izquierda) en el aire con esmog.

299

➤ *Este carro funciona impulsado por la energía solar. Con la ayuda del gobierno estatal, quizás algún día muchos californianos usarán estos carros que no causan contaminación.*

El "Plan L.A."

Cada año, medio millón de personas van a vivir a California y la mayoría tiene carros. Por eso hay que buscar nuevas maneras de resolver el problema del esmog. Unos años antes de 1990, los legisladores de California idearon un plan que será puesto en práctica en el año 2007 para reducir más el esmog de Los Ángeles y sus alrededores.

El "Plan L.A.", como se le llama, tiene 5,500 páginas y busca controlar casi todas las causas del esmog. Entre otras cosas, el plan requiere que los carros produzcan menos gases peligrosos. Muchos conductores tendrán que usar combustibles más limpios para el año de 1998. Las personas que manejen distancias largas para ir a trabajar, tendrán que formar grupos de tres o cuatro personas de la misma oficina y usar un solo carro para ir al trabajo.

Este plan afectará a todas las compañías y a todos los ciudadanos de Los Ángeles y sus alrededores. Todas las ramas del gobierno ayudarán de una u otra forma para que se cumplan las reglas del plan y para que los cambios sean justos y adecuados. Con este nuevo plan, el estado de California presenta un ejemplo para el resto del país en la lucha contra el esmog. ■

■ *¿Qué hace el gobierno estatal para luchar contra el esmog en California?*

R E P A S O

1. **TEMA CENTRAL** ¿Cómo ayuda el gobierno estatal a resolver los problemas?

2. **RELACIONA** ¿Cómo podría ayudar el gobierno estatal a resolver los problemas de agua de California?

3. **SISTEMAS SOCIALES** ¿Cómo cambiará la vida de los habitantes de Los Ángeles con el "Plan L.A."?

4. **RAZONAMIENTO CRÍTICO** ¿Qué sucedería si sólo hubiera una rama del gobierno estatal y los miembros de esa rama no fueran elegidos por los ciudadanos?

5. **REDACCIÓN** Escribe una carta al gobernador de California comunicando tu punto de vista sobre un tema importante.

Cómo buscar información

¿Por qué?

Si sabes buscar la información adecuada, podrás escribir buenos informes. Imagínate que quieres escribir un informe sobre el esmog. Puedes buscar información al respecto en la biblioteca y después tendrás que decidir si esa información es correcta y si te sirve para tu informe.

¿Cómo?

Puedes leer sobre el esmog en libros informativos que traten exclusivamente sobre el tema, o si necesitas datos precisos, en varias clases de libros de consulta:

Los almanaques se publican cada año y contienen datos actuales.

Los atlas contienen muchos mapas de diferentes clases.

Las enciclopedias contienen información acerca de personas, lugares, cosas y acontecimientos, en orden alfabético.

Los diccionarios biográficos contienen datos acerca de personajes famosos.

Los diccionarios geográficos contienen datos acerca de diferentes lugares del mundo.

Cuando busques información acerca de un tema, pregúntate:

1. ¿Me dice esta información algo interesante o importante acerca de mi tema?
2. ¿Qué otras referencias puedo usar?
3. Estos datos, ¿son los más actuales?
4. ¿Qué información tienen otros libros acerca del mismo tema?

Practica

El monóxido de carbono es un gas venenoso que empeora el problema del esmog. La gráfica circular de la derecha indica de dónde viene el monóxido de carbono. La tabla muestra cinco fuentes.

¿Que fuente produce más? Cuál es la segunda fuente de este monóxido de carbono?

Esta gráfica es de una enciclopedia del año de 1983. ¿En qué otro libro podrías buscar información sobre el esmog? ¿Dónde podrías encontrar información más reciente? ¿Qué tipo de libro de consulta de la lista de la izquierda no sería útil para elaborar un informe sobre el esmog?

Aplícalo

Lee la sección "El gobierno estatal actúa contra el esmog" de la página 299. Luego busca en la biblioteca un libro informativo (*nonfiction*) y dos libros de consulta acerca del esmog. Recuerda las preguntas anteriores acerca de cómo buscar información. Hazte esas preguntas y escribe tus respuestas. Lee a tus compañeros los datos que encuentres sobre el esmog.

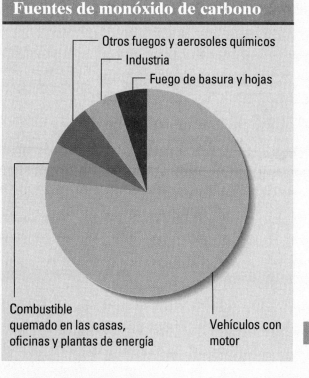

Fuentes de monóxido de carbono

Otros fuegos y aerosoles químicos
Industria
Fuego de basura y hojas
Combustible quemado en las casas, oficinas y plantas de energía
Vehículos con motor

L E C C I Ó N   3

La gente actúa

¿En qué forma pueden ayudar las personas y los grupos a mejorar el futuro de California?

Término clave

- especies en peligro de extinción

➤ *Un guarda del zoológico de San Diego, Don Sterner, alimenta a un cóndor recién nacido usando una marioneta que se parece a la mamá cóndor.*

Traza en un pizarrón una recta de nueve pies de largo. Ahora imagínate un ave cuyas alas extendidas miden nueve pies cuando vuela sobre la montaña. Hace mucho tiempo los indígenas adoraban a esa ave. Creían que al batir las alas creaba el trueno y que lanzaba relámpagos por los ojos. Este animal es el ave más grande de Norteamérica, el cóndor de California.

El cóndor de California casi ha desaparecido de la Tierra. Los cazadores han matado a muchos y otros han muerto porque las ciudades al crecer van destruyendo su medio ambiente natural. Por eso, en 1987 los científicos atraparon algunas de las aves que quedaban para que vivieran en zonas protegidas. Después de dos años nacieron en el zoológico de San Diego cuatro polluelos de cóndor. Cuando crezcan, podrán regresar a su medio ambiente natural.

Este trabajo es caro. El gobierno paga una parte, pero no es suficiente. Un grupo de niños de San Diego decidió organizar un programa para recoger latas usadas y dar el dinero del depósito para proteger a los animales.

¿Quién creería que la acción de recoger una simple lata de refresco puede ayudar tanto? Ese hermoso programa demuestra todo el poder que pueden tener las personas cuando trabajan unidas en favor de una buena causa.

El poder de muchas personas

En la Lección 2 viste cómo trabajan los miembros del gobierno estatal para resolver los problemas, pero no tienes que formar parte del gobierno para conseguir resultados. Muchos grupos de personas, como los niños de San Diego, tratan de que California sea mejor.

En el valle de Coachella algunos grupos defensores de los animales trabajaron juntos para proteger a un extraño lagarto de la zona. Este animalito corre sobre la arena del desierto usando las patas como raquetas para la nieve, y puede meterse dentro de la arena y nadar en el agua como un pez.

Entre los años de 1922 y 1928, el valle de Coachella empezó a cubrirse de campos de golf, casas y hoteles. En 1980 este lagarto era una **especie en peligro de extinción.** Eso quiere decir que estaba en peligro de desaparecer para siempre, como el cóndor. Algunas personas estaban preocupadas y querían detener la construcción. Sin embargo, los constructores querían seguir adelante porque muchas personas querían mudarse al valle.

Finalmente todos decidieron trabajar unidos. Los científicos, gobernantes, constructores, grupos defensores del medio ambiente y los habitantes del valle, crearon un plan común. En 1986, dividieron el valle de Coachella en dos partes. Una parte fue concedida a los constructores y otra fue reservada para el lagarto. Este acuerdo fue tan bueno que ha sido un ejemplo para otros grupos similares de todo el país. ■

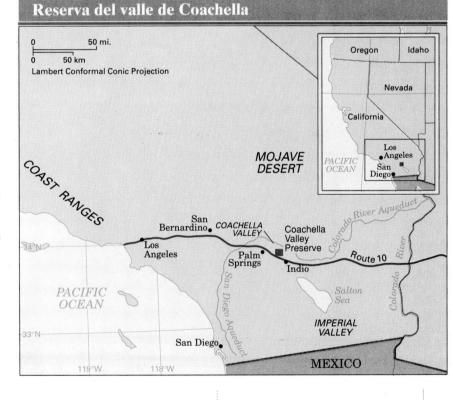

Reserva del valle de Coachella

El poder de una persona

Pero tú eres sólo un niño o una niña de California. ¿Qué puedes hacer tú por tu cuenta? Aunque no lo creas, ya estás tomando decisiones que afectan a California. En la próxima página verás qué sucede cuando decides qué cosas vas a comprar. A veces,

■ *¿Cómo se beneficiaron los diferentes grupos con la solución del valle de Coachella?*

El medio ambiente y tú

Lo que tú haces a diario puede cambiar el mundo en que vives. Demos un vistazo a la mochila de un estudiante como tú para ver cómo afectan tus acciones la tierra, el agua y el aire de tu medio ambiente.

Un lápiz es un árbol.
Los árboles nos dan su madera y su belleza. Cuando las compañías madereras cortan los árboles, deben plantar otros nuevos. Sólo deben cortar una zona del bosque cada vez, como indica este dibujo.

¡Guarda la lata!
Cada californiano bota unas 4 libras de basura al día. Tú puedes ayudar a que haya menos basura guardando las latas y botellas para reciclarlas, es decir, usarlas para fabricar nuevos productos.

Pedalea por un aire mejor. Un grave problema de contaminación es el esmog. Cuando vas en cicla o caminas en lugar de ir en carro, combates el esmog.

En el observatorio del monte Palomar, al norte de San Diego, los científicos de California toman fotos del mundo y del universo que nos rodea.

Vista de la Tierra desde el espacio. ¿Será un lugar mejor en el futuro?

cuando compramos ciertas cosas, ayudamos a crear trabajos en la industria. Pero algunas de las cosas que compramos también crean contaminación. Tú puedes tomar decisiones que ayuden a detener la contaminación. Mejor dicho, tú tienes el poder de hacer que las cosas cambien.

En San Diego los niños ayudaron a los animales por amor. ¿Qué temas te interesan? Tal vez te preocupa el agua y quieres ayudar a lograr que California tenga agua limpia y abundante. Primero, empieza a actuar solo. Toma duchas más cortas y cierra los grifos para desperdiciar menos agua limpia. No arrojes basura a los ríos y lagos. Luego, únete a un grupo. Inicia un proyecto en tu escuela para ahorrar agua.

Continúa investigando qué hace el gobierno estatal para detener la contaminación del agua. Puedes escribir a tus representantes para mostrarles tu interés. Verás que puedes tomar decisiones que afecten a tu casa, tu escuela, tu vecindario, tu estado y tu mundo.

Hace muchos meses, cuando abriste por primera vez este libro, viste una gran esfera azul. Era la Tierra. Tu interés por California beneficia a la Tierra. En el año 2050, los astronautas de los transbordadores espaciales del futuro, en órbita sobre la Tierra, mirarán hacia abajo a un mundo un poco más limpio, más saludable y más hermoso gracias a tu ayuda. ∎

¿Qué efecto pueden tener nuestras decisiones en el futuro de California?

R E P A S O

1. **TEMA CENTRAL** ¿En qué forma pueden ayudar las personas y los grupos a mejorar el futuro de California?

2. **RELACIONA** ¿Qué aprendiste en la Lección 1 acerca de cómo aprenden los californianos a trabajar juntos ante un problema?

3. **CIUDADANÍA** ¿Cómo puedes influir tú en la contaminación del agua?

4. **RAZONAMIENTO CRÍTICO** ¿Qué clase de trabajo te gustaría hacer cuando seas mayor y cómo crees que ese trabajo afectará el futuro?

5. **REDACCIÓN** Imagínate que eres un personaje de un libro. Escribe una autobiografía que cuente cómo cambiaste el futuro de California.

Decisiones para el futuro

Plan para un proyecto

¿Por qué?

Cuando un grupo de personas quiere realizar un proyecto, todos en el grupo tienen que discutirlo. Trabajando en grupo, podemos hacer cosas que una persona sola no podría hacer. Unidos podemos ayudar a proteger el medio ambiente.

¿Cómo?

Para tener una discusión en grupo, sigue estas pautas o reglas:

1. Recuerda el tema de la discusión y no te desvíes del mismo.
2. Participa en la discusión, explica tus ideas y haz preguntas cuando no entiendas algo.
3. Escucha cortésmente las ideas de los demás. No interrumpas cuando otra persona habla.
4. Piensa antes de hablar. Habla de modo que todos te comprendan.

La clase de cuarto grado del Sr. Naranjo quería ayudar a proteger el medio ambiente y organizó una discusión para preparar un proyecto. Lee sus comentarios, recordando las pautas anteriores.

Juana: Vamos a recomendar que todos reciclen el papel usado en vez de botarlo.
Mark: ¡Qué tontería!
José: Yo creo...
Samuel: ¿Has leído las tiras cómicas de hoy?
Juana: ¿Qué ibas a decir tú, José?
Carlos: La idea de Juana de reciclar papel es buena. ¿Cómo se lo podemos explicar a todos?

Algunos estudiantes siguen las reglas recomendadas. ¿Quién no las sigue? Explica tu respuesta.

Practica

Organiza una discusión con un grupo de cuatro o cinco estudiantes. Discutan cómo informar a sus vecinos y amigos de la importancia de reciclar el papel. Expliquen qué sucede cuando se recicla el papel. Todos deben de seguir las pautas para la discusión.

Aplícalo

Reúnete con cinco compañeros para discutir un proyecto para mejorar el medio ambiente de tu comunidad. Sigue las pautas que se recomiendan en toda discusión. Cuando hayan decidido el proyecto, preparen un plan. Expliquen su plan a la clase y actúen.

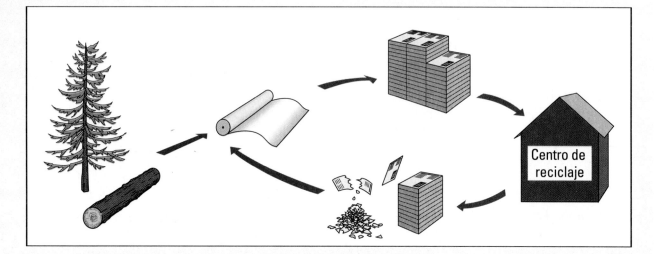

Centro de reciclaje

Repaso del capítulo

Repasa los términos clave

conservación ambiental
(p. 295)
contaminación (p. 299)
especies en peligro de
extinción (p. 303)
gobernador (p. 298)

gobernadora (p. 298)
medio ambiente (p. 294)
rama ejecutiva (p. 298)
rama judicial (p. 298)
rama legislativa (p. 297)

A. Escoge el término clave que complete mejor cada una de estas oraciones.

1. Ocuparse del _____ es tan importante como ocuparse de las necesidades de los seres humanos.

2. La _____ del gobierno de California está encargada de que se cumplan las leyes.

3. A menos que trabajemos para protegerlas, las _____ desaparecerán de la Tierra.

4. Los miembros de la _____ del gobierno estatal aprueban las leyes del estado.

5. El _____ del estado es el funcionario más importante del gobierno estatal.

6. Los tribunales y los jueces están en la _____ del gobierno estatal.

B. Escribe la definición de cada uno de estos términos clave. Después escribe una o dos oraciones que indiquen cómo se relacionan los cuatro términos.

1. conservación ambiental
2. especies en peligro de extinción
3. medio ambiente
4. contaminación

Explora los conceptos

A. Termina la tabla de abajo en una hoja aparte. Usa detalles que has aprendido en este capítulo para contestar las preguntas.

B. Para cada uno de los siguientes acontecimientos, haz una lista de efectos buenos y malos.

1. En 1941 la ciudad de Los Ángeles empezó a usar agua del lago Mono.

2. En California muchas personas prefieren viajar en carro.

3. En el valle de Coachella han construido casas, hoteles y campos de golf.

4. En los zoológicos cuidan a algunas especies en peligro de extinción que antes vivían libres.

Problema	¿Qué causó el problema?	¿Qué se hace para resolverlo?	¿Quién lo está resolviendo?	¿Cuál ha sido el resultado?
Esmog				
Especies animales en peligro de desaparecer				

307

Repasa las destrezas

1. Lee estas cinco preguntas y luego decide qué clase de libro te serviría para responder a cada una de ellas. Escribe en una hoja de papel aparte si sería un almanaque, un atlas, una enciclopedia, un diccionario biográfico o un diccionario geográfico.

   a. ¿Cuándo y dónde nació el explorador español Juan Rodríguez Cabrillo?

   b. ¿Cómo funciona un acueducto?

   c. ¿Por qué carreteras se puede ir al lago Mono?

   d. ¿Cuál es la altura de las montañas de San Bernardino?

   e. ¿Cuántas personas vivían en San Diego en el año de 1982?

2. Imagínate que participas en una discusión en grupo sobre el gobierno estatal. Oyes que alguien está hablando acerca de un *legislador* y no sabes lo que esa palabra significa. ¿Qué debes hacer?

3. Imagínate que vas a entrevistar a una persona encargada de cuidar a los cóndores en el zoológico de San Diego. ¿Qué deseas saber de su trabajo y de las aves que cuida? Prepara una lista de preguntas para tu entrevista.

4. ¿Qué clase de libros te podrían servir para encontrar más información acerca del cóndor de California?

Usa tu razonamiento crítico

1. El gobierno del estado de California, al igual que el gobierno de los Estados Unidos, tiene tres ramas. ¿Por qué es mejor tener tres ramas en el gobierno que solamente una?

2. Los primeros californianos fueron los indígenas que vivían unidos a la naturaleza. ¿Qué pensarían ellos de la forma en que hemos tratado la Tierra si pudieran ver a California ahora?

3. Como la ciudad de Los Ángeles está construida en un desierto, siempre ha sido un problema encontrar suficiente agua para satisfacer las necesidades de todos sus habitantes. ¿Qué soluciones crees que tendrá el problema en el futuro?

Para ser buenos ciudadanos

1. **ACTIVIDAD ARTÍSTICA** Averigua sobre algún animal de California que pertenezca a una especie en peligro de extinción. Haz una cartelera o afiche con información acerca del animal. Dibuja al animal o trata de encontrar una foto y pégala con goma en tu cartelera. Indica dónde vive el animal, qué come y por qué es especial. Añade una foto o un dibujo que muestre la causa por la cual esa especie está en peligro de desaparecer.

2. **TRABAJO EN EQUIPO** Elabora, junto con el resto de tu clase, un álbum de fotografías que expliquen un aspecto de la historia de California. Usen los capítulos de este libro como guía y discutan qué hechos importantes o de la vida cotidiana van a incluir. Luego trabajen en grupos pequeños para ilustrar esos sucesos. Algunos estudiantes pueden hacer dibujos, otros pueden escribir dos o tres oraciones que expliquen cada dibujo.

   Cuando todos los grupos hayan terminado, pongan los dibujos y las explicaciones en un álbum llamado *La historia de California*. Escojan a un compañero o a una compañera para que haga la carátula del álbum. Despues lleven el álbum de la clase a la biblioteca de la escuela para que otros estudiantes también lo puedan ver.

Banco
de datos

California en breve

Símbolos de California

La bandera del estado, adoptada en 1911, ostenta un oso gris y una estrella solitaria roja. En el sello estatal, adoptado en 1849, el oso gris que representa a California aparece junto a Minerva, la diosa romana de la sabiduría. Un haz de espigas de trigo y un racimo de uvas simbolizan la agricultura. Un minero trabajando con el pico representa a la minería; los barcos al comercio, y las cumbres al fondo representaban a la Sierra Nevada.

Bandera del estado

Sello del estado

California (en color café) es el tercer estado en tamaño y el mayor en la costa del Pacífico (en amarillo).

El capitolio estatal se encuentra en Sacramento, capital de California desde 1854. Monterey, San José, Vallejo, Benicia y San Francisco fueron provisionalmente capitales entre 1850 y 1854.

Información general

Estado de la Unión desde el 9 de septiembre de 1850, el número 31.
Abreviaturas: Calif. (por tradición); CA (para el correo).
Lema: *Eureka* ("Lo encontré".)
Canción tema: "I love you, California" (Te amo, California); letra de F.B. Silverwood; música de A.F. Frankenstein.

Suelo y clima

Extensión territorial: 158,706 mi.² (411,049 km²) que incluye 2,407 mi.² (6,234 km²) de aguas interiores, pero excluye 69 mi.² (179 km²) de aguas costeras del Pacífico.
Elevación: *Altura máxima:* Monte Whitney, 14,495 pies (4,418 m) sobre el nivel del mar. *Mínima:* 282 pies (86 m) bajo el nivel del mar en el valle de la Muerte *(Death Valley)*.
Litoral: 840 mi. de costa (1,352 km).
Temperatura máxima registrada: 134° F. (57° C) en Greenland Ranch, valle de la Muerte *(Death Valley)*, el 10 de julio de 1913.
Temperatura mínima registrada: -45° F. (-43° C) en Boca, cerca de Truckee, el 20 de enero de 1937.
Temperatura promedio en julio: 75° F. (24° C).
Temperatura promedio en enero: 44° F. (7° C).
Precipitación anual promedio: 22 pulgadas (56 cm).

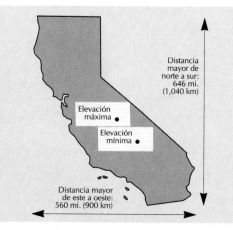

Distancia mayor de norte a sur: 646 mi. (1,040 km)

Elevación máxima

Elevación mínima

Distancia mayor de este a oeste: 560 mi. (900 km)

Fechas importantes

Junípero Serra establece la primera misión franciscana cerca de donde hoy se encuentra San Diego.

James W. Marshall descubre oro en Sutter's Mill.

1542   **1769**   **1846**   **1848**

Juan Rodríguez Cabrillo, marino portugués al servicio de España, explora la bahía de San Diego.

Las fuerzas de los Estados Unidos conquistan a California durante la guerra con México.

California

Ave del estado
Codorniz del valle

Flor del estado
Amapola dorada

Árbol del estado
Secoya de
California

Habitantes

Población: 23,667,826 (censo de 1980)
Lugar que ocupa entre los estados: 1.º
Densidad: 149 personas por mi.² (58 por km²). El promedio en los Estados Unidos es de 67 por mi.² (26 por km²).
Distribución: 91 por ciento población urbana, 9 por ciento rural.
Principales ciudades de California:

Los Ángeles	2,968,579
San Diego	875,538
San Francisco	678,974
San José	629,531
Long Beach	361,355
Oakland	339,337

Fuente: U.S. Bureau of the Census

Tendencias poblacionales

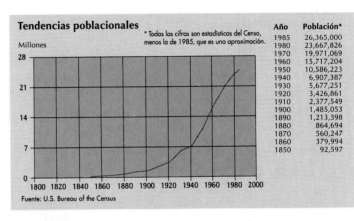

Millones

* Todas las cifras son estadísticas del Censo, menos la de 1985, que es una aproximación.

Fuente: U.S. Bureau of the Census

Año	Población*
1985	26,365,000
1980	23,667,826
1970	19,971,069
1960	15,717,204
1950	10,586,223
1940	6,907,387
1930	5,677,251
1920	3,426,861
1910	2,377,549
1900	1,485,053
1890	1,213,398
1880	864,694
1870	560,247
1860	379,994
1850	92,597

Economía

Productos principales

Agricultura y ganadería: lácteos, ganado vacuno, productos de invernadero y viveros; algodón, viñas, forraje, tomates.
Industria manufacturera: equipo eléctrico, equipo de transporte, productos alimenticios, maquinaria.
Minería: petróleo, gas natural.

Producción estatal bruta

Valor de bienes y servicios producidos en 1986: $533,816,000,000.
Servicios comprende los prestados por la comunidad, los negocios, y servicios personales; finanzas; gobierno; comercio; y transporte, comunicaciones y servicios públicos como suministro de gas y electricidad. *Industria* incluye construcción, manufactura y minería. *Agricultura* abarca cultivos, pesca y silvicultura.

Fuente: U.S. Bureau of Economic Analysis

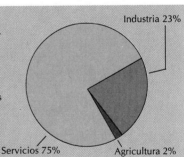

Industria 23%

Servicios 75%

Agricultura 2%

Gobierno

Gobierno estatal

Gobernador: período de 4 años
Senadores estatales: 40 por un período de 4 años
Miembros de la Asamblea: 80 por un período de 2 años
Condados: 58

Gobierno federal

Senadores de los Estados Unidos: 2
Representantes de los Estados Unidos: 45
Votos electorales: 47

Fuentes de información

Turismo: California Office of Tourism, P.O. Box 9278, Van Nuys, CA 91409
Economía: Department of Finance, 1025 P Street, Sacramento, CA 95814
Gobierno: Secretary of the Senate, Room 3044, State Capitol, Sacramento, CA 95814
Historia: Secretary of the Senate, Room 3044, State Capitol, Sacramento, CA 95814

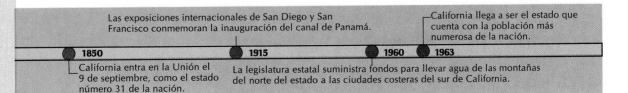

Las exposiciones internacionales de San Diego y San Francisco conmemoran la inauguración del canal de Panamá.

California llega a ser el estado que cuenta con la población más numerosa de la nación.

1850   1915   1960   1963

California entra en la Unión el 9 de septiembre, como el estado número 31 de la nación.

La legislatura estatal suministra fondos para llevar agua de las montañas del norte del estado a las ciudades costeras del sur de California.

Terremoto

Un terremoto (llamado también *sismo)* es un temblor o sacudida que ocurre de repente en la tierra. En un solo año puede haber hasta un millón de terremotos en el mundo. Casi todos ocurren bajo la superficie del mar y pocos causan daño. Pero los que ocurren cerca de ciudades grandes sí causan muchos daños y pérdida de vidas, sobretodo si la ciudad está en suelo blando y no sobre rocas duras. La fuerza liberada por un terremoto puede ser igual a la de 200 millones de toneladas (180 millones de toneladas métricas) de TNT y diez mil veces mayor que la primera bomba atómica. La fuerza de los terremotos se mide por una graduación de números llamada la escala de Richter. Los más grandes terremotos que se registran generalmente se miden por *magnitudes de energía de deformación.*

Los grandes terremotos causan fuertes movimientos en la superficie terrestre. Los que ocurren en las costas agitan el mar aumentando la destrucción. Esto pasa en el océano Pacífico, donde los terremotos de las costas son frecuentes.

¿Por qué ocurren los terremotos? Según la teoría de las *placas tectónicas,* la superficie de la Tierra se compone de siete grandes placas rígidas y otras tantas más pequeñas que están en continuo movimiento. Ese movimiento aprieta y estira las rocas que se encuentran en los bordes de las placas. Si la fuerza es muy grande las rocas se rompen y se mueven, y eso causa el terremoto. Esas rupturas de la tierra se llaman *fallas.* Casi todas las fallas están bajo la superficie, aunque algunas son visibles, como la falla de San Andreas en California.

Mucha de la fuerza que libera el terremoto sale de la falla en ondas, llamadas *ondas sísmicas.* Cerca del *hipocentro* o *foco* (el lugar donde comienza la ruptura) las vibraciones de estas ondas pueden ser muy destructivas. Conforme las ondas se alejan del hipocentro las vibraciones se debilitan y disminuyen. Hay estaciones sismográficas que registran las ondas sísmicas.

Las ondas sísmicas se componen de ondas de compresión, ondas de deslizamiento y ondas de superficie. Las *ondas de compresión* son ondas de sonido que viajan a 5 millas (8 kilómetros) por segundo. Atraviesan la Tierra en unos 20 minutos. Las rocas vibran en la misma dirección en que la onda se desplaza, cambiando así de volumen y

Causas y efectos de los terremotos

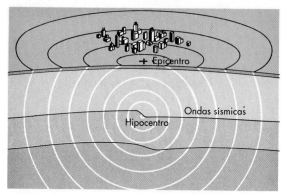

Un terremoto se produce cuando fuerzas dentro de la Tierra causan un movimiento súbito de las rocas. El lugar del movimiento es el *hipocentro* del terremoto. Las ondas sísmicas producidas por el terremoto son más fuertes en el *epicentro,* el punto de la superficie situado sobre el hipocentro.

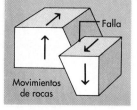

El hipocentro del terremoto se centra en rocas que se han partido y que se deslizan. Esos lugares son llamados *fallas* por los geólogos.

Las ondas sísmicas incluyen *ondas de compresión*—que sacuden a los edificios en forma vertical—y *ondas de deslizamiento,* que los mueven horizontalmente.

tamaño. Las *ondas de deslizamiento* corren a la mitad de la velocidad de las ondas de compresión. Las rocas vibran en ángulo recto a la dirección en que se desplaza la onda, cambiando así de forma.

Terremotos más severos ocurridos desde 1900

Año	Lugar	Magnitud*	Año	Lugar	Magnitud*
1905	Norte de la India	8.0	1958	Sureste de Alaska	8.1
	Oeste de Mongolia	8.4		Islas Kuriles	8.4
1906	San Francisco	8.1	1960	Sur de Chile	9.7
1920	Gansú, China	8.4	1963	Islas Kuriles	8.3
1923	Kamchatka, Unión Soviética	8.5	1964	Sur de Alaska	9.2
1933	Suelo oceánico del Pacífico, cerca del Japón	8.3	1965	Islas Aleutianas	8.5
1934	Nepal	8.3	1966	Oeste de Perú	8.0
1938	Suelo oceánico del mar Banda, cerca de Indonesia	8.6	1968	Suelo oceánico del Pacífico, cerca del Japón	8.1
1939	Este de Turquía	8.0	1969	Islas Kuriles	8.0
1944	Sur de la isla de Honshu, Japón	8.0	1970	Oeste de Perú	7.9
1946	Islas Aleutianas	8.3	1972	Sureste de Alaska	7.9
	Suelo oceánico del Pacífico, cerca del Japón	8.0	1976	Mindanao, Filipinas	7.9
1949	Archipiélago de la Reina Carlota, Columbia Británica	8.2	1977	Islas Menores de Sunda, Indonesia	8.8
1950	Asam, India	8.8	1983	Nueva Irlanda, Papua Nueva-Guinea	7.9
1952	Suelo oceánico del Pacífico, cerca del Japón	8.7	1985	Ciudad de México	8.1
	Kamchatka, Unión Soviética	8.9	1986	Islas Aleutianas	8.3
1957	Islas Aleutianas	9.1		Islas Kermadec, al sur del Pacífico	8.5
	Suroeste de Mongolia	8.1	1989	Suelo del Pacífico, cerca de Nueva Zelanda	8.5

*Las magnitudes que citamos son de energía de deformación, que miden los terremotos fuertes con mayor exactitud que la escala de Richter.
Fuentes: G. Purcaru y H. Berckhemer en *Tectonophysics* 49 (1978), Elsevier Scientific Publishing Company, Amsterdam; U. S. National Geophysical Data Center.

Dónde se producen los terremotos

Casi todos los terremotos mayores se producen en dos grandes zonas: el cinturón del Pacífico y el cinturón álpide. Cada punto en el mapa representa cinco terremotos en un período de nueve años. Al cinturón del Pacífico a veces se le llama "anillo de fuego"; ahí se producen tres cuartas partes de los terremotos del mundo. Casi todos los otros ocurren en el cinturón álpide que atraviesa por Europa y Asia, desde Birmania hasta el sur de Europa y el norte de África. Otras regiones activas son las montañas que forman las cordilleras submarinas.

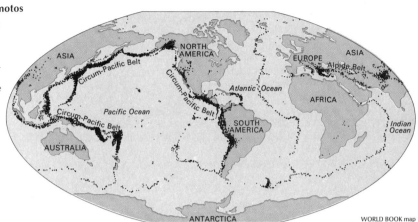

WORLD BOOK map

Las *ondas de superficie* viajan un poco más despacio que las ondas de deslizamiento y están limitadas a la superficie de la Tierra. Los científicos pueden tener una idea del tipo de rocas que hay bajo la superficie de la Tierra midiendo la velocidad de las ondas sísmicas.

¿Dónde se producen los terremotos? Los sismólogos usan los intervalos entre las ondas sísmicas para calcular la distancia desde el hipocentro a una estación sismográfica. Para localizar el hipocentro con precisión, dibujan círculos en un mapa que muestra la distancia entre el terremoto y varias estaciones sismográficas. El terremoto está donde se cruzan los círculos. El hipocentro de casi todos los terremotos está a menos de 25 millas (40 kilómetros) bajo la superficie de la Tierra. Algunos pueden encontrarse a profundidades hasta de 400 millas (640 kilómetros).

La mayoría de los terremotos se producen en el límite donde las placas se separan, chocan o se deslizan. Allí están las regiones geológicas más activas de la Tierra. Los volcanes, las cordilleras menos antiguas y las más profundas fosas marinas —además de los terremotos— se producen en los bordes de las placas. En contraste, las regiones más estables, donde hay pocos terremotos, son las superficies llanas de los continentes y el suelo marino. La mayoría de los terremotos se producen en dos cinturones sísmicos: en el cinturón del Pacífico *(Circum-Pacific Belt),* que se extiende por los bordes de las placas alrededor de ese océano, y en el cinturón álpide *(Alpide Belt),* que sigue los bordes de las placas por el sur de Europa y Asia.

¿Podemos pronosticar los terremotos? Aún no, pero los científicos confían en hallar un método seguro. Ya saben en qué regiones pueden ocurrir terremotos. Basándose en los datos, calculan la frecuencia con que una región puede ser afectada. Ya se sabe, por ejemplo, que California sufrirá un fuerte terremoto cada 50 ó 100 años; por eso los ingenieros construyen edificios muy resistentes en esa región.

Los sismólogos observan con cuidado las áreas donde pueden ocurrir terremotos. Registran los pequeños temblores y cualquier distorsión que indique la posibilidad de un desastre. Pero los avances hacia una predicción segura son lentos.

El daño que causan los terremotos. La mayoría de los terremotos pasan desapercibidos. Pero de vez en cuando surge uno de gran magnitud, y en esos casos casi toda la destrucción ocurre poco después de sentirse el primer temblor.

La mayoría de los daños y las muertes son resultado del derrumbe de casas y edificios. Un terremoto fuerte puede aflojar ladrillos y afectar la estabilidad de techos y paredes, causando derrumbes. Los terremotos también destruyen puentes, cañerías de agua, cables eléctricos y conductos de gas. Sin duda, los incendios son un gran peligro que surge a raíz de un terremoto.

La falla de San Andreas es una larga fractura de la corteza de la Tierra, marcada por una zona de suelo desigual en California. La falla se extiende por más de 750 millas (1,210 kilómetros) desde la costa noroeste de California hacia la parte sur del estado, cerca de la frontera con México.

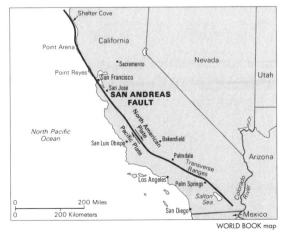

WORLD BOOK map

La falla de San Andreas es una fractura de la corteza de la Tierra a lo largo de gran parte de California. Movimientos súbitos de la corteza en dicha falla han producido terremotos muy severos.

Compiled from the Earthquake and San Andreas Fault articles in *World Book.* Copyright © 1990 by World Book, Inc.

Canal de Panamá

El canal de Panamá es un cauce fluvial que atraviesa al istmo de Panamá y une el océano Atlántico con el Pacífico. Es una de las mayores obras de ingeniería del mundo. Al terminarse, en 1914, redujo la ruta que recorrían los barcos entre New York y San Francisco a menos de 5,200 millas (8,370 kilómetros). Antes de que existiera el canal, esos barcos tenían que darle la vuelta a Suramérica—o sea, viajar más de 13,000 millas (20,900 kilómetros).

Los Estados Unidos construyeron el canal de Panamá a un costo de 380 millones de dólares. Durante diez años miles de obreros trabajaron en la obra, usando excavadoras de vapor y dragas mecánicas para abrirse camino por selvas, cerros y pantanos. Incluso tuvieron que vencer algunas enfermedades tropicales como la malaria y la fiebre amarilla.

El canal de Panamá se extiende a lo largo de 50.72 millas (81.63 kilómetros) desde la bahía de Limón en el océano Atlántico hasta la bahía de Panamá en el Pacífico. Los barcos que cruzan del Atlántico al Pacífico navegan 27 mi. (43 km) de noroeste a sureste.

El canal de Panamá tiene tres enormes cámaras de agua llamadas *esclusas* que elevan o bajan los barcos de un nivel a otro. Esas esclusas se construyeron dobles, o sea en pares, lo que hace posible que los barcos puedan pasar en ambas direcciones al mismo tiempo. Cada esclusa tiene un largo de operaciones de 1,000 pies (300 metros), un ancho de 110 pies (34 metros) y una profundidad de 70 pies (21 metros). Las dimensiones de las esclusas limitan el tamaño de los barcos que pueden cruzar el canal. Por ejemplo, los trasatlánticos comerciales y los grandes portaaviones de la Marina estadounidense no pueden pasar.

En 1903 los Estados Unidos obtuvieron el derecho a construir y operar el canal gracias a un tratado que firmaron con Panamá. Dicho tratado también les concedía el derecho a gobernar el área llamada Zona del Canal a ambos lados del mismo. Por muchos años Panamá trató de obtener el control del canal y de la Zona. Al fin, en 1977, estos dos países firmaron un nuevo tratado que daba jurisdicción territorial de la Zona a Panamá en 1979, conservando los Estados Unidos el control administrativo de ciertas instalaciones necesarias para el funcionamiento y la defensa del canal. Este tratado cede a Panamá el control de las operaciones del canal y sus adyacentes instalaciones militares a partir del 31 de diciembre de 1999. Un segundo acuerdo dio a los Estados Unidos el derecho a defender la neutralidad del canal de Panamá.

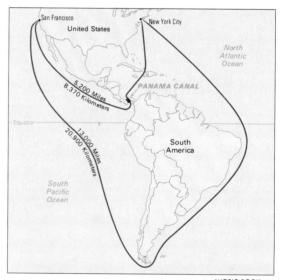

WORLD BOOK map

El canal de Panamá reduce enormemente la ruta de los barcos que deben ir del océano Atlántico al Pacífico o viceversa. Por ejemplo: un barco que zarpa del puerto de New York con destino a San Francisco, ahorra unas 7,800 millas (12,600 kilómetros) atravesando el canal de Panamá en vez de tener que dar la vuelta a toda Suramérica.

Importancia del canal de Panamá

Esta vía fluvial es de suma importancia militar y comercial. Por ella pasan aproximadamente 12,000 barcos trasatlánticos al año—un promedio de 33 diarios—transportando carga a razón de 168 millones de toneladas (152 millones de toneladas métricas) por año.

Cerca del 70 por ciento de los barcos que cruzan el canal van o vienen de puertos estadounidenses, pero también lo atraviesan barcos del Canadá y el Japón.

Los Estados Unidos mantienen varias bases militares para la defensa del canal de Panamá. Allí se encuentra la sede del Comando Sur de Estados Unidos, entidad que dirige todas las unidades militares estadounidenses en el Caribe. Durante la Segunda Guerra Mundial y las guerras de Corea y Vietnam, enormes cantidades de material bélico y miles de tropas pasaron de un océano al otro por el canal de Panamá.

Un perfil del canal de Panamá muestra la ruta de un barco que lo cruza desde el océano Atlántico. Las esclusas de Gatún levantan el barco al nivel del lago Gatún. El barco atraviesa el lago y pasa por el Corte Culebra o Gaillard *(Gaillard Cut)*. Ahí las esclusas Pedro Miguel y Miraflores bajan el barco al nivel del océano Pacífico. El proceso es a la inversa cuando un barco atraviesa el canal del Pacífico al Atlántico.

WORLD BOOK diagram

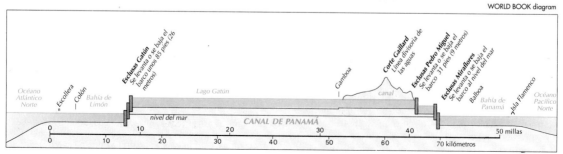

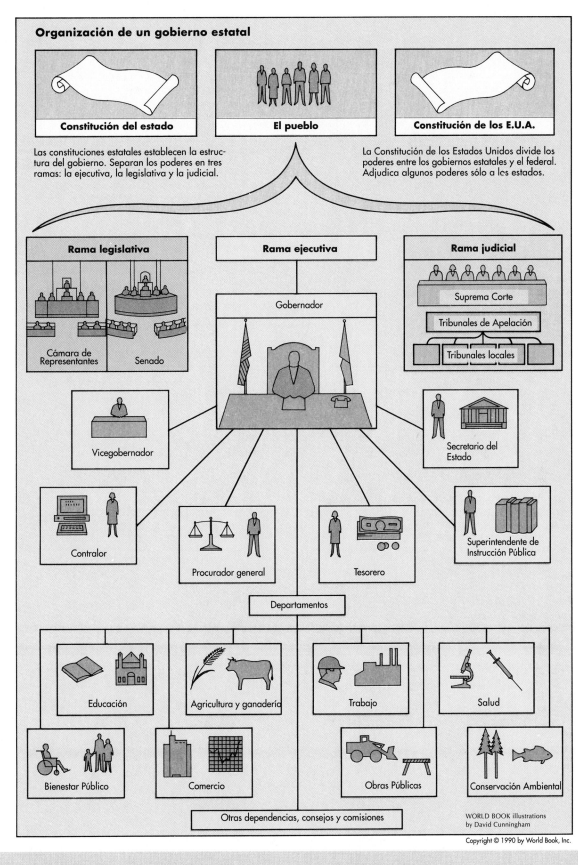

Organización de un gobierno estatal

Constitución del estado

El pueblo

Constitución de los E.U.A.

Las constituciones estatales establecen la estructura del gobierno. Separan los poderes en tres ramas: la ejecutiva, la legislativa y la judicial.

La Constitución de los Estados Unidos divide los poderes entre los gobiernos estatales y el federal. Adjudica algunos poderes sólo a los estados.

Rama legislativa

Rama ejecutiva

Rama judicial

Cámara de Representantes

Senado

Gobernador

Suprema Corte

Tribunales de Apelación

Tribunales locales

Vicegobernador

Secretario del Estado

Contralor

Procurador general

Tesorero

Superintendente de Instrucción Pública

Departamentos

Educación

Agricultura y ganadería

Trabajo

Salud

Bienestar Público

Comercio

Obras Públicas

Conservación Ambiental

Otras dependencias, consejos y comisiones

WORLD BOOK illustrations by David Cunningham

Copyright © 1990 by World Book, Inc.

Estados Unidos

Regiones de los Estados Unidos

Este mapa señala dónde se encuentran las siete regiones de los Estados Unidos que mencionamos en esta sección. A la derecha, aparecen los estados que comprende cada región.

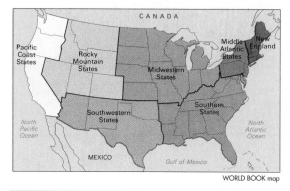

WORLD BOOK map

Nueva Inglaterra *(New England)*
Connecticut, Maine, Massachusetts, New Hampshire, Rhode Island, Vermont

Estados del Atlántico Medio *(Middle Atlantic States)*
New Jersey, New York, Pennsylvania

Estados del Sur *(Southern States)*
Alabama, Arkansas, Delaware, Florida, Georgia, Kentucky, Louisiana, Maryland, Mississippi, North Carolina, South Carolina, Tennessee, Virginia, West Virginia

Estados del Medio Oeste *(Midwestern States)*
Illinois, Indiana, Iowa, Kansas, Michigan, Minnesota, Missouri, Nebraska, North Dakota, Ohio, South Dakota, Wisconsin

Estados de las montañas Rocosas *(Rocky Mountain States)*
Colorado, Idaho, Montana, Nevada, Utah, Wyoming

Estados del Suroeste *(Southwestern States)*
*Arizona, *New Mexico, Oklahoma, Texas

Estados de la costa del Pacífico *(Pacific Coast States)*
California, Oregon, Washington

* Con frecuencia, Arizona y New Mexico se consideran estados de las montañas Rocosas.

Algunos datos sobre los estados

Estado	Capital	Nombre popular	Extensión territorial (mi.²)	(km²)	Posición por extensión	Población*	Posición por población*	Densidad de la población* (mi.²)	(km²)
Alabama	Montgomery	Estado del pájaro pinzón	51,705	133,915	29	3,893,978	22	75	29
Alaska	Juneau	Última frontera	591,004	1,530,700	1	401,851	50	0.7	0.3
Arizona	Phoenix	Estado del Gran Cañón	114,000	295,260	6	2,718,425	29	24	9
Arkansas	Little Rock	Tierra de la oportunidad	53,187	137,754	27	2,286,419	33	43	17
California	Sacramento	Estado dorado	158,706	411,049	3	23,668,562	1	149	58
Colorado	Denver	Estado del centenario	104,091	269,595	8	2,889,964	28	28	11
Connecticut	Hartford	Estado de la Constitución	5,018	12,977	48	3,107,576	25	619	239
Delaware	Dover	El primer estado	2,044	5,295	49	594,338	47	291	112
Florida	Tallahassee	Estado del sol	58,664	151,939	22	9,746,421	7	166	64
Georgia	Atlanta	Estado imperio del sur	58,910	152,576	21	5,463,087	13	93	36
Hawaii	Honolulu	Estado del aloha	6,471	16,759	47	964,691	39	149	58
Idaho	Boise	Estado joya	83,564	216,432	13	944,038	41	11	4
Illinois	Springfield	Tierra de Lincoln	56,345	145,934	24	11,427,414	5	203	78
Indiana	Indianapolis	Estado de los Hoosier (grandes)	36,185	93,720	38	5,490,260	12	152	59
Iowa	Des Moines	Estado del ojo avizor	56,275	145,753	25	2,913,808	27	52	20
Kansas	Topeka	Estado del girasol	82,277	213,098	14	2,364,236	32	29	11
Kentucky	Frankfort	Estado del pasto azul	40,409	104,660	37	3,660,257	23	91	35
Louisiana	Baton Rouge	Estado del pelícano	47,752	123,677	31	4,206,098	19	88	34
Maine	Augusta	Estado del árbol de pino	33,265	86,156	39	1,125,030	38	34	13
Maryland	Annapolis	Estado de la tradición	10,460	27,092	42	4,216,941	18	403	156

*Censo de 1980

Los estados de la costa del Pacífico. Esta región, que limita con el océano Pacífico, es conocida por sus bosques frondosos, escarpados montes e impresionante costa. El hermoso panorama y un clima relativamente moderado invitan a disfrutar de la naturaleza y los deportes, de los que gozan tanto residentes como turistas.

En los fértiles valles se produce gran parte de las frutas, nueces, vegetales y uvas para vino que consume la nación. Hay también abundante madera, minerales y pesca, y mucha industria manufacturera en las ciudades principales: Los Ángeles, San Diego, San Francisco, San José y Seattle.

El descubrimiento de oro y la apertura del Territorio de Oregon atrajo a una avalancha de nuevos pobladores a mediados del siglo 19. Desde entonces la región sigue recibiendo muchos nuevos residentes. Hoy su población incluye personas de origen europeo y miembros de las comunidades minoritarias negras y de origen mexicano. Esta región tiene más habitantes de origen asiático que ninguna otra de la nación, más un buen número de indígenas norteamericanos.

Dependencias de los Estados Unidos

Nombre	Fecha de adquisición	Situación actual
Samoa Oriental	*	Territorio no organizado ni incorporado
Islas Baker y Jarvis	1856	Territorio no incorporado
Guam	1898	Territorio organizado no incorporado
Isla Howland	1856	Posesión no incorporada
Islas Johnston y Sand	1858	Territorio no incorporado
Arrecife Kingman	1922	Territorio no incorporado
Isla Midway	1867	Territorio no incorporado
Islas Marianas del Norte	1947	Estado Libre Asociado
Isla Palmira	1898	Posesión no incorporada
Puerto Rico	1898	Estado Libre Asociado
Territorio de las Islas del Pacífico en Fideicomiso	1947	Territorio fideicomiso de las Naciones Unidas (administrado por los Estados Unidos)
Islas Vírgenes	1917	Territorio organizado no incorporado
Isla Wake	1898	Posesión no incorporada

* Samoa Oriental fue adquirida por etapas entre 1900 y 1925.

Abreviatura del estado	Ave del estado	Flor del estado	Árbol del estado	Canción del estado	Admitido a la Unión	Orden de admisión	Miembros del Congreso Senado	Cámara
Ala.	Pájaro pinzón	Camelia	Pino amarillo	"Alabama"	1819	22	2	7
†	Perdiz blanca	No-me-olvides	Abeto Sitka	"Alaska's Flag"	1959	49	2	1
Ariz.	Abadejo	Saguaro (cacto gigante)	Paloverde	"Arizona"; "I Love You Arizona"	1912	48	2	5
Ark.	Sinsonte	Flor del manzano	Pino	"Arkansas"	1836	25	2	4
Calif.	Codorniz del valle	Amapola dorada	Secoya de California	"I Love You, California"	1850	31	2	45
Colo.	Alondra	Pajarilla de las montañas Rocosas	Abeto azul	"Where the Columbines Grow"	1876	38	2	6
Conn.	Petirrojo	Laurel del monte	Roble blanco	"Yankee Doodle"	1788	5	2	6
Del.	Gallineta azul	Flor del durazno	Acebo americano	"Our Delaware"	1787	1	2	1
Fla.	Sinsonte	Azahar (flor del naranjo)	Palmito	"Old Folks at Home" ("Swanee River")	1845	27	2	19
Ga.	Tordo pardo	Rosa cherokee	Roble	"Georgia on My Mind"	1788	4	2	10
†	Ganso hawaiano	Hibisco	Kukui	"Hawaii Ponoi" (Hawaii's Own)	1959	50	2	2
Ida.	Azulejo del monte	Jeringuilla (Falso naranjo)	Pino blanco occidental	"Here We Have Idaho"	1890	43	2	2
Ill.	Cardenal	Violeta nativa	Roble blanco	"Illinois"	1818	21	2	22
Ind.	Cardenal	Peonía	Tulipero o lidriodendro	"On the Banks of the Wabash, Far Away"	1816	19	2	10
Ia.	Jilguero oriental	Rosa silvestre	Roble	"The Song of Iowa"	1846	29	2	6
Kans. o Kan.	Sabanero occidental	Girasol	Álamo	"Home on the Range"	1861	34	2	5
Ky. o Ken.	Cardenal de Kentucky	Vara de oro	Cafeto de Kentucky	"My Old Kentucky Home"	1792	15	2	7
La.	Pelícano carmelito	Magnolia	Ciprés	"Give Me Louisiana"; "You Are My Sunshine"	1812	18	2	8
Me.	Carbonero	Piña del pino blanco y espiguilla	Pino blanco	"State of Maine Song"	1820	23	2	2
Md.	Oriol de Baltimore	Margarita amarilla	Roble blanco	"Maryland, My Maryland"	1788	7	2	8

† No cuenta con abreviatura tradicional

Estados Unidos

Estado	Capital	Nombre popular	Extensión territorial (mi.²)	(km²)	Posición por extensión	Población*	Posición por población*	Densidad de la población* (mi.²)	(km²)
Massachusetts	Boston	Estado de la bahía	8,284	21,456	45	5,737,081	11	693	268
Michigan	Lansing	Estado del mustélido feroz	58,527	151,586	23	9,262,070	8	158	61
Minnesota	St. Paul	Estado de la ardilla del llano	84,402	218,601	12	4,075,970	21	48	19
Mississippi	Jackson	Estado de la magnolia	47,689	123,515	32	2,520,631	31	53	20
Missouri	Jefferson City	Estado del "muéstrame"	69,697	180,516	19	4,916,759	15	71	27
Montana	Helena	Estado del tesoro	147,046	380,848	4	786,690	44	5	2
Nebraska	Lincoln	Estado del deshojador de maíz	77,355	200,350	15	1,569,825	35	20	8
Nevada	Carson City	Estado de plata	110,561	286,532	7	799,184	43	7	3
New Hampshire	Concord	Estado de granito	9,297	24,032	44	920,610	42	99	38
New Jersey	Trenton	Estado jardín	7,787	20,169	46	7,365,011	9	946	365
New Mexico	Santa Fe	Estado del encanto	121,593	314,925	5	1,303,445	37	11	4
New York	Albany	Estado imperio	49,108	127,189	30	17,558,072	2	358	138
North Carolina	Raleigh	Estado del tacón de brea	52,669	136,413	28	5,881,813	10	112	43
North Dakota	Bismarck	Estado de la ardilla de tierra	70,702	183,119	17	652,717	46	9	3
Ohio	Columbus	Estado del castaño	41,330	107,044	35	10,797,624	6	261	101
Oklahoma	Oklahoma City	Estado de los primeros colonos	69,956	181,186	18	3,025,495	26	43	17
Oregon	Salem	Estado del castor	97,073	251,419	10	2,633,149	30	27	10
Pennsylvania	Harrisburg	Estado de la piedra angular	45,308	117,348	33	11,864,751	4	262	101
Rhode Island	Providence	Estado del océano	1,212	3,140	50	947,154	40	781	302
South Carolina	Columbia	Estado del palmito	31,113	80,582	40	3,122,814	24	100	39
South Dakota	Pierre	Estado de la luz del sol	77,116	199,730	16	690,768	45	9	3
Tennessee	Nashville	Estado de los voluntarios	42,114	109,152	34	4,591,120	17	109	42
Texas	Austin	Estado de la estrella solitaria	266,807	691,030	2	14,227,574	3	53	20
Utah	Salt Lake City	Estado de las colmenas	84,899	219,889	11	1,461,037	36	17	7
Vermont	Montpelier	Estado de las montañas verdes	9,614	24,900	43	511,456	48	53	20
Virginia	Richmond	Estado de la antigua soberanía	40,767	105,586	36	5,346,797	14	131	51
Washington	Olympia	Estado del pino siempreverde	68,139	176,479	20	4,132,204	20	61	24
West Virginia	Charleston	Estado de las montañas	24,231	62,759	41	1,950,258	34	80	31
Wisconsin	Madison	Estado del tejón	56,153	145,436	26	4,705,642	16	84	32
Wyoming	Cheyenne	Estado de la igualdad	97,809	253,326	9	469,557	49	5	2

*Censo de 1980

Abreviatura del estado	Ave del estado	Flor del estado	Árbol del estado	Canción del estado	Admitido a la Unión	Orden de admisión	Miembros del Congreso Senado	Cámara
Mass.	Carbonero	Anémona	Olmo americano	"All Hail to Massa-chusetts"	1788	6	2	11
Mich.	Petirrojo	Flor del manzano	Pino blanco	"Michigan, My Michigan"	1837	26	2	18
Minn.	Somorgujo común	Chapín de Venus	Pino noruego o rojo	"Hail! Minnesota"	1858	32	2	8
Miss.	Sinsonte	Magnolia	Magnolia	"Go Mis-sis-sip-pi"	1817	20	2	5
Mo.	Azulejo	Espino	Cerezo silvestre en flor	"Missouri Waltz"	1821	24	2	9
Mont.	Sabanero occidental	Verdolaga	Pino ponderosa	"Montana"	1889	41	2	2
Nebr. o Neb.	Sabanero occidental	Vara de oro	Álamo	"Beautiful Nebraska"	1867	37	2	3
Nev.	Azulejo del monte	Artemisa	Pino piñonero	"Home Means Nevada"	1864	36	2	2
N.H.	Pinzón morado	Lila	Abedul blanco	"Old New Hampshire"	1788	9	2	2
N.J.	Jilguero oriental	Violeta	Roble rojo	No tiene	1787	3	2	14
N. Mex. o N.M.	Correcaminos	Flor de la yuca	Piñonero de hoja simple	"O, Fair New Mexico"	1912	47	2	3
N.Y.	Azulejo	Rosa	Arce	"I Love New York"	1788	11	2	34
N.C.	Cardenal	Flor del cerezo silvestre	Pino	"The Old North State"	1789	12	2	11
N. Dak. o N.D.	Sabanero occidental	Rosa silvestre	Olmo americano	"North Dakota Hymn"	1889	39	2	1
O.	Cardenal	Clavel rojo	Castaño de Indias	"Beautiful Ohio"	1803	17	2	21
Okla.	Cazamoscas tijereta	Muérdago	Ciclamor o árbol del amor	"Oklahoma!"	1907	46	2	6
Ore. o Oreg.	Sabanero occidental	Mahonia	Pino Oregon	"Oregon, My Oregon"	1859	33	2	5
Pa. o Penn.	Bonasa americana (gallo de bosque)	Laurel del monte	Pinabete	No tiene	1787	2	2	23
R.I.	Petirrojo de R.I.	Violeta	Arce rojo	"Rhode Island"	1790	13	2	2
S.C.	Abadejo	Jazmín amarillo	Palmito	"Carolina"	1788	8	2	6
S. Dak. o S.D.	Faisán	Pulsatilla	Abeto	"Hail, South Dakota"	1889	40	2	1
Tenn.	Sinsonte	Lirio	Tulipero o álamo blanco	"My Homeland, Tennessee"; "My Tennessee"; "Rocky Top"; "The Tenne-ssee Waltz"; "When It's Iris Time in Tennessee"	1796	16	2	9
Tex.	Sinsonte	Azulejo	Nogal pacanero	"Texas, Our Texas"	1845	28	2	27
Ut.	Gaviota	Azucena	Abeto azul	"Utah, We Love Thee"	1896	45	2	3
Vt.	Tordo norteamericano	Trébol rojo	Arce	"Hail Vermont"	1791	14	2	1
Va.	Cardenal	Cerezo silvestre	Cerezo silvestre	"Carry Me Back to Old Virginia"	1788	10	2	10
Wash.	Jilguero	Rododendro costero	Pinabete occidental	"Washington, My Home"	1889	42	2	8
W. Va.	Cardenal	Rododendro	Arce	"The West Virginia Hills"; "This is My West Virginia"; "West Virginia, My Home Sweet Home"	1863	35	2	4
Wis.	Petirrojo	Violeta	Arce	"On Wisconsin!"	1848	30	2	9
Wyo.	Sabanero	Escrofularia	Álamo	"Wyoming"	1890	44	2	1

MINIENCICLOPEDIA

EL MUNDO: *Mapa político*

ABBREVIATIONS

CEN. AFR. REP.
  República Centroafricana
DEN.   Dinamarca
FR.   Francia
GR.   Grecia
IT.   Italia
N.   Norte, del Norte
NETH.   Países Bajos
P.D.R. YEMEN
  República Democrática
  Popular de Yemen
PORT.   Portugal
S.   Sur
SP.   España
TERR.   Territorio
U.A.E.   Emiratos Árabes
  Unidos
U.K.   Reino Unido
U.S.   Estados Unidos
W.   Occidental

– Frontera nacional

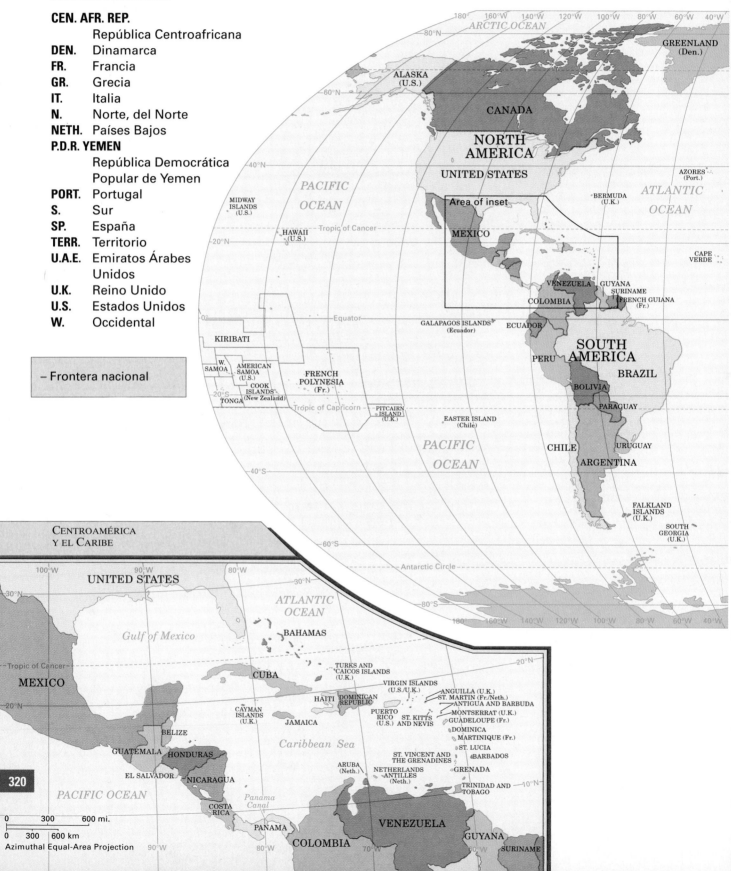

CENTROAMÉRICA Y EL CARIBE

Azimuthal Equal-Area Projection

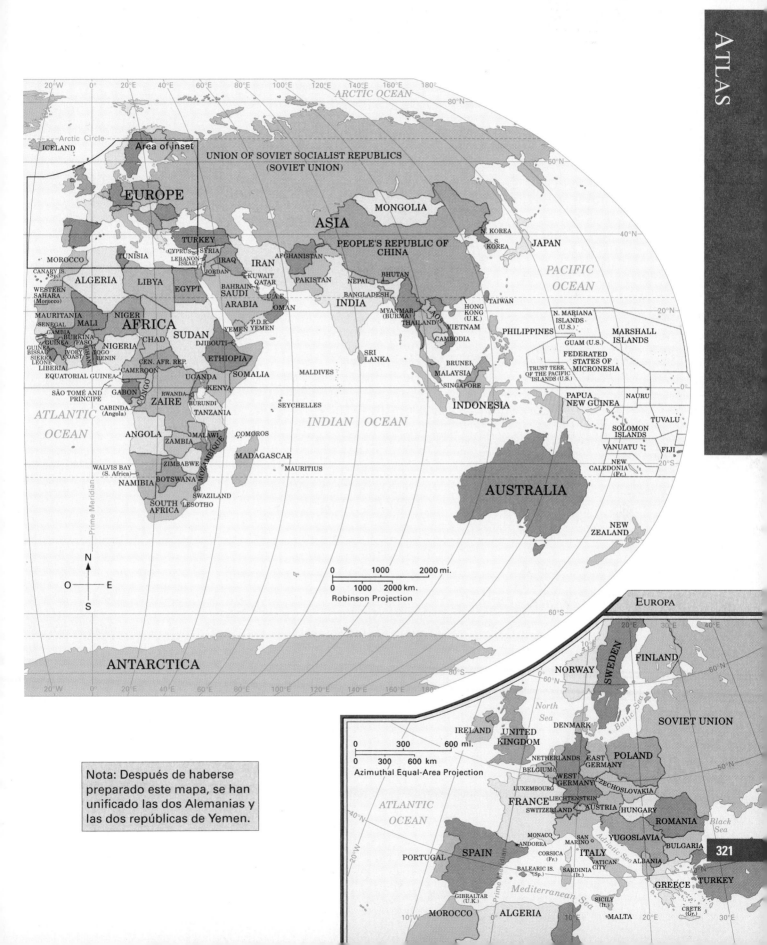

20°W 0° 20°E 40°E 60°E 80°E 100°E 120°E 140°E 160°E 180°

ARCTIC OCEAN 80°N

Arctic Circle
ICELAND
Area of inset
60°N
EUROPE

UNION OF SOVIET SOCIALIST REPUBLICS
(SOVIET UNION)

MONGOLIA
ASIA
N. KOREA
S. KOREA 40°N
JAPAN

TURKEY
MOROCCO TUNISIA
CYPRUS SYRIA
LEBANON IRAQ
ISRAEL
JORDAN
IRAN AFGHANISTAN
PEOPLE'S REPUBLIC OF CHINA

PACIFIC OCEAN

ALGERIA LIBYA EGYPT
KUWAIT
QATAR
BAHRAIN
SAUDI
ARABIA
U.A.E.
OMAN
PAKISTAN NEPAL BHUTAN
BANGLADESH
INDIA

TAIWAN
HONG KONG (U.K.)
20°N

CANARY IS. (Sp.)
WESTERN SAHARA (Morocco)
MAURITANIA NIGER
SENEGAL MALI
GAMBIA BURKINA FASO
GUINEA
BISSAU
GUINEA
SIERRA LEONE
LIBERIA IVORY COAST
TOGO BENIN
AFRICA CHAD SUDAN
NIGERIA
CAMEROON
CEN. AFR. REP.
DJIBOUTI
ETHIOPIA
P.D.R.
YEMEN YEMEN
MYANMAR (BURMA)
THAILAND
LAOS
VIETNAM
CAMBODIA
N. MARIANA ISLANDS (U.S.)
GUAM (U.S.)
MARSHALL ISLANDS

EQUATORIAL GUINEA
SÃO TOMÉ AND PRINCIPE
GABON
CONGO
ZAIRE
RWANDA
BURUNDI
UGANDA
KENYA
SOMALIA
MALDIVES
SRI LANKA
PHILIPPINES
BRUNEI
MALAYSIA
SINGAPORE
FEDERATED STATES OF MICRONESIA
TRUST TERR. OF THE PACIFIC ISLANDS (U.S.)
0°

ATLANTIC OCEAN
CABINDA (Angola)
TANZANIA
SEYCHELLES
INDIAN OCEAN
INDONESIA
PAPUA NEW GUINEA
NAURU
TUVALU

ANGOLA
ZAMBIA
MALAWI
MOZAMBIQUE
COMOROS
MADAGASCAR
MAURITIUS
SOLOMON ISLANDS
VANUATU
FIJI 20°S

WALVIS BAY (S. Africa)
ZIMBABWE
BOTSWANA
NAMIBIA
SWAZILAND
SOUTH AFRICA LESOTHO
AUSTRALIA
NEW CALEDONIA (Fr.)

N
O E
S
NEW ZEALAND

0 1000 2000 mi.
0 1000 2000 km.
Robinson Projection

60°S

ANTARCTICA 80°S

20°W 0° 20°E 40°E 60°E 80°E 100°E 120°E 140°E 160°E 180°

Nota: Después de haberse
preparado este mapa, se han
unificado las dos Alemanias y
las dos repúblicas de Yemen.

EUROPA

20°E 30°E 40°E

10°E
NORWAY
SWEDEN
FINLAND
60°N

North Sea
Baltic Sea
DENMARK
SOVIET UNION

IRELAND
UNITED KINGDOM
NETHERLANDS
BELGIUM
EAST GERMANY
WEST GERMANY
POLAND
50°N

0 300 600 mi.
0 300 600 km
Azimuthal Equal-Area Projection

LUXEMBOURG
FRANCE
LIECHTENSTEIN
SWITZERLAND
AUSTRIA
CZECHOSLOVAKIA
HUNGARY
ROMANIA
Black Sea

ATLANTIC OCEAN
40°N
20°W
MONACO
ANDORRA
SAN MARINO
CORSICA (Fr.)
ITALY
VATICAN CITY
YUGOSLAVIA
BULGARIA

PORTUGAL
SPAIN
BALEARIC IS. (Sp.)
SARDINIA (It.)
Adriatic Sea
ALBANIA
GREECE
TURKEY

321

GIBRALTAR (U.K.)
SICILY (It.)
CRETE (Gr.)
10°W MOROCCO ALGERIA
Mediterranean Sea
MALTA 20°E 30°E

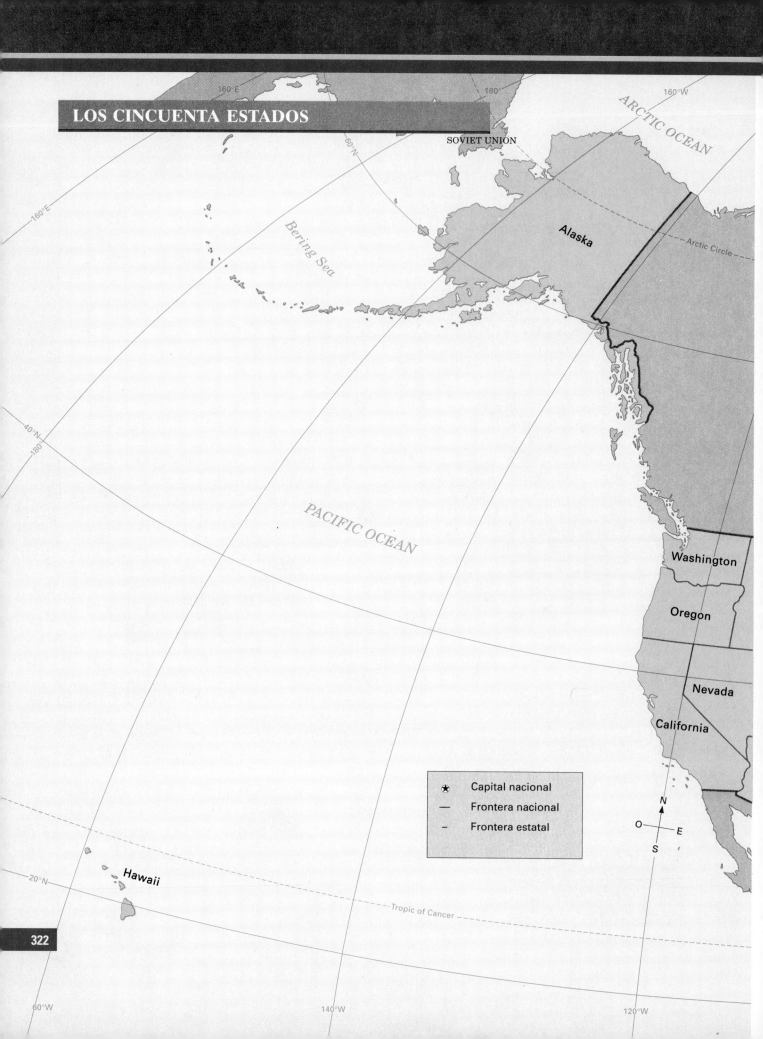

160°E

180°

160°W

ARCTIC OCEAN

SOVIET UNION

60°N

Alaska

Bering Sea

Arctic Circle

160°E

40°N

180

PACIFIC OCEAN

Washington

Oregon

Nevada

California

★   Capital nacional

—   Frontera nacional

-   Frontera estatal

N

O   E

S

Hawaii

20°N

Tropic of Cancer

60°W

140°W

120°W

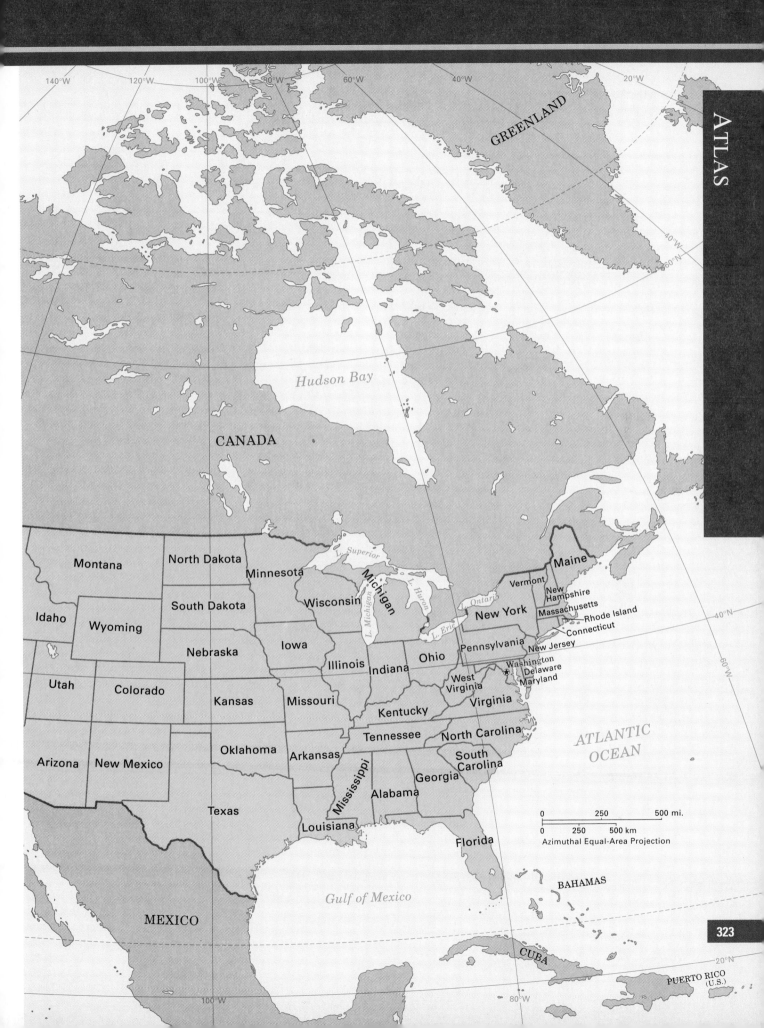

140°W   120°W   100°W   80°W   60°W   40°W   20°W

GREENLAND

40°W
60°N

Hudson Bay

CANADA

Montana   North Dakota   Minnesota
                                    L. Superior
                                    Michigan   Maine
Idaho   Wyoming   South Dakota   Wisconsin   L. Huron   Vermont   New Hampshire
                                    L. Michigan   Massachusetts
Utah   Colorado   Nebraska   Iowa   Ontario   New York   Rhode Island   40°N
                                    L. Erie   Pennsylvania   Connecticut   60°W
                    Kansas   Illinois   Indiana   Ohio   New Jersey
                            Missouri   West   Washington   Delaware
Arizona   New Mexico   Kentucky   Virginia   Maryland
                    Oklahoma   Arkansas   Tennessee   North Carolina   Virginia
                                    Mississippi   South   ATLANTIC
                                    Alabama   Georgia   Carolina   OCEAN
            Texas   Louisiana
                                    Florida

0   250   500 mi.
0   250   500 km
Azimuthal Equal-Area Projection

BAHAMAS

MEXICO

Gulf of Mexico

CUBA

20°N

PUERTO RICO
(U.S.)

100°W   80°W

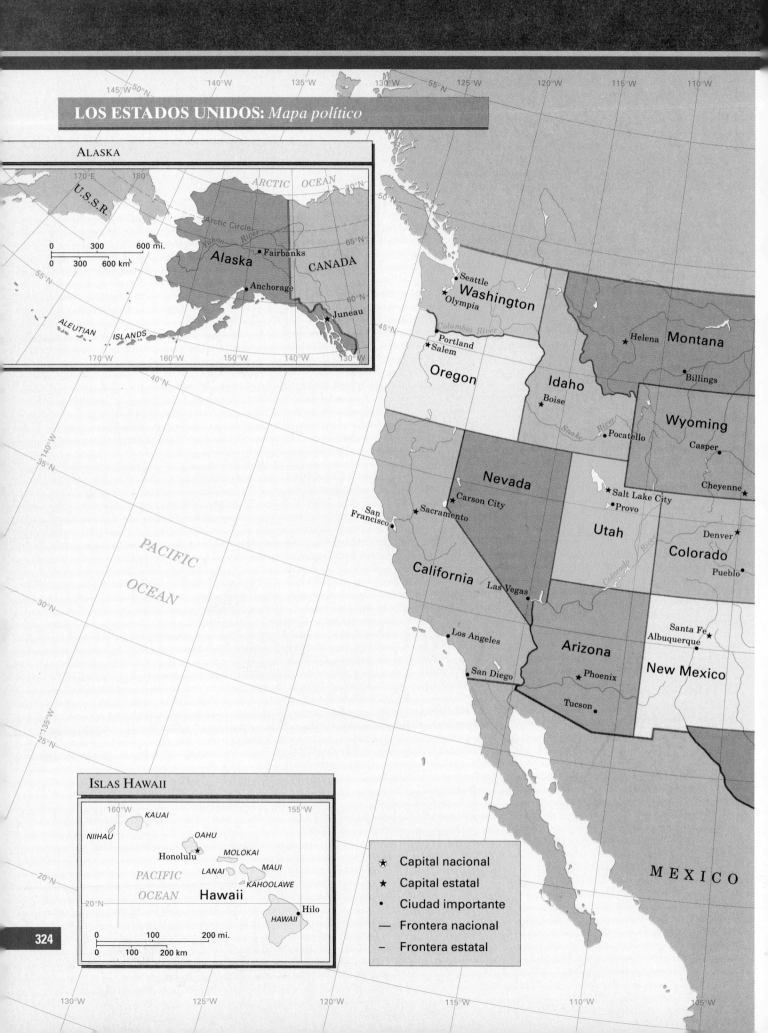

ALASKA

ARCTIC OCEAN

U.S.S.R.

170°E   180   70°N

Arctic Circle

Yukon River

0   300   600 mi.
0   300   600 km

Alaska   •Fairbanks   65°N   CANADA

55°N

60°N

•Anchorage

ALEUTIAN   ISLANDS   ★Juneau

170°W   160°W   150°W   140°W   130°W

PACIFIC

OCEAN

145°W 50°N   140°W   135°W   130°W   55°N   125°W   120°W   115°W   110°W

50°N

Seattle•
★Washington
Olympia

45°N   Columbia River

★Portland
Salem★   Oregon   Idaho   ★Helena   Montana

Boise★   •Billings

Snake River   Wyoming

Pocatello•   Casper•

40°N   Nevada   ★Salt Lake City   Cheyenne★

•Provo

35°N 140°W   ★Carson City   Utah   Denver★

San   ★Sacramento   Colorado
Francisco•

Colorado River   Pueblo•

California   Las Vegas•   Santa Fe•
35°N   Albuquerque★

30°N   •Los Angeles   Arizona   New Mexico

135°W   •San Diego   •Phoenix

25°N   Tucson•

30°N

ISLAS HAWAII

160°W   155°W

KAUAI

NIIHAU   OAHU

Honolulu★   MOLOKAI
PACIFIC   LANAI   MAUI
OCEAN   KAHOOLAWE
20°N   Hawaii

HAWAII   •Hilo

0   100   200 mi.
0   100   200 km

MEXICO

★   Capital nacional
★   Capital estatal
•   Ciudad importante
—   Frontera nacional
–   Frontera estatal

130°W   125°W   120°W   115°W   110°W   105°W

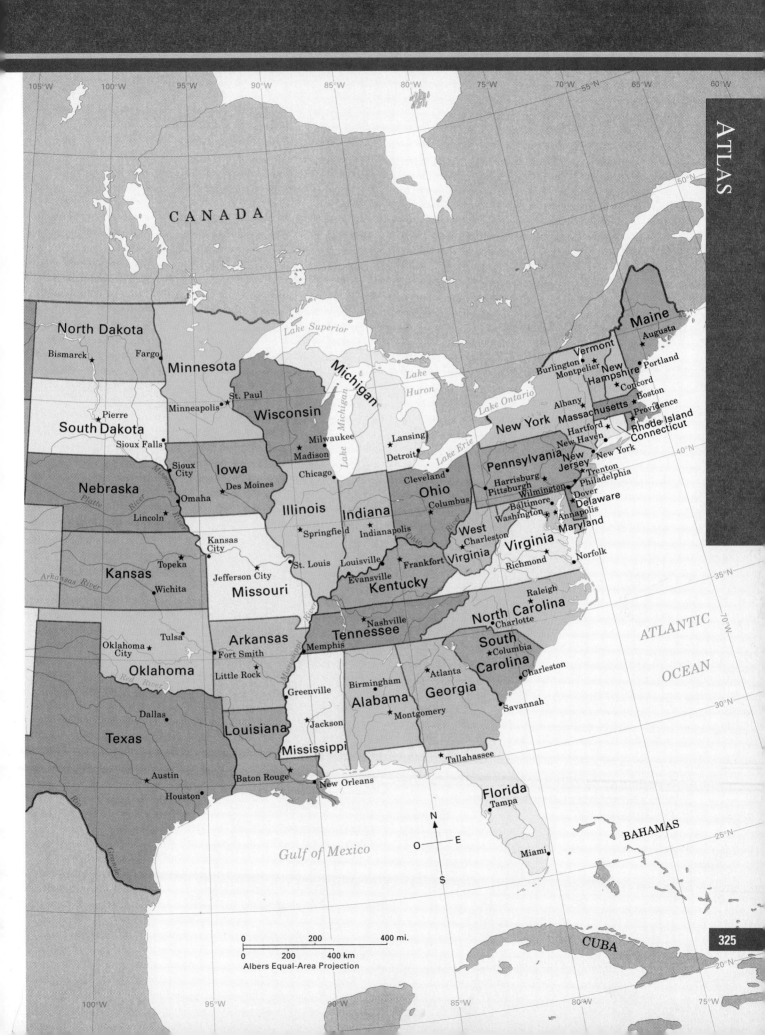

CANADA

Lake Superior

North Dakota
Bismarck ★   Fargo •

Minnesota

Michigan

Lake Huron

Maine
Augusta ★

Vermont
Burlington •   New   Portland
Montpelier ★ Hampshire •
Concord ★

St. Paul ★
Minneapolis •

Wisconsin
Milwaukee •   Lansing ★

Lake Michigan

Detroit •

Lake Ontario

Albany ★   Boston •

Massachusetts
Providence •

New York
Hartford ★   Rhode Island
New Haven •   Connecticut

Pierre ★
South Dakota
Sioux Falls •

Sioux City •

Iowa
Des Moines •

Chicago •

Cleveland •

Pennsylvania
Harrisburg ★   New
Pittsburgh •   Jersey   New York •
Columbus •   Wilmington •   Trenton ★
Baltimore •   Philadelphia •
Dover ★
Delaware
Washington ★   Annapolis ★
Maryland

Nebraska
Platte River
Omaha •
Lincoln ★

Illinois   Indiana   Ohio

Springfield ★   Indianapolis ★

West
Virginia   Virginia
Charleston ★
Richmond ★   Norfolk •

Kansas
Topeka ★
Wichita •

Kansas City •

St. Louis •

Louisville •   Frankfort ★

Arkansas River

Jefferson City ★

Missouri

Evansville •

Kentucky

Nashville •

Raleigh ★
North Carolina
Charlotte •

Ohio River

Oklahoma
Tulsa •
Oklahoma City ★

Arkansas
Fort Smith •
Little Rock ★

Memphis •

Tennessee

South
Carolina
Columbia ★   Charleston •

Red River

Greenville •

Birmingham •

Atlanta •   Georgia
Savannah •

Texas

Louisiana
Jackson ★

Alabama
Montgomery ★

Dallas •

Mississippi

Austin ★
Houston •

Baton Rouge ★
New Orleans •

Tallahassee ★

Rio Grande

Gulf of Mexico

Florida
Tampa •

Miami •

N
O   E
S

ATLANTIC

OCEAN

BAHAMAS

CUBA

0   200   400 mi.
0   200   400 km
Albers Equal-Area Projection

105°W   100°W   95°W   90°W   85°W   80°W   75°W   70°W   55°N
65°W   60°W
50°N
40°N
35°N
30°N
25°N
20°N
100°W   95°W   90°W   85°W   80°W   75°W
70°W

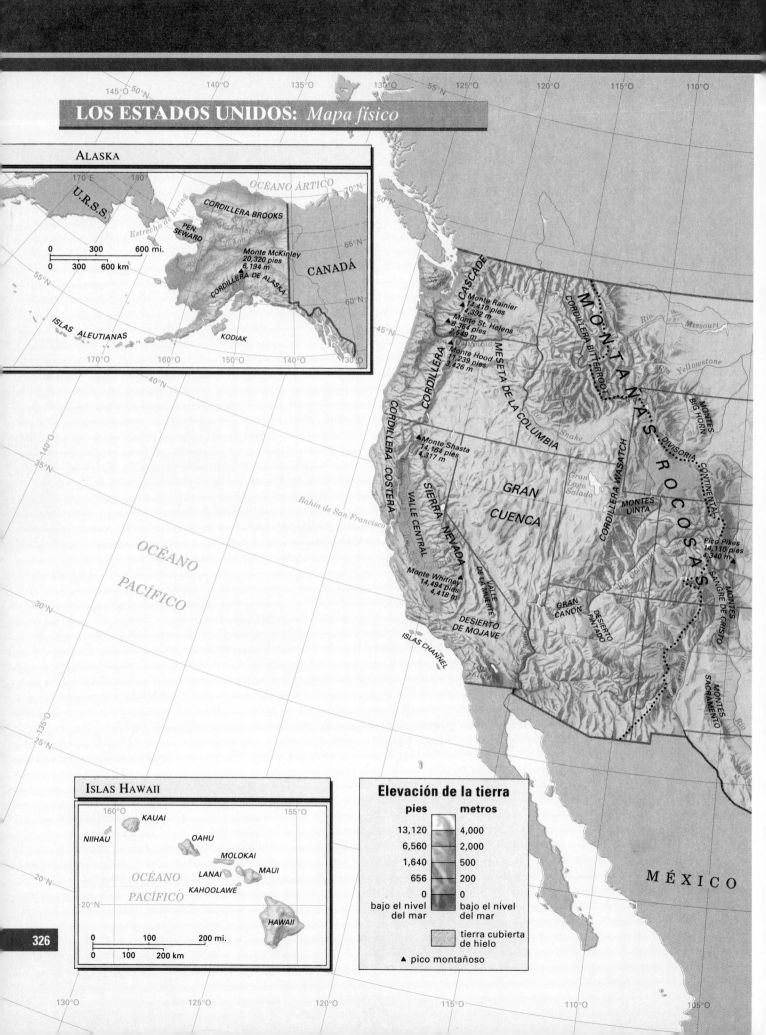

ALASKA

U.R.S.S.

OCÉANO ÁRTICO

CORDILLERA BROOKS

Estrecho de Bering

PEN.
SEWARD

Círculo Polar Ártico

Yukón

70°N

Monte McKinley
20,320 pies
6,194 m

CANADÁ

65°N

CORDILLERA DE ALASKA

60°N

ISLAS ALEUTIANAS

KODIAK

0   300   600 mi.
0   300   600 km

170°E   180°   170°O   160°O   150°O   140°O   130°O

CASCADE

Monte Rainier
14,410 pies
4,392 m

Monte St. Helens
8,364 pies
2,549 m

Monte Hood
11,239 pies
3,426 m

CORDILLERA

MESETA DE LA COLUMBIA

MONTAÑAS

CORDILLERA BITTERROOT

Río

Missouri

Río Yellowstone

MONTES BIG HORN

CORDILLERA COSTERA

Monte Shasta
14,164 pies
4,317 m

Río Snake

GRAN
CUENCA

Gran Lago Salado

CORDILLERA WASATCH

DIVISORIA CONTINENTAL

ROCOSAS

Bahía de San Francisco

SIERRA

VALLE CENTRAL

NEVADA

MONTES UINTA

OCÉANO

PACÍFICO

Monte Whitney
14,494 pies
4,418 m

VALLE DE LA MUERTE

Pico Pikes
14,110 pies
4,340 m

Río Colorado

GRAN
CAÑÓN

DESIERTO
PINTADO

MONTES SANGRE DE CRISTO

DESIERTO
DE MOJAVE

ISLAS CHANNEL

MONTES SACRAMENTO

MÉXICO

ISLAS HAWAII

KAUAI

NIIHAU

OAHU

MOLOKAI

LANAI   MAUI

KAHOOLAWE

OCÉANO
PACÍFICO

HAWAII

0   100   200 mi.
0   100   200 km

160°O   155°O

20°N

Elevación de la tierra

pies	metros
13,120	4,000
6,560	2,000
1,640	500
656	200
0	0
bajo el nivel del mar	bajo el nivel del mar

tierra cubierta
de hielo

▲ pico montañoso

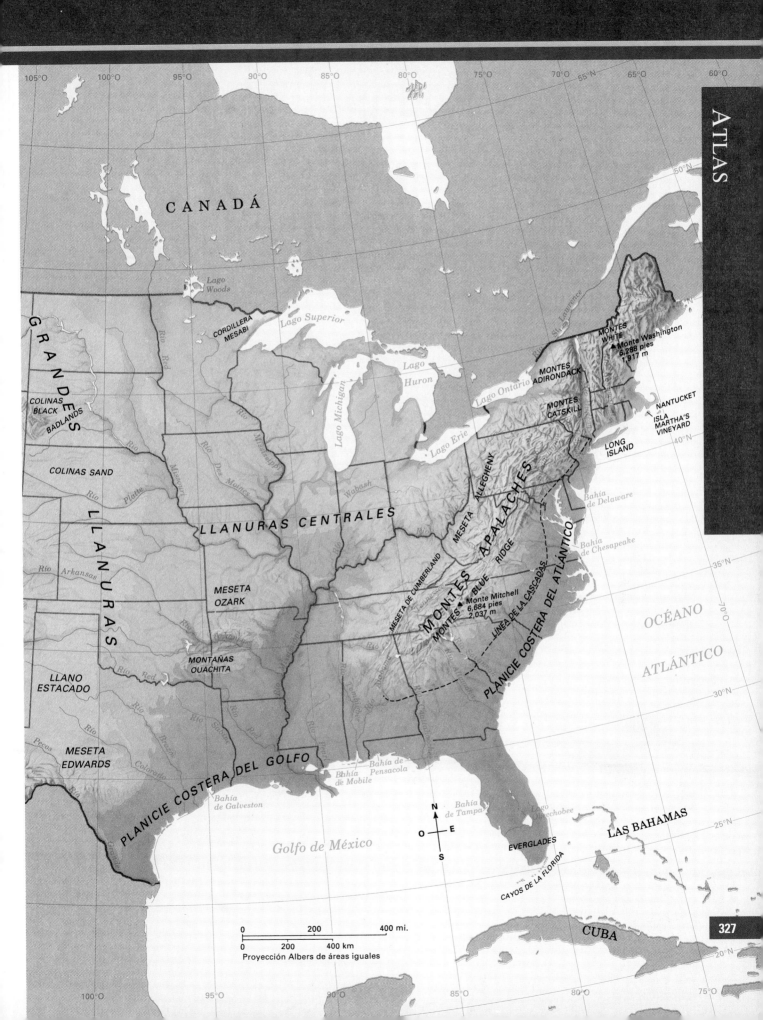

105°O   100°O   95°O   90°O   85°O   80°O   75°O   70°O   55°N   65°O   60°O

50°N

CANADÁ

Lago
Woods

Lago Superior

CORDILLERA
MESABI

Lago
Huron

Lago Michigan

GRANDES

COLINAS
BLACK

BADLANDS

Río Red

Río Mississippi

COLINAS SAND

Río Des Moines

Río Platte

Río Missouri

LLANURAS CENTRALES

Wabash

Lago Ontario

MONTES
ADIRONDACK

MONTES
WHITE

Monte Washington
6,288 pies
1,917 m

MONTES
CATSKILL

NANTUCKET

ISLA
MARTHA'S
VINEYARD

LONG
ISLAND

40°N

Lago Erie

MESETA ALLEGHENY

Bahía
de Delaware

LLANURAS

Río Arkansas

MESETA
OZARK

MONTES APALACHES

BLUE

RIDGE

MESETA DE CUMBERLAND

MONTES Monte Mitchell
6,684 pies
2,037 m

LÍNEA DE LA CASCADAS

Bahía
de Chesapeake

35°N

PLANICIE COSTERA DEL ATLÁNTICO

OCÉANO

70°O

LLANO
ESTACADO

MONTAÑAS
OUACHITA

Río Red

Río

ATLÁNTICO

30°N

Río Pecos

MESETA
EDWARDS

Río Brazos

Colorado

Río

Río Red

PLANICIE COSTERA DEL GOLFO

Bahía de
Pensacola

Bahía de
Mobile

Bahía
de Galveston

N

O   E

S

Bahía
de Tampa

Lago
Okeechobee

LAS BAHAMAS

25°N

Golfo de México

EVERGLADES

CAYOS DE LA FLORIDA

0   200   400 mi.

0   200   400 km

Proyección Albers de áreas iguales

CUBA

327

100°O   95°O   90°O   85°O   80°O   75°O   20°N

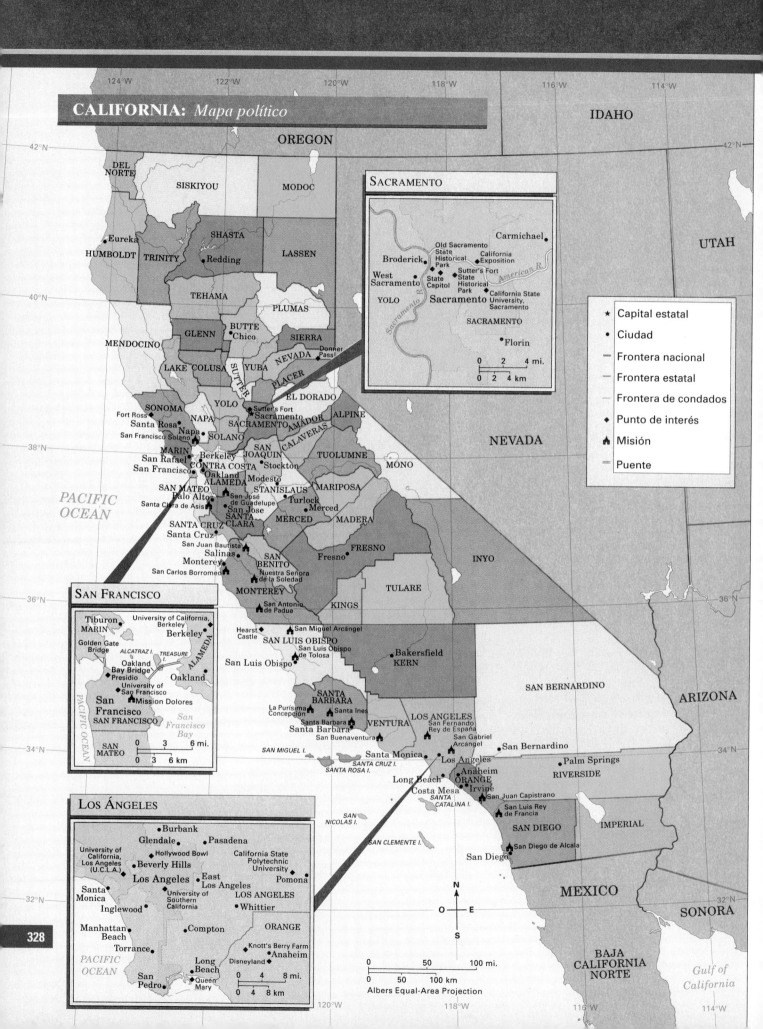

CALIFORNIA: *Mapa político*

OREGON

IDAHO

UTAH

NEVADA

ARIZONA

DEL NORTE
SISKIYOU
MODOC

• Eureka
HUMBOLDT
TRINITY
SHASTA
• Redding
LASSEN

TEHAMA
PLUMAS

MENDOCINO
GLENN
BUTTE
• Chico
SIERRA

LAKE COLUSA YUBA
NEVADA
• Donner Pass

SUTTER
PLACER

COLUSA

SONOMA
YOLO
Fort Ross •
Santa Rosa •
NAPA
• Sutter's Fort
• Sacramento
EL DORADO

Napa •
San Francisco Solano
SOLANO
SACRAMENTO
AMADOR
ALPINE

MARIN
Berkeley •
SAN JOAQUIN
CALAVERAS

San Rafael •
San Francisco •
CONTRA COSTA
• Stockton
TUOLUMNE
MONO

Oakland •
ALAMEDA
• Modesto

SAN MATEO
Palo Alto •
STANISLAUS
MARIPOSA

Santa Clara de Asís
San José de Guadalupe
• Turlock
MADERA

SANTA
CLARA
San Jose •
• Merced

SANTA CRUZ
MERCED

Santa Cruz •
FRESNO

San Juan Bautista
SAN
BENITO
• Fresno

Salinas •
Monterey •
Nuestra Señora de la Soledad

San Carlos Borromeo
MONTEREY

San Antonio de Padua

KINGS
TULARE
INYO

Hearst Castle •
San Miguel Arcángel

SAN LUIS OBISPO
San Luis Obispo de Tolosa
• Bakersfield
KERN

San Luis Obispo •

SANTA
BARBARA
La Purísima Concepción
Santa Inés
SAN BERNARDINO

Santa Barbara •
VENTURA
LOS ANGELES
San Fernando Rey de España

San Buenaventura
San Gabriel Arcángel
• San Bernardino

SAN MIGUEL I.
Santa Monica •
Los Angeles •
• Palm Springs
RIVERSIDE

SANTA CRUZ I.
SANTA ROSA I.
Long Beach •
Anaheim •
ORANGE

SAN NICOLAS I.
Costa Mesa •
Irvine •
San Juan Capistrano

SANTA CATALINA I.
San Luis Rey de Francia

SAN CLEMENTE I.
SAN DIEGO
IMPERIAL

San Diego de Alcalá
San Diego •

MEXICO

SONORA

BAJA CALIFORNIA NORTE

Gulf of California

PACIFIC OCEAN

SACRAMENTO

• Carmichael
Old Sacramento State Historical Park
California Exposition
Broderick •
Sutter's Fort
West Sacramento •
State Capitol
State Historical Park
YOLO
Sacramento
California State University, Sacramento

SACRAMENTO
• Florin

American R.
Sacramento R.

0   2   4 mi.
0   2   4 km

SAN FRANCISCO

Tiburón •
University of California, Berkeley
MARIN
• Berkeley

Golden Gate Bridge
ALCATRAZ I.
TREASURE I.
ALAMEDA

Oakland Bay Bridge
Presidio
• Oakland

University of San Francisco
San Francisco
Mission Dolores
SAN FRANCISCO

San Francisco Bay

PACIFIC OCEAN

SAN MATEO

0   3   6 mi.
0   3   6 km

LOS ÁNGELES

• Burbank
Glendale •
• Pasadena

University of California, Los Angeles (U.C.L.A.)
• Hollywood Bowl
California State Polytechnic University

• Beverly Hills
Los Angeles •
East Los Angeles
• Pomona

Santa Monica •
University of Southern California
LOS ANGELES

Inglewood •
• Whittier

Manhattan Beach •
• Compton
ORANGE

Torrance •
Knott's Berry Farm
• Anaheim

Long Beach •
Disneyland •

San Pedro •
Queen Mary

PACIFIC OCEAN

0   4   8 mi.
0   4   8 km

Leyenda

★ Capital estatal
• Ciudad
— Frontera nacional
— Frontera estatal
— Frontera de condados
♦ Punto de interés
♠ Misión
= Puente

N
O   E
S

0   50   100 mi.
0   50   100 km
Albers Equal-Area Projection

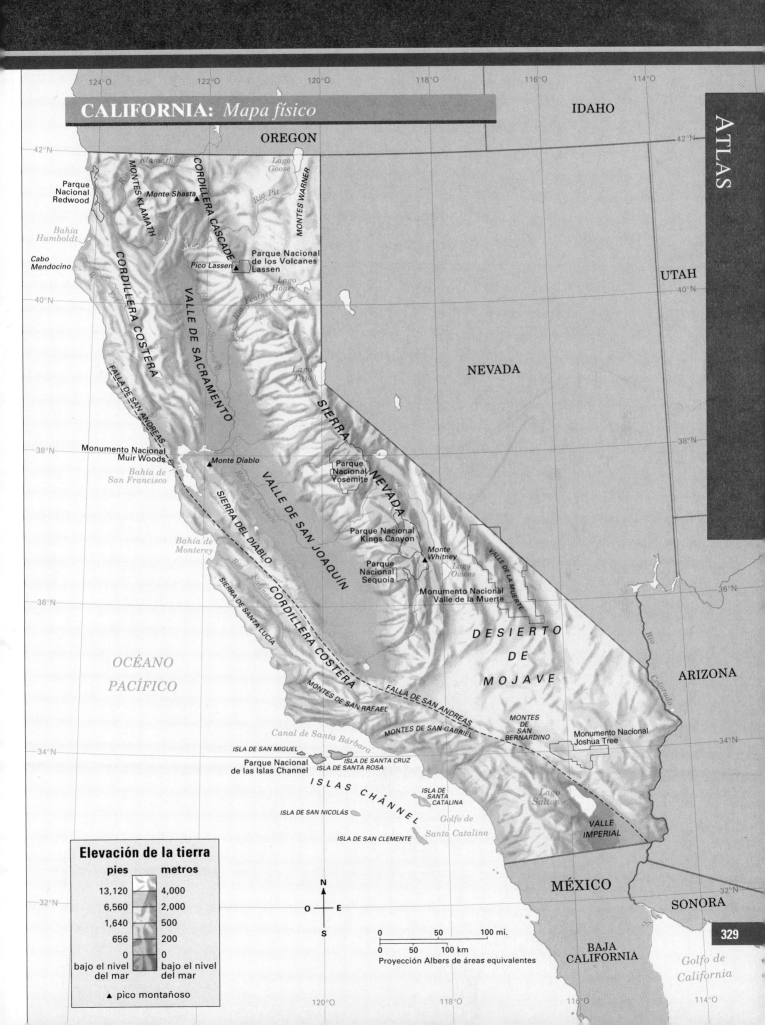

CALIFORNIA: *Mapa físico*

IDAHO

OREGON

Parque Nacional Redwood

Klamath

MONTES KLAMATH

Monte Shasta

CORDILLERA CASCADE

Lago Goose

MONTES WARNER

Río Pit

Bahía Humboldt

Cabo Mendocino

CORDILLERA COSTERA

VALLE DE SACRAMENTO

Pico Lassen

Parque Nacional de los Volcanes Lassen

Río Feather

Lago Honey

Lago Tajo

NEVADA

UTAH

FALLA DE SAN ANDREAS

Monumento Nacional Muir Woods

Bahía de San Francisco

Monte Diablo

Río San Joaquín

VALLE DE SAN JOAQUIN

SIERRA DEL DIABLO

Parque Nacional Yosemite

SIERRA NEVADA

Parque Nacional Kings Canyon

Monte Whitney

Lago Owens

Bahía de Monterey

SIERRA DE SANTA LUCIA

Río Kaweah

CORDILLERA COSTERA

Parque Nacional Sequoia

Monumento Nacional Valle de la Muerte

VALLE DE LA MUERTE

OCÉANO PACÍFICO

FALLA DE SAN ANDREAS

MONTES DE SAN RAFAEL

MONTES DE SAN GABRIEL

DESIERTO DE MOJAVE

MONTES DE SAN BERNARDINO

Monumento Nacional Joshua Tree

Río Colorado

ARIZONA

Canal de Santa Bárbara

ISLA DE SAN MIGUEL

ISLA DE SANTA CRUZ

ISLA DE SANTA ROSA

Parque Nacional de las Islas Channel

ISLAS CHANNEL

ISLA DE SAN NICOLÁS

ISLA DE SANTA CATALINA

Golfo de Santa Catalina

Lago Salton

VALLE IMPERIAL

ISLA DE SAN CLEMENTE

MÉXICO

SONORA

Elevación de la tierra

pies	metros
13,120	4,000
6,560	2,000
1,640	500
656	200
0	0
bajo el nivel del mar	bajo el nivel del mar

▲ pico montañoso

N
O   E
S

0   50   100 mi.
0   50   100 km

Proyección Albers de áreas equivalentes

BAJA CALIFORNIA

Golfo de California

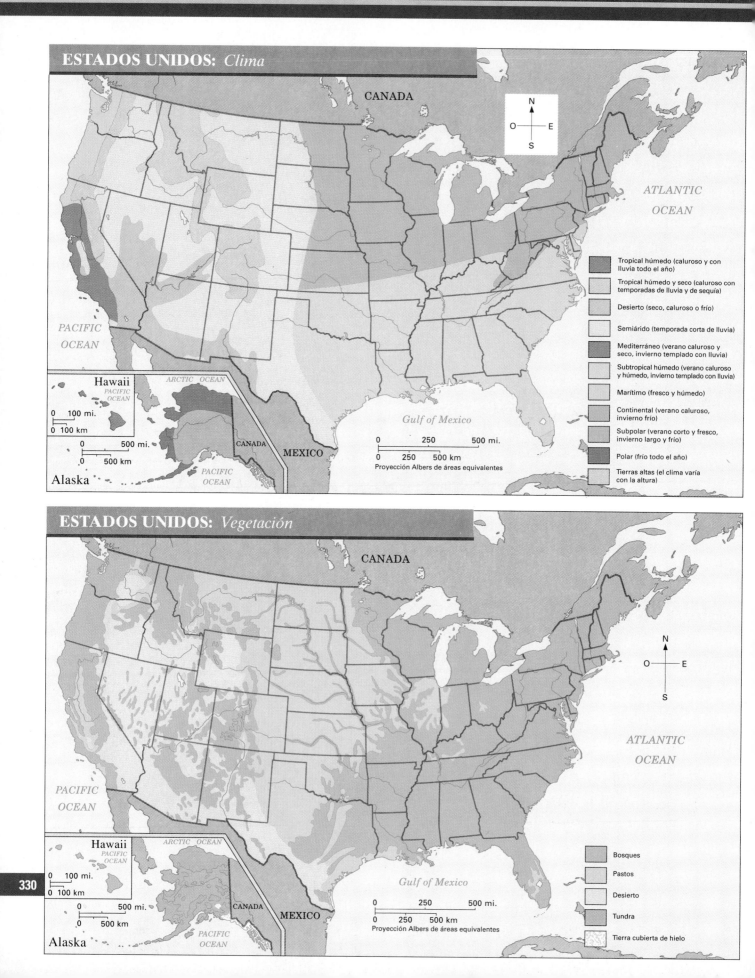

ESTADOS UNIDOS: *Clima*

CANADA

N
O · E
S

ATLANTIC OCEAN

PACIFIC OCEAN

Hawaii
PACIFIC OCEAN
ARCTIC OCEAN

0   100 mi.
0   100 km

0   500 mi.
0   500 km

CANADA

MEXICO

Alaska

PACIFIC OCEAN

Gulf of Mexico

0   250   500 mi.
0   250   500 km
Proyección Albers de áreas equivalentes

Tropical húmedo (caluroso y con lluvia todo el año)

Tropical húmedo y seco (caluroso con temporadas de lluvia y de sequía)

Desierto (seco, caluroso o frío)

Semiárido (temporada corta de lluvia)

Mediterráneo (verano caluroso y seco, invierno templado con lluvia)

Subtropical húmedo (verano caluroso y húmedo, invierno templado con lluvia)

Marítimo (fresco y húmedo)

Continental (verano caluroso, invierno frío)

Subpolar (verano corto y fresco, invierno largo y frío)

Polar (frío todo el año)

Tierras altas (el clima varía con la altura)

ESTADOS UNIDOS: *Vegetación*

CANADA

N
O · E
S

ATLANTIC OCEAN

PACIFIC OCEAN

Hawaii
PACIFIC OCEAN
ARCTIC OCEAN

0   100 mi.
0   100 km

0   500 mi.
0   500 km

CANADA

MEXICO

Alaska

PACIFIC OCEAN

Gulf of Mexico

0   250   500 mi.
0   250   500 km
Proyección Albers de áreas equivalentes

Bosques

Pastos

Desierto

Tundra

Tierra cubierta de hielo

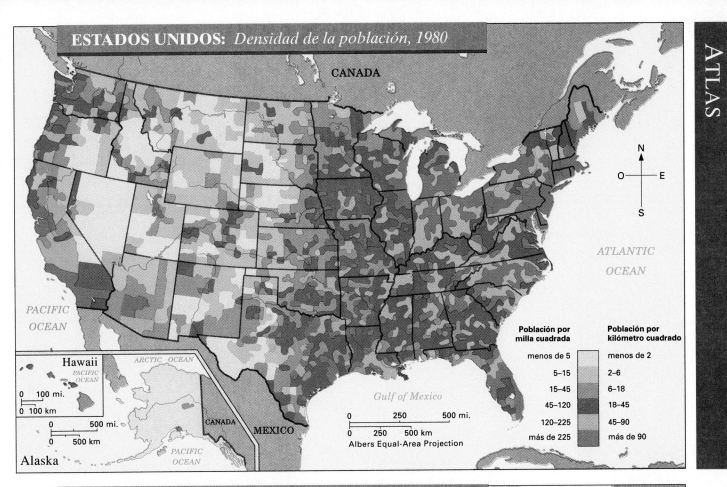

ESTADOS UNIDOS: *Densidad de la población, 1980*

CANADA

N
O — E
S

ATLANTIC
OCEAN

PACIFIC
OCEAN

Hawaii
PACIFIC
OCEAN
ARCTIC OCEAN

0   100 mi.
0   100 km

0   500 mi.
0   500 km

Alaska

CANADA

MEXICO

PACIFIC
OCEAN

Gulf of Mexico

0   250   500 mi.
0   250   500 km
Albers Equal-Area Projection

Población por milla cuadrada	**Población por kilómetro cuadrado**
menos de 5	menos de 2
5–15	2–6
15–45	6–18
45–120	18–45
120–225	45–90
más de 225	más de 90

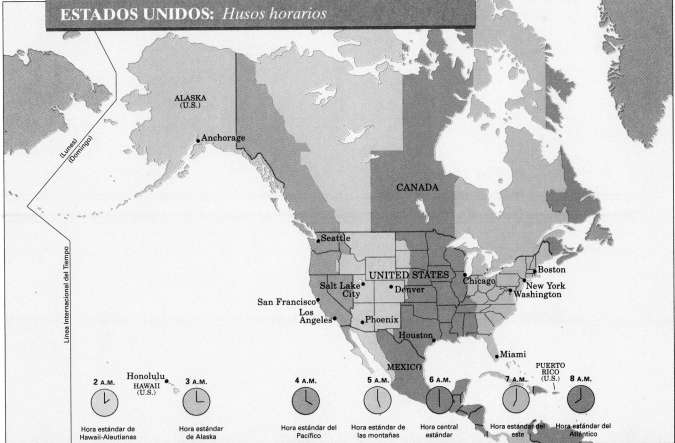

ESTADOS UNIDOS: *Husos horarios*

ALASKA
(U.S.)

Anchorage

CANADA

(Lunes)
(Domingo)

Línea Internacional del Tiempo

Seattle

UNITED STATES

Boston
Chicago
Salt Lake City   Denver   New York
Washington

San Francisco
Los Angeles   Phoenix

Houston

Miami

MEXICO

PUERTO RICO
(U.S.)

2 A.M.   Honolulu   3 A.M.
HAWAII
(U.S.)

4 A.M.   5 A.M.   6 A.M.   7 A.M.   8 A.M.

Hora estándar de
Hawaii-Aleutianas

Hora estándar
de Alaska

Hora estándar del
Pacífico

Hora estándar de
las montañas

Hora central
estándar

Hora estándar del
este

Hora estándar del
Atlántico

GLOSARIO DE TÉRMINOS GEOGRÁFICOS

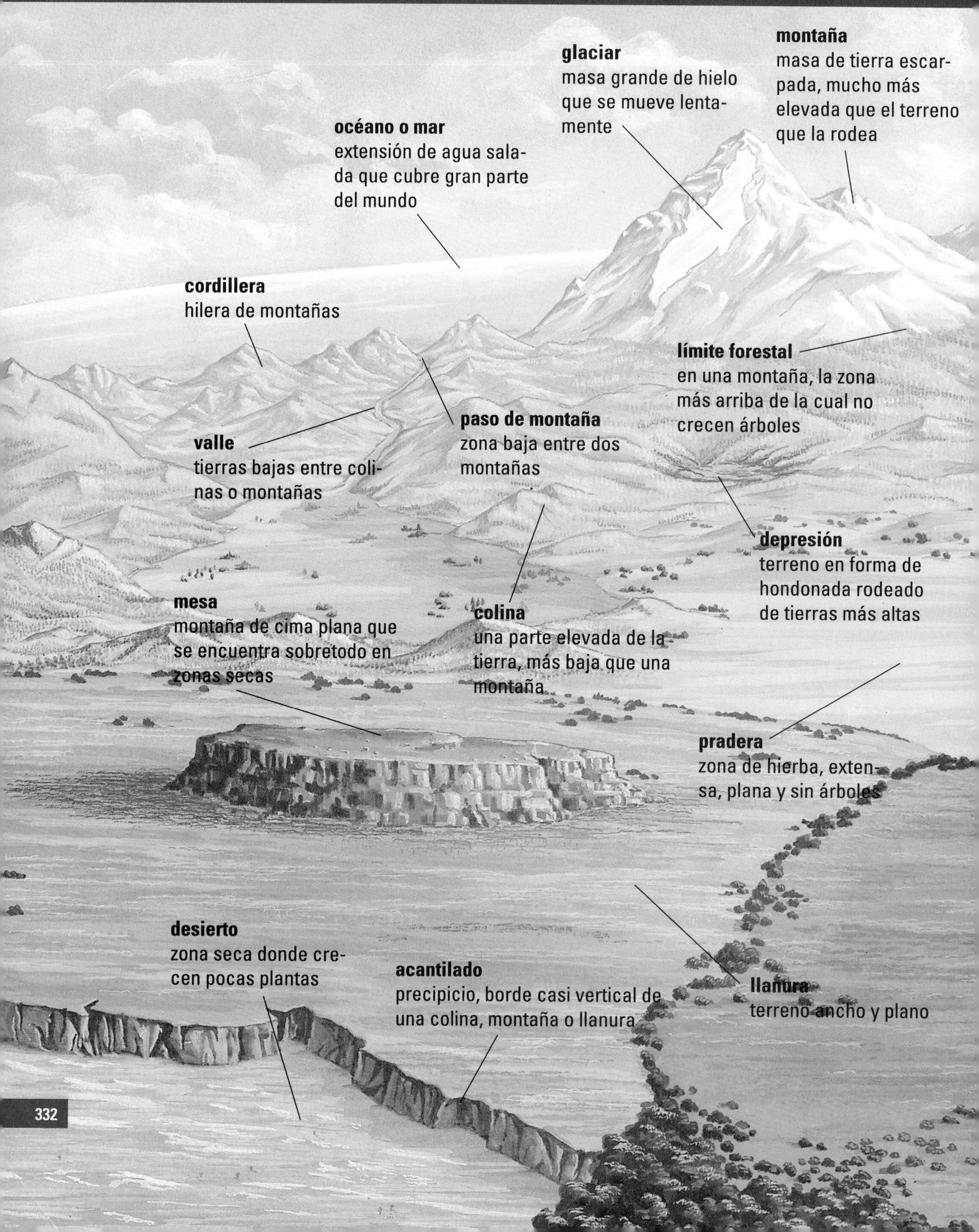

glaciar
masa grande de hielo
que se mueve lenta-
mente

montaña
masa de tierra escar-
pada, mucho más
elevada que el terreno
que la rodea

océano o mar
extensión de agua sala-
da que cubre gran parte
del mundo

cordillera
hilera de montañas

límite forestal
en una montaña, la zona
más arriba de la cual no
crecen árboles

paso de montaña
zona baja entre dos
montañas

valle
tierras bajas entre coli-
nas o montañas

depresión
terreno en forma de
hondonada rodeado
de tierras más altas

mesa
montaña de cima plana que
se encuentra sobretodo en
zonas secas

colina
una parte elevada de la
tierra, más baja que una
montaña

pradera
zona de hierba, exten-
sa, plana y sin árboles

desierto
zona seca donde cre-
cen pocas plantas

acantilado
precipicio, borde casi vertical de
una colina, montaña o llanura

llanura
terreno ancho y plano

volcán
abertura del terreno, con frecuencia en una montaña, a través de la cual escapan lava y gases del interior de la Tierra

nivel del mar
altura a la que está la superficie del océano

puerto
entrada resguardada del mar en la tierra, donde pueden atracar los barcos

estrecho
canal de agua que conecta dos masas grandes de agua

costa
la tierra junto al océano

bahía
parte de un lago o de un océano que se extiende tierra adentro

península
porción de tierra rodeada de agua por tres lados

isla
extensión de tierra rodeada de agua por todas partes

istmo
franja estrecha de tierra que conecta dos masas grandes de tierra

río
gran corriente de agua que desemboca en un lago, en un océano o en otro río

lago
masa grande de agua rodeada de tierra

333

Este diccionario geográfico te ayudará a ubicar los lugares que se mencionan en este libro. La latitud y la longitud de las grandes extensiones de tierra y masas de agua corresponden a su mismo centro; la latitud y la longitud de los ríos corresponden al lugar donde desembocan. Los números de páginas indican la página donde encontrarás un mapa con ese lugar.

LUGAR	LAT.	LONG.	PÁG.
A			
Alabama Estado.	32°N	87°O	**323**
Alaska Estado.	64°N	150°O	**322**
Alta California Nombre original español de California.	38°N	121°O	**68**
American, río En California.	38°N	120°O	**136**
Antillas *(West Indies)* Islas del mar Caribe.	20°N	78°O	**6**
Arizona Estado.	34°N	113°O	**323**
Arkansas Estado.	34°N	93°O	**323**
B			
Baja California Península del oeste de México.	29°N	116°O	**68**
Bering, estrecho de *(Bering Strait)* Canal que conecta los océanos Pacífico y Ártico.	64°N	169°O	**33**
Brasil *(Brazil)* País de Suramérica.	7°N	53°O	**320**
C			
California Estado.	38°N	121°O	**7**
Camboya *(Cambodia)* País del sureste de Asia.	13°N	105°E	**321**
Camino Real Antiguo camino donde estaban las misiones.			**74**
Canadá País de Norteamérica.	50°N	100°O	**325**
Caribe, mar *(Caribbean Sea)* Masa de agua al este de Centroamérica.	14°N	75°O	**320**
Cascade, cordillera Montañas al norte de California.	42°N	122°O	**8**
Central, valle Valle del centro de California.	38°N	122°O	**13**
Centroamérica *(Central America)* Región al sur de Norteamérica.	10°N	87°O	**320**
China País de Asia.	54°N	93°E	**321**
Coachella, valle de Región del sur de California.	33°N	115°O	**303**
Colorado, desierto de Región árida del sureste de California.	36°N	109°O	**19**
Colorado, río En el suroeste de los E.U.A.	32°N	115°O	**326**
Colorado Estado.	39°N	106°O	**322**

LUGAR	LAT.	LONG.	PÁG.
Concesión Mexicana Tierras cedidas por México a los E.U.A.			**119**
Connecticut Estado.	41°N	73°O	**323**
Corea País del este de Asia.	38°N	128°E	**321**
Costera, cordillera *(Coast Ranges)* Montañas a lo largo de la costa oeste de California.	41°N	123°O	**329**
Cuba País isleño del mar Caribe.	22°N	79°O	**320**
D			
Delaware Estado.	38°N	75°O	**323**
E			
El Salvador País de Centroamérica.	14°N	87°O	**320**
España *(Spain)* País del sur de Europa.	40°N	3°O	**74**
Estados Unidos *(United States)* País de Norteamérica.	38°N	110°O	**324**
F			
Filipinas *(Philippines)* País isla en el sureste de Asia.	14°N	125°E	**277**
Florida Estado.	28°N	82°O	**323**
Fresno Ciudad del centro de California.	36°N	119°O	**207**
G			
Georgia Estado.	32°N	83°O	**323**
Golden Gate, estrecho del Canal que conecta la bahía de San Francisco con el océano Pacífico.	37°N	122°O	**230**
Gran Lago Salado *(Great Salt Lake)* Lago de agua salada del norte de Utah.	41°N	112°O	**326**
Grande, río Río frontera entre los E.U.A. y México.	29°N	100°O	**326**
Grandes Llanuras Región de praderas en el centro de los E.U.A.	45°N	104°O	**326**
Grandes Lagos Lagos que bordean E.U.A. y Canadá.			**327**
Guatemala País de Centroamérica.	16°N	90°O	**320**

LUGAR	LAT.	LONG.	PÁG.
H			
Hawaii Estado.	20°N	157°O	**324**
Hornos, cabo de *(Cape Horn)* Punta sur de Suramérica.	56°S	67°O	**59**
Hudson, bahía de Masa de agua en el norte de Canadá.	52°N	102°O	**323**
Hudson, río En el este de New York.	41°N	73°O	**327**
I			
Idaho Estado.	44°N	115°O	**323**
Illinois Estado.	40°N	90°O	**323**
Imperial, valle Región agrícola del sur de California.	33°N	115°O	**8**
Indiana Estado.	39°N	86°O	**323**
Iowa Estado.	42°N	94°O	**323**
Irlanda *(Ireland)* País de Europa occidental.	53°N	8°O	**321**
Italia *(Italy)* País del sur de Europa.	43°N	11°E	**321**
J			
Jamaica Isla del mar Caribe.	17°N	70°O	**320**
Japón *(Japan)* País isla del este de Asia.	17°N	78°E	**321**
K			
Kansas Estado.	38°N	99°O	**323**
Kentucky Estado.	37°N	87°O	**323**
Kern, río En California.	35°N	118°O	**329**
Klamath, río En el norte de California.	41°N	124°O	**329**
L			
Laos País del sureste de Asia.	20°N	102°E	**321**
Lassen, monte Pico volcánico del norte de California.	40°N	121°O	**329**
Los Ángeles Ciudad del sur de California.	34°N	118°O	**230**
Louisiana Estado.	30°N	92°O	**323**
M			
Magallanes, estrecho de *(Strait of Magellan)* Canal de Suramérica.	53°N	70°O	**59**

LUGAR	LAT.	LONG.	PÁG.
Maine Estado.	45°N	69°O	**323**
Maryland Estado.	39°N	76°O	**323**
Massachusetts Estado.	42°N	72°O	**323**
McKinley, monte Montaña en el centro de Alaska, el punto más alto de Norteamérica.	63°N	151°O	**326**
México País de Norteamérica.	23°N	104°O	**320**
México, golfo de Parte del océano Atántico, al este de México y al sur de los E.U.A.	25°N	93°O	**327**
Michigan Estado.	45°N	87°O	**323**
Minnesota Estado.	46°N	90°O	**323**
Mississippi Estado.	32°N	89°O	**323**
Mississippi, río En el centro de los E.U.A.	31°N	91°O	**327**
Missouri, río En el centro y el oeste de los E.U.A.	40°N	96°O	**327**
Mojave, desierto Región árida del sur de California.	35°N	117°O	**329**
Mono, lago Lago salado al este de California.	38°N	119°O	**8**
Montana Estado.	47°N	111°O	**323**
Monterey Ciudad de la costa de California.	36°N	121°O	**207**
Muerte, valle de la *(Death Valley)* Región desértica de California; el punto más bajo de los E.U.A.	36°N	117°O	**329**
N			
Nebraska Estado.	41°N	101°O	**323**
Nevada Estado.	39°N	117°O	**323**
New Hampshire Estado.	43°N	71°O	**323**
New Mexico Estado.	34°N	107°O	**323**
New Jersey Estado.	40°N	74°O	**323**
New York Estado.	42°N	78°O	**323**
Nicaragua País de Centroamérica.	12°N	85°O	**320**
North Dakota Estado.	47°N	101°O	**323**
North Carolina Estado.	35°N	81°O	**323**
Nueva España *(New Spain)* Nombre original de las tierras gobernadas por España en México.			**59**
O			
Oakland Ciudad de California.	37°N	122°O	**328**
Ohio Estado.	40°N	83°O	**323**
Oklahoma Estado.	36°N	98°O	**323**
Orange, condado Sección del sur de California.	33°N	117°O	**328**

A

Anza, Juan Bautista de (1735-¿1788?). Soldado español; dirigió un grupo de 240 colonos para fundar una misión en San Francisco (p. 68).

B

Burbank, Luther (1849-1926). Científico agrícola; produjo muchas variedades nuevas de frutas, verduras y flores (p. 186).

Burke, Yvonne Braithwaite (n. 1932). Congresista; la primera mujer negra en ser elegida para el Congreso por California y la primera mujer negra que sirvió como Supervisora del condado de Los Ángeles (p. 272).

Burton, María Amparo Ruiz de (m. 1894). Escritora; sus libros tratan sobre la vida y las dificultades de los californios (p. 215).

Butterfield, John (1801-1869). Negociante; dueño de una línea de diligencias (p. 166).

C

Cabrillo, Juan Rodríguez (m. 1543). Explorador español; primer europeo que exploró California (p. 60).

Casey, James (m. 1856) Político de San Francisco; mató al reportero James King (p. 147).

Colton, Walter (1797-1857). Alcalde de Monterey; fundó *The Californian,* el primer periódico de la región (p. 134).

Colón, Cristóbal (1451-1506). Navegante italiano. Primer europeo en llegar a América (p. 59).

Cortés, Hernán (1485-1547). Conquistador español; conquistó a los aztecas y reclamó a México en nombre de España (p. 58).

Crippen, Robert (n. 1937). Astronauta; viajó en el primer vuelo del transbordador espacial *Columbia* (p. 8).

Crocker, Charles (1822-1888). Uno de los líderes del ferrocarril *Central Pacific;* supervisó el tendido de las vías (p. 171).

CH

Chaffey, George (1848-1932). Ingeniero; construyó un sistema de irrigación en el desierto de Colorado (p. 196).

Chávez, César (n. 1927). Trabajador migratorio y organizador de sindicatos; fundó la Unión de Trabajadores Agrícolas de los Estados Unidos (p. 273).

D

Dana, Richard Henry (1815-1882). Escritor; autor de *Dos años ante el mástil* (p. 86).

Disney, Walt (1901-1966). Creador de películas de dibujos animados; formó un estudio de cine y construyó varios parques; fundó el Instituto de las artes de California (p. 260).

Domínguez, Manuel (1803-1882). Delegado en la convención constitucional de California (p. 143).

Drake, Sir Francis (¿1540?-1596). Corsario o pirata inglés; se apoderó de unas tierras al norte de California en nombre de Inglaterra (p. 62).

F

Fages, Pedro (1730-1794). Gobernador de Alta California, 1770-1791; dirigió muchas expediciones en Alta California (p. 66).

Fillmore, Millard (1800-1874). Presidente número 13 de los Estados Unidos (1850-1853); era presidente cuando California se convirtió en estado (p. 144).

Frémont, John C. (1813-1890). Líder de la revuelta de la bandera del oso. Después fue el primer senador de E.U.A. por California (p. 117).

Frémont, Jessie Benton (1824-1902). Escritora; ayudó a su esposo John Frémont a escribir relatos de sus exploraciones al Oeste (p. 106).

G

Gálvez, José de (1729-1787). Gobernador de Nueva España, 1765-1771; formó una cadena de misiones en Alta California (p. 66)

Ghirardelli, Domingo (1817-1894). Confitero; fundó la compañía de chocolates Ghirardelli en San Francisco (p. 214).

Gilman, Charlotte Perkins (1860-1935). Escritora; fue autora de muchos libros y artículos sobre las mujeres (p. 235).

Guerra, Pablo de la (1819-1874). Delegado en la convención constitucional de California; después fue senador del estado (p. 143).

H

Hearst, William Randolph (1863-1951). Editor y político; dueño de periódicos, estaciones de radio y compañías de cine (p. 233).

Hopkins, Mark (1813-1878). Uno de los directivos del ferrocarril *Central Pacific;* fue tesorero del ferrocarril (p. 171).

Huntington, Collis P. (1821-1900). Uno de los directivos del ferrocarril *Central Pacific;* administró los negocios del ferrocarril (p. 171).

I

Isabel I (Elizabeth I) (1533-1603). Reina de Inglaterra, 1558-1603; hizo de Inglaterra una potencia mundial (p. 62).

Ishi (¿1860?-1916). Indígena yahi; último sobreviviente de la tribu yahi (p. 210).

J

Johnson, Hiram (1866-1954). Gobernador de California, 1911-1917; luchó contra el poder de la compañía *Central Pacific* (p. 234).

Judah, Anna (1828-1895). Apoyó con entusiasmo los planes de su esposo Theodore Judah para el ferrocarril transcontinental (p. 168).

Judah, Theodore (1826-1863). Ingeniero; planeó la ruta para el primer ferrocarril transcontinental; fundó la compañía ferroviaria *Central Pacific* (p. 168).

K

Kaiser, Henry (1882-1967). Fabricante; construyó barcos para la Segunda Guerra Mundial en sus astilleros de la bahía de San Francisco (p. 252).

Kearny, Stephen W. (1794-1848). General del ejército de E.U.A.; al mando del ejército del Oeste en la guerra contra México (p. 118).

King, James (1822-1856). Dueño de un periódico; escribió artículos sobre los problemas del crimen en San Francisco; asesinado por James Casey (p. 147).

King, Jr., Rev. Dr. Martin Luther (1929-1968). Ministro y líder de los derechos civiles; defendió y promovió la causa de los derechos civiles (p. 271).

L

Lange, Dorothea (1895-1965). Fotógrafa; famosa por sus fotografías de trabajadores y agricultores durante la Gran Depresión (p. 244).

Lincoln, Abraham (1809-1865). Presidente número 16 de los E.U.A., 1861-1865; fue presidente durante la guerra Civil (p. 164).

Love, Harry S. (¿1809?-1868). Capitán de los *Rangers* de California; persiguió al legendario bandido Joaquín Murieta (p. 146).

M

Marshall, James W. (1810-1885). Colono; fue el primero en descubrir oro en California (p. 121).

Mason, Biddy (¿1815?-1891). Ciudadana de California nacida esclava; famosa por su apoyo a la comunidad negra (p. 145).

Muir, John (1838-1914). Naturalista; estudió y escribió acerca de Yosemite, la Sierra Nevada y otras regiones naturales; luchó por salvar los bosques y fundó el Club Sierra (p. 16).

Mulholland, William (1835-1935). Jefe del departamento de agua de Los Ángeles; diseñó el proyecto del acueducto de Los Ángeles (p. 228).

Murieta, Joaquín (m. ¿1853?). Nombre de un legendario bandido a quien se le acusó de muchos robos y crímenes en California (p. 146).

N

Ng Poon Chew (1866-1931). Editor de periódicos, publicó el primer periódico chino-americano, *Chung Sai Yat Po* (p. 271)

Norris, Frank (1870-1902). Escritor; autor de *The Octopus* (El pulpo), una novela sobre la gran influencia del ferrocarril en California (p. 184)

P

Parks, Rosa (n. 1913). Defensora de los derechos civiles; protestó contra una ley que obligaba a los negros a sentarse en la parte de atrás de los autobuses (p. 271).

Polk, James K. (1795-1849). Presidente número 11 de los Estados Unidos, 1845-1849; fue presidente durante la guerra contra México y la incorporación de California a la Unión (p. 122).

Portolá, Gaspar de (1723-1784). Gobernador de Nueva España; se dice que descubrió la bahía de San Francisco (p. 66).

R

Ride, Sally (n. 1951). Astronauta; la primera mujer norteamericana en viajar al espacio (p. 4).

Riley, Bennett (1787-1853). Gobernador militar de California; organizó la convención constitucional de California (p. 137).

Rivera, Fernando (1711-1782). Capitán; dirigió la primera expedición por tierra a Alta California (p. 66).

Roosevelt, Franklin Delano (1882-1945). Presidente número 32 de los Estados Unidos, 1933-1945; fue presidente durante la Gran Depresión y la Segunda Guerra Mundial (p. 245).

Royce, Sarah (1819-1891). Escritora; hizo un relato sobre su viaje por tierra a California (p. 145).

S

Schmitz, Eugene (1864-1928). Alcalde de San Francisco, 1902-1907; lo acusaron de aceptar sobornos y perdió su puesto (p. 223).

Semple, Robert (1806-1854). Líder de la revuelta de la bandera del oso y presidente de la convención constitucional de California (p. 141)

Serra, Junípero (1713-1784). Monje misionero español; fundó la primera misión de Alta California (p. 66).

Shepard, Francis P. (1897-1985). Oceanógrafo; fue el primer norteamericano en explorar el fondo del océano en un submarino (p. 257).

Smith, Jedediah (1799-1831). Trampero y pionero; dirigió el primer grupo de pioneros que cruzó la Sierra Nevada (p. 108).

Stanford, Leland (1824-1893). Presidente de la compañía ferroviaria *Central Pacific;* fundó la Universidad de Stanford (p. 171).

Stearns, Abel (1789-1871). Comerciante y pionero; ayudó a los californios a aumentar el comercio (p. 110).

Strong, Harriet Russell (1844-1929). Ranchera y feminista; apoyó los derechos de las mujeres y la reforma del suministro de agua (p. 196).

Sutter, John (1803-1880). Pionero; fundó un establecimiento comercial cerca de Sacramento; se descubrió oro en su aserradero (p. 110).

T

Todd, William (¿1818?-1880). Líder de la revuelta de la bandera del oso; diseñó y pintó la bandera del oso, cuyos símbolos se usan en la actual bandera de California (p. 117).

Toypurina (1761-1799). Indígena gabrielina; dirigió a los indígenas en una revuelta contra la misión de San Gabriel (p. 79)

Twain, Mark (1835-1910). Escritor (nombre real: Samuel L. Clemens); escribió sobre la vida en California durante la década de 1860 (p. 294).

V

Vallejo, Gen. Mariano (1808-1890). Jefe militar; fue delegado en la convención constitucional de California (p. 116).

W

Walker, James (1818-1889). Artista; pintó escenas de la vida de los californios (p. 93).

Y

Yeager, Chuck (n. 1923). Piloto de combate en la Segunda Guerra Mundial y piloto de pruebas; primero en volar en un avión más rápido que la velocidad del sonido (p. 255).

A

acueducto Tubería larga que lleva grandes cantidades de agua a una región seca (p. 228).

agricultura Labranza o cultivo de la tierra (p. 76).

agrimensura Medida de la altura o los límites de una zona o accidente natural, como una montaña o un lago (p. 169).

arqueóloga, arqueólogo Científicos que buscan huellas, o pistas, de las culturas antiguas estudiando las herramientas, la cerámica y los edificios que éstas dejaron (p. 34).

arrendatario Persona que paga renta por vivir en un edificio o cultivar un terreno (p. 199).

astillero Lugar donde se construyen o reparan barcos (p. 252).

auge económico Período de prosperidad y riqueza, generalmente de carácter temporal (p. 193).

aviación Construcción y pilotaje de aviones (p. 256).

B

boicoteo Negarse a comprar o a usar un producto o servicio como protesta (p. 274).

C

canal Paso artificial de agua construido para que los barcos puedan pasar de una masa de agua a otra (p. 230).

ceremonia Acto planeado que se celebra en una ocasión especial, como una boda o un día festivo (p. 45).

clima Condiciones generales del tiempo que se repiten en una región (p. 14).

colonia Tierra gobernada por, o que pertenece a, otro país (p. 59).

comerciar Intercambiar o dar algo a otra persona a cambio de algo que esa persona nos da (p. 38).

comisión Grupo elegido para tomar una decisión importante o hacer ciertas tareas (p. 157).

competencia Situación en la cual dos o más empresas se desafían tratando de conseguir más clientes (p. 193).

comunicación Transferencia o intercambio de noticias, mensajes e información (p. 165).

comunidad Grupo de personas que viven en una misma región bajo un mismo gobierno (p. 39).

concejo municipal Grupo de funcionarios elegidos, quienes toman decisiones importantes para un pueblo o ciudad (p. 98).

concesión de tierras Regalo de tierra dado a un californio por el gobierno mexicano (p. 91).

congestión de tráfico Acumulación de vehículos en las calles o autopistas (p. 264).

conservación ambiental Uso cuidadoso y protección del medio ambiente y de los recursos naturales (p. 295).

constitución Importante documento escrito que expone las leyes y normas básicas por las cuales un gobierno gobernará un país o un estado (p. 143).

construcción Negocio o acción de construir una estructura (p. 173).

contaminación Destrucción de la tierra, el aire y el agua debido a la basura y a otros desechos perjudiciales (p. 299).

continente Una de las siete grandes extensiones de tierra de nuestro planeta. Son: África, Antártida, Asia, Australia, Europa, Norteamérica y Suramérica (p. 5).

convención Reunión donde los delegados y otros representantes discuten y deciden asuntos importantes que afectan a un país o estado (p. 137).

cordillera Fila larga de montañas (p. 16).

costumbre Hábito, práctica o tradición de las personas de un país o de una cultura (p. 279).

Cuenca Polvorienta Región en el centro de los Estados Unidos que sufrió fuertes tormentas de polvo y sequía en las décadas de 1920 y 1930 (p. 243).

cultura Creencias y manera de vivir y de pensar de un grupo de personas (p. 76).

D

delegados Personas escogidas para representar y actuar a favor de otros ciudadanos en asuntos importantes (p. 137).

denuncio Pequeña sección de terreno donde un minero busca oro (p. 125).

derechos civiles Conjunto de libertades basadas en el trato justo garantizado por la ley a todos los ciudadanos de una nación democrática (p. 271).

discriminación Trato injusto hacia ciertas personas por razones como su religión, color de la piel, incapacidad física o país de origen (p. 210).

E

esclavitud Sistema que permite que una persona sea dueña de otra persona y controle su vida (p. 144).

especies en peligro de extinción Animales o plantas que están en peligro de desaparecer para siempre de la Tierra (p. 303).

estrecho Pasaje angosto de agua que conecta dos masas grandes de agua (p. 33).

expedición Viaje de un grupo de personas hecho con un propósito definido, generalmente para hallar o explorar cierto lugar (p. 59).

experimento Prueba para ensayar una idea o para recoger información (p. 186).

F

fiebre del oro Período de 1848 a 1856 durante el cual miles de personas vinieron a California a buscar oro (p. 122).

frontera Línea que marca donde termina un estado o país y empieza otro (p. 6).

G

ganadería Crianza de animales de pasto, o ganado, como vacas y ovejas (p. 76).

geografía Conjunto de las características de la tierra y del agua, como las montañas, lagos, praderas y ríos que hay en una región (p. 13).

globo terráqueo Una esfera que tiene dibujadas las extensiones de tierra y las masas de agua de nuestro planeta (p. 5).

gobernador, gobernadora El funcionario más importante en el gobierno estatal (p. 298).

Gran Depresión Período de 1929 a 1940 en el que se cerraron muchos bancos e industrias, y millones de estadounidenses se quedaron sin trabajo y sin ahorros (p. 243).

grupo étnico Grupo de personas que viene del mismo país o que comparte la misma cultura, religión y raza o nacionalidad (p. 215).

H

huelga Cuando los trabajadores detienen el trabajo para conseguir mejor pago o mejores condiciones de trabajo (p. 274).

I

independencia Cuando las personas de un país se gobiernan por sí mismas en lugar de ser gobernadas por otro país (p. 87).

industria aeroespacial Tecnología usada para diseñar, construir y pilotar aviones y naves espaciales (p. 256).

industria Fabricación y venta de un bien o servicio (p. 191).

ingeniería Uso de la ciencia y las matemáticas para planificar y construir estructuras (p. 175).

inmigrante Persona que se va a otro país buscando una vida mejor (p. 204).

intruso Persona que se establece en las tierras de otros y comienza a cultivarlas sin autorización o permiso (p. 156).

invertir Ofrecer o dar dinero a un negocio, esperando a cambio tener mucha ganancia (p. 170).

irrigación Sistema de zanjas y canales que se usan para llevar agua a un terreno seco (p. 196).

istmo Franja estrecha de tierra que une dos masas de tierra (p. 124).

J

justicia Tratamiento justo para todos, usando las mismas reglas y leyes (p. 147).

L

ley Regla o conjunto de reglas que todos los ciudadanos debemos obedecer (p. 147).

leyenda Historia sobre hechos antiguos y personajes importantes que las personas mayores cuentan a los jóvenes a lo largo de los años (p. 37).

M

manufactura Proceso de convertir materias primas en productos acabados (p. 251).

medio ambiente Conjunto de recursos naturales que nos rodea, incluyendo el suelo, las plantas, los animales, el agua y el aire (p. 294).

mineral Sustancia natural como el oro o el cobre, que se encuentra bajo tierra (p. 22).

minoría Grupo de personas con características similares que forma una parte pequeña de la población de un país (p. 272).

misión Establecimiento formado por monjes católicos donde enseñaban su fe a los indígenas (p. 66).

N

nación Grupo de personas que vive en un mismo lugar bajo un gobierno central (p. 117).

nueva frontera Zona donde todavía no se ha establecido nadie (p. 110).

Nuevo Trato Conjunto de programas creados por el presidente Franklin Delano Roosevelt para sacar a los Estados Unidos de la Gran Depresión (p. 245).

O

obreros Hombres y mujeres que hacen el trabajo físico de una obra de construcción (p. 175).

P

península Pequeña sección de tierra que sobresale de una sección más grande y está rodeada de agua por tres lados (p. 66).

pionero Persona que explora o coloniza primero una región nueva, abriendo camino para los demás (p. 109).

plaza Lugar abierto, generalmente en el centro de un pueblo (p. 98).

presidio Fuerte construido por los españoles en California para proteger la costa de las tropas extranjeras (p. 73).

producción Proceso de cultivar y manufacturar la cantidad total, hecha en un período dado (p. 186).

productos Cosas que producen las personas, las máquinas o la naturaleza (p. 88).

productos de exportación Productos que se envían y se venden a otro país (p. 285).

productos de importación Productos que se compran y se traen de otro país (p. 287).

progresistas Personas que trabajaron en los primeros años del siglo veinte para mejorar el gobierno y la sociedad de los Estados Unidos (p. 234).

protesta Quejarse o mostrar desacuerdo por algo en público (p. 272).

R

rama ejecutiva Parte del gobierno estatal formada por el gobernador y varios departamentos, cuya función es hacer que se cumplan las leyes del estado (p. 298).

rama judicial Parte del gobierno formada por los tribunales y los jueces (p. 298).

rama legislativa Parte del gobierno estatal formada por los legisladores que escriben las leyes (p. 297).

ranchera, ranchero Persona que es dueña de ranchos o granjas (p. 91).

rebelde Persona que lucha contra el gobierno (p. 117).

recursos humanos Cualquier persona que puede hacer un trabajo o prestar servicios a la comunidad (p. 22).

recursos naturales Materiales útiles que se encuentran en la naturaleza, como el agua, los árboles o los minerales (p. 22).

refrigeración Uso del hielo o aire frío para mantener los alimentos frescos (p. 187).

refugiado Persona que escapa de su patria para buscar seguridad o libertad (p. 277).

región Extensión de tierra cuyas características físicas la diferencian de otras tierras (p. 13).

reserva Pequeña zona de tierra que el gobierno de los Estados Unidos apartó para que vivieran los indígenas (p. 210).

revuelta Rebelión contra el gobierno con el propósito de cambiar algunas leyes o liberarse de ese gobierno (p. 79).

ribero Muro de tierra que se construye a lo largo de un río para impedir que se desborden las aguas (p. 197).

rodeo Encierro del ganado de un rancho para marcarlo o venderlo (p. 95).

S

semblanza Algo que se parece o que nos recuerda a otra cosa (p. 214).

sindicato Grupo de trabajadores que se unen para proteger sus derechos (p. 274).

soborno Dinero u objetos de valor que se da a alguien para convencerlo de que actúe deshonestamente (p. 233).

suburbio Pueblo o zona residencial en las afueras de las grandes ciudades (p. 261).

T

tecnología Métodos e ideas científicas usadas en la industria, la agricultura y el comercio (p. 128).

trabajador migratorio Trabajador que va de una granja a otra, recogiendo las cosechas (p. 199).

tradición Creencia o manera de hacer las cosas que pasa de una generación a la siguiente (p. 47).

transcontinental Algo que se extiende de un lado de un continente al otro (p. 166).

transporte Movimiento de personas y mercancías de un lugar a otro (p. 165).

tratado Acuerdo oficial entre dos o más países (p. 119).

tribu Grupo de personas que viven en la misma región y están relacionadas por el mismo idioma, cultura y costumbres (p. 36).

trueque Intercambio de productos sin usar dinero (p. 88).

turismo Negocio y práctica de viajar por placer (p. 242).

V

vaquera, vaquero Persona que trabaja en un rancho (p. 91).

viajeros del 49 Nombre dado a las personas que empezaron a buscar oro en 1849 durante la fiebre del oro en California (p. 123).

vigilante Persona que toma la ley en sus manos, capturando y castigando a otras personas sin derecho a hacerlo (p. 147).

Los números en *cursiva* indican las páginas donde aparecen ilustraciones; *las citas* se refieren a una cita de un discurso o de un escrito de la persona indicada.

H

I

J

K

L

M

Text (continued from page iv)

4 Quote by Sally Ride, translated from *Air & Space*, April/May 1986. Used by permission. **8** Quote by Robert Crippen translated from *National Geographic*, Oct. 1981. **10** Excerpt from *Mojave* by Diane Siebert Copyright © 1988 by Diane Siebert. Translated and reprinted by permission of HarperCollins*Publishers,* Inc. **12** From *New York World*, Sept. 16, 1894. **13** Quote by Luther Burbank from Burbank, Luther, and Wilbur Hall. *The Harvest of the Years.* Boston and New York, 1927. **35** Excerpt from *Koster: Americans in Search of Their Prehistoric Past* by Stuart Streuver and Felicia Antonelli Holton. Translated and reprinted by permission of Doubleday, a division of Bantam, Doubleday, Dell Publishing Group, Inc. **37** From *California Indian Days* by Helen Bauer. Copyright © 1963, 1968 by Helen Bauer. Translated and reprinted by permission of Doubleday, a division of Bantam, Doubleday, Dell Publishing Group, Inc. **45** "Acorn Song" from *The Natural World of the California Indians* by Robert F. Heizer and Albert B. Elsasser. Copyright © 1980 The Regents of the University of California. Translated and reprinted by permission. **48** "How Coyote Put Fish in Clear Lake" from *Stories California Indians Told* by Anne B. Fisher. Copyright © 1957 by Anne B. Fisher, renewed 1985 by Parnassus Press. Translated and reprinted by permission of Parnassus Press. **58** Translated from *Aztecs and Spaniards: Cortes and the Conquest of Mexico* by Albert Marrin (New York: Atheneum, 1986). Copyright © 1986 Albert Marrin. Reprinted with permission of Atheneum Publishers, an imprint of Macmillan Publishing Company. **67** Translated from *In His Footsteps, The Life of Junípero Serra* told by Gertrude Ann Sullivan, B.V.M. (The Education Division of the California Catholic Conference). Reprinted by permission of The Education Division of the California Catholic Conference. **69** Translated from *Big Ride* by Dorothy Ward Erskine (New York: T.Y. Crowell, 1958). Copyright © 1958 by Thomas Y. Crowell. Reprinted by permission of John M. Erskine. **76** Quote by Pedro Fages from Sprietsmo, Leo C. *Mission San Antonio De Padua, Part One: The Mission Period, 1771–1835.* 1988. **79** Quote by Toypurina translated from Temple, Thomas Workman. "Toypurina the Witch." *Masterkey*, Sept.–Oct. 1958. **100** Excerpt from *Carlota* by Scott O'Dell. Copyright © 1977 by Scott O'Dell. Translated and reprinted by permission of McIntosh and Otis, Inc. **124** "On the Banks of the Sacramento" translated from *Gold Rush Album* by Joseph Henry Jackson (New York: Charles Scribner's Sons, 1949). **135** From *¡Por la gran cuchara de cuerno!* by Sid Fleischman, translated by Gloria Pujol. Copyright © 1963 by Albert S. Fleischman. Copyright © 1983 by Ediciones Alfaguara, SA. Copyright © 1986 Altea, Taurus, Alfaguara, SA. Reprinted by permission of Altea, Taurus, Alfaguara, SA. **143** Quote by Pablo de la Guerra translated from Heizer, Robert F. and Alan J. Almquist. *The Other Californians: Prejudice and Discrimination Under Spain, Mexico, and the United States to 1920.* University of California Press, 1971. **145** Excerpt from *A Frontier Lady* by Sarah Royce, edited by Ralph Henry Gabriel. Copyright © 1932 by Yale University Press. Translated and reprinted by permission of Yale University Press. **150** From *¡Por la gran cuchara de cuerno!* by Sid Fleischman, translated by Gloria Pujol. Copyright © 1963 by Albert S. Fleischman. Copyright © 1983 by Ediciones Alfaguara, SA. Copyright © 1986 Altea, Taurus, Alfaguara, SA. Reprinted by permission of Altea, Taurus, Alfaguara, SA. **155** Quote by Pablo de la Guerra from Pitt, Leonard. *The Decline of the Californios.* University of California Press, 1966. **177** "Huzza For the Railroad." Extensive efforts to locate a rights holder have been unsuccessful. If the rights holder sees this notice, he or she should contact School Division, Permissions Department, Houghton Mifflin Company, One Beacon Street, Boston, MA 02108. **179** "The Flower-Fed Buffaloes" from *Going–To–the–Stars* by Vachel Lindsay. Copyright © 1926, by D. Appleton & Co., renewed, 1954 by Elizabeth C. Lindsay. A Meredith Book. Translated and reprinted by permission of Dutton, an imprint of New American Library, a division of Penguin Books USA Inc. **184**, **197** Excerpts translated from *The Octopus: A Story of California* by Frank Norris (Boston, MA: Houghton Mifflin, 1958). Copyright © 1958 by Kenneth S. Lynn. Translated and reprinted by permission of Houghton Mifflin Company. **186** Excerpt translated from *California for Travellers and Settlers* by Charles Nordhoff (Berkeley, CA: Ten Speed Press, 1973). Copyright © 1973 by Ten Speed Press. Reprinted by permission of Ten Speed Press, P.O. Box 7123, Berkeley, CA 94707. **208** Quote by Yuki Torigoe translated from Nakane, Kazuko. *Nothing Left in My Hands.* Young Pine Press, 1985. **208** From *Issei, Nisei, War Bride* by Evelyn Nakano Glenn, © by Temple University. Translated and reprinted by permission of

Temple University Press. **212** Poem from *Island Poetry and History of Chinese Immigrants on Angel Island: 1910-1940* by Him Mark Lai, Genny Lim, Judy Yung, p. 40. Copyright © 1980 by Hoc Doi Project. Translated and reprinted by permission of University of Washington Press. **212** From *Dragonwings* by Laurence Yep (New York: HarperCollins*Publishers,* 1975), pp, 18–19. Copyright © 1975 by Laurence Yep. Reprinted by permission of HarperCollins*Publishers,* Inc. **236** Quote by Jesse Cook from Thomas, Gordon and Max Morgan Witts. *The San Francisco Earthquake.* Stein and Day Publishers, 1971. **236** Excerpt from "The Great Earthquake: A Little Girl's Record" by Eleanor Deering Mathews in *The San Francisco Chronicle*, © The San Francisco Chronicle. Translated and reprinted by permission. **239** From Gilman, Charlotte Perkins. "To the Wise: A Bargain." *Public*, Feb. 22, 1908. **244** Adapted excerpt translated from *Blue Willow* by Doris Gates (New York: Viding Penguin, 1940). Copyright 1940, renewed © 1968 by Doris Gates. Reprinted by permission of Viking Penguin, a division of Penguin Books USA Inc. **245** Quote by Harold McClain translated from Van Der Zee, John. *The Gate.* Simon and Schuster, 1986. **250** From *Prejudice: Japanese-Americans: Symbol of Racial Intolerance* by Carey McWilliams. **253** Quote by Marguerite Hoffman from Jensen, Joan M., and Gloria Ricci Lothrop. *California Women: A History.* Boyd & Fraser Publishing Company, 1987. **255** Excerpt translated from *Yeager: An Auto-biography* by General Chuck Yeager and Leo Janos. (New York: Bantam, 1985). Copyright © 1985 by Yeager, Inc. Used by permission of Bantam Books, a division of Bantam Doubleday Dell Publishing Group, Inc. **257** Quote by Francis P. Shepard translated from Scripps Institution of Oceanography, La Jolla, California. **272** Quote by Yvonne Brathwaite Burke from "The Kind of World I Want for My Children." *Ebony*, Mar. 1974. **274** Excerpt translated from *César Chavez, Autobiography of La Causa* by Jacques Levy. (New York: W.W. Norton, 1975). Copyright © 1975 by Jacques Levy. Reprinted by permission of W.W. Norton & Company, Inc., 500 Fifth Avenue, N.Y., NY 10110. **278** Excerpt translated from Stone, Scott C.S., and John McGowan. *Wrapped in the Wind's Shawl.* Presidio Press, 1980. **280** From *A Jar of Dreams* by Yoshiko Uchida. Copyright © 1981 by Yoshiko Uchida. Translated and reprinted with permission of the author. **299** Excerpt translated from "Los Angeles: City in Search of Self." *National Geographic*, Jan. 1979.

Illustrations

Literature border design by Peggy Skycraft

Ligature 27, 34 (b), 35 (b), 265 **Precision Graphics** 18, 20, 28, 42, 52, 53, 63, 64, 70, 77 (tl), 79, 82, 83, 94, 102, 126 (tl), 130, 137, 140, 158, 159, 166, 170, 172, 173, 175, 176, 177, 180, 181, 194, 196, 197, 200, 210, 218, 219, 220, 221, 231, 243, 246, 247, 262, 266, 267, 274, 275, 284, 288, 289, 292, 294, 301, 304, 307 **Brian Battles** 34 (inl), 35 (inr) **John Burgoyne** 61 **Kirk Caldwell** 89 **Susan Johnston Carlson** 229 **Tony Chen** 14, 15, 16, 17, 98, 165 **Susan David** 33, 39, 212 **Pat & Robin Dewitt** 69, 108 **Ruth Flanigan** 216 **Randall Fleck** 126 (br) **Simon Galkin** 45, 99 **Al Lorenz** 174 **Kathy Mitchell** 91, 73 **Yoshi Miyake** 97 **Jim Needham** 204, 299 **Rick Porter** 12, 24, 90, 95, 127, 146 **Mike Rodericks** 286 **Kim Root** 76, 86, 111 **Joseph Scrofani** 279 **Scott Snow** 77 (b) **Susan Swan** 297 **Dahl Taylor** 206 **Gary Toressi** 332, 333 **Johnathan Wright** 257

Maps

Caldwell & Associates 5, 7, 8, 13, 21, 22, 36, 40, 59, 68, 74, 93, 136, 170, 187, 193 **R.R. Donnelley & Sons Company Cartographic Services** 518–533 **Mapping Specialists** 6, 119, 142, 167, 230, 243, 258, 303 **Reineck & Reineck** 19, 33, 112, 113, 207, 277

Photographs

BL—Courtesy the Bancroft Library, University of California at Berkeley; **CSL**—California State Library, Sacramento; **GH**—Grant Heilman Photography; **MPA**—Courtesy Meyers Photo-Art; **OMA**—Courtesy the Oakland Museum Art Department, Oakland, CA; **OMH**—Courtesy the Oakland Museum History Department, Oakland, CA; **PH**—Courtesy the Pat Hathaway Collection of California Views; **PR**—Photo Researchers, Inc.; **RJB**—Ralph J. Brunke; **SB**—Stock Boston; **SC**—Seaver Center for

Western History Research, Los Angeles County Museum of Natural History; **TIB**—The Image Bank; **WL**—Westlight

Front cover Peter Bosy; **Back cover** detail, OMH; **xviii, 1** Southwest Museum, Los Angeles, CA; **2** © 1988 Lawrence Migdale, SB (l); © GH (r); **3** Courtesy Daniel J. Dineen/Amy R. Wrynn (bl); © Art Wolfe, TIB (c); © James Tallon, Outdoor Exposures (tr); **4** © John Barr, Gamma-Liaison (t); NASA photo, research by GH (b); **5** © Jeffry W. Myers, SB; **6** Schlowsky Photography; **7** RJB; **14** © Alan Pitcairn, GH (bl, br); **15** © 1984 Lawrence Migdale, PR (c); United States Department of Agriculture, MPA (b); **16** © Grant Heilman, GH (bl); © Glasen, TIB (bc); **17** © Paul Slaughter, 1985, TIB (c); © Ulf E. Wallin, Stockphotos, Inc. (b); **21** B. F. Loomis photo, PH; **22** RJB (c, b); **23** RJB (b); © Alan Becker, TIB (t); **25** © Thomas Kitchin, Tom Stack and Associates; **26** Library of Congress; **27** © Steve Krongard, TIB (br); © Galen Rowell, Mountain Light (cr); © Barrie Rokeach, TIB (tr); **30** Private collection, image courtesy of the Grace Hudson Museum, City of Ukiah (c); OMH (l); **31** Southwest Museum, Los Angeles, CA (t, b); **32** © Ballenger/ Tulley; **34** © Doug Sokell, Tom Stack and Associates (b); Peabody Museum of Anthropology, Harvard University, photo by Hillel Burger (c, cr); **35** BL; **37** Museum für Völkerkunde, Vienna; **38** OMH (b); © Tom Stack, Tom Stack and Associates (tl); **41** © Stephen Trimble (t); OMH (cr); **42** Schlowsky Photography; **43** Historical Pictures Service, Chicago; **44** © C. Vic Maris, Earthshine (t); OMH (c, b); **46** © Mike Jaeggi, MPA (tr); RJB (t, bl, br); OMH (tl, cr); Lowie Museum of Anthropology, University of California at Berkeley (c); **47** OMH; **54–5** OMH; **56** © Ernst Haas, Magnum Photos; **57** BL (tr); Lowie Museum of Anthropology, University of California at Berkeley (bc); OMH (l); **58** Museo de America, Madrid; **60** OMH; **61** RJB (tr, c); Schlowsky Photography (bl); Kunsthistorisches Museum, Vienna (br); **62** From the Woburn Abbey Coll., by kind permission of his Grace the Duke of Bedford, Newsweek Books (l); **65** Archivo de Indias, Seville, Laurie Platt Winfrey, Inc.; **66** © Kent Reno, Jeroboam (b); OMH (t); **67** BL; **68** RJB; **69** © Greg Vaughn, Tom Stack and Associates; **71** © Craig Aurness, WL; **72** © Porterfield-Chickering, PR (b); CSL (c); **73** OMH; **75** © Grant Heilman, GH (tr); OMH (b); **78** The Collection of Peter E. Palmquist; **80** © Women's University Club of Los Angeles, CSL (br); California Roadmap, H. M. Gousha, © 1988, a division of Simon & Schuster, Inc. (bl); **81** California Roadmap, H. M. Gousha, © 1988, a division of Simon & Schuster, Inc. (tr, cr, br); **84** BL (c); OMH (b); **85** BL (c); OMH (b); **86** OMA; **87** The Bettmann Archive; **92** © Brent Bear, WL; **93** BL; **96** Biblioteca Nacional de Mexico, Laurie Platt Winfrey, Inc.; **98** OMA; **103** Schlowsky Photography; **104–5** BL; **106** Southwest Museum, Los Angeles, CA (bl); Museum of American Political Life, University of Hartford, photo by Sally Andersen-Bruce (c); Wells Fargo Bank, San Francisco, CA (br); **107** OMH (br); PH (c); **110** "Jedediah Smith in the Badlands" by Harvey Dunn, South Dakota Art Museum Collection, Brookings; **111** Historical Pictures Service, Chicago; **112** American Stock Photography; **117** BL (b); © Guy Motil, WL (t); **120** © Harry N. Abrams, Inc.; **121** BL (c, br); **122** OMA, M. Lee Fatherree (b); OMH (tl); **123** Culver Pictures, Inc.; **124** BL; **125** OMH; **128** OMH; The Collection of Peter E. Palmquist; **132** OMH (bc); BL (tr, l); **133** BL; **134** OMA; **135** Historical Pictures Service, Chicago (tr); International Museum of Photography at George Eastman House (bl); **137** SC; **138** OMH (tl); The Collection of Peter E. Palmquist (cl); PH (bl); **139** © Elyse Lewin, TIB (tr); © Michael Melford, TIB (br); The Collection of Peter E. Palmquist (bl); **143** Colton Hall Museum, Monterey, CA (c); SC (b); **144** CSL; **145** SC; **147** Historical Pictures Service, Chicago (cr); BL (b); **148** © D. Kennerly, Gamma-Liaison; **149** The Thomas Gilcrease Institute of American History and Art, Tulsa, OK; **154** Courtesy of the Office of Secretary of State, State of California (c); © Verna R. Johnston, PR (r); © Bruce Hayes, PR (l); **155** CSL; **156** OMH; **157** © Larry Dale Gordon, TIB; **160–1** OMH; **162** OMH (bc); Wells Fargo Bank, San Francisco, CA (bl); OMH (tr); **163** California State Railroad Museum, Sacramento, CA; **164** Wells Fargo Bank, San Francisco, CA; **166** The Granger Collection; **168** © Grant Heilman, GH; **169** California State Railroad Museum, Sacramento, CA (cr); Southern Pacific Transportation Company (b); **171** Courtesy Jackie Caplan; **173** CSL; **174** California State Railroad Museum, Sacramento, CA (tr, cl); RJB (cr); OMH (r); **175** Courtesy Daniel K. E.

Ching; **176** Southern Pacific Transportation Company (bl); Historical Pictures Service, Chicago (r); **177** Stanford University Museum of Art, Gift of David Hewes (cl); OMH (c); **182** OMH; **182–3** © Sunkist Growers, Inc., Sherman Oaks, CA; **183** BL (tr); Courtesy Riverside Public Library (br); **184** CSL; **185** RJB; **186** The Bettmann Archive; **188** Schlowsky Photography; (l, b); **189** MPA (tc, tr); Dave Bush (bl); Schlowsky Photography (br); **190** Bella Landauer Collection, New-York Historical Society; **191** CSL; **192** MPA (tr); Security Pacific National Bank Photograph Collection, Los Angeles Public Library (tl, cr); SC (br); Schlowsky Photography (cl); **195** Courtesy of the Dorothea Lange Collection © 1935 the City of Oakland, The Oakland Museum; **196** © Alan Pitcairn, GH; **198** © Photography by Milt & Joan Mann, Cameramann International; **199** PH (t); © Grant Heilman, GH (cr); **202** International Museum of Photography at George Eastman House; **202–3** Toyo Miyatake, courtesy Elihu Blotnick (c); MPA (bc, br); **205** International Museum of Photography at George Eastman House; **208** OMH (cl); Courtesy Elihu Blotnick (t); **209** OMA, M. Lee Fatherree; **210** CSL; **211** CSL (t); © B. Daemmrich, SB (b); **212** Courtesy Daniel K. E. Ching; **213** UPI/Bettmann Newsphotos; **214** Courtesy Ghirardelli Chocolate Company; **215** Historical Pictures Service, Chicago; **216** Security Pacific National Bank Photograph Collection, Los Angeles Public Library (tr); CSL (br); RJB (cr, bl); San Francisco French Bread Company (c); **217** © E. A. Cohen, PH (t); CSL (cr); **218** © Charles Gupton, SB; **222–3** © Steve Proehl; **224** OMH; **224–5** Franz A. Bischoff, courtesy Petersen Galleries; **225** Smithsonian Institution; **226** Security Pacific National Bank Photograph Collection, Los Angeles Public Library; **227** Security Pacific National Bank Photograph Collection, Los Angeles Public Library; **228** SC; **229** Los Angeles Department of Water and Power (tr, cr, bl); **232** PH (b); OMH (bl); **233** Bear photo, PH; **234** UPI/Bettmann Newsphotos; **235** PH; **240** © Riis Collection, Museum of the City of New York (tr); Sophia Smith Collection, Smith College (c); **241** Courtesy Elihu Blotnick; **242** MPA (b); OMH (l); **244** Courtesy of the Dorothea Lange Collection © 1938 City of Oakland, the Oakland Museum; **245** OMH; **248** OMH (cl); The Collection of Peter E. Palmquist Photography (r); **249** © LIFE Magazine, August 27, 1945 (bl); UPI/Bettmann Newsphotos (c); **250** National Archives; **251** Peter Stackpole, © 1939, Time, Inc. (t); The Press Museum (c); **252** BL (tl); OMH (b); **253** Courtesy of the Dorothea Lange Collection © 1942, the City of Oakland, the Oakland Museum; **254** Security Pacific National Bank Photograph Collection, Los Angeles Public Library (t); Schlowsky Photography (b); **255** UPI/Bettmann Newsphotos; **256** The Granger Collection (t); OMH (b); **256–7** RJB; **257** © Al Grotell (tr); RJB (cr); NASA/JPL (bc, bl); **259** © Tom Myers, PR (tl); RJB (cr); **260** Monsanto Company, St. Louis, MO; **261** Historical Pictures Service, Chicago (b); Harold M. Lambert, American Stock Photography (r); **262** © B. Daemmrich, SB (cl); **263** © Craig Aurness, WL; **264** SC (cl); © Title Insurance and Trust Company Collection of Historical Photos, Los Angeles (bl); **265** © Steve Proehl, TIB (tr); © Barrie Rokeach, TIB (br); **268** © Bill Ross, WL; **268–9** Jay Fries, TIB; **269** © Craig Aurness, WL (tr); Schlowsky Photography (bc); **270** © Hap Stewart, Jeroboam; **271** Security Pacific National Bank Photograph Collection, Los Angeles Public Library; **272** Security Pacific National Bank Photograph Collection, Los Angeles Public Library (t, c); **273** © Paul Fusco, Magnum (t); OMH (b); **274** Courtesy Will Kirkland; **276** Courtesy Peter Lacey; **277** © Christopher Morris, Black Star; **278** © Melanie Stetson (l); © Chuck O'Rear, WL (r); **284** Courtesy of Philips Electronic Instruments Company; **285** © D. Kirkland, SYGMA (l); © Dana Fineman, SYGMA (r); RJB (b); **287** RJB; **290** © "Persopol, 1980", © David Em/Represented by Spieckerman Associates, San Francisco; **291** Energy Unlimited, Inc. (tl); © Frank Wing, SB (br); **293** © John Livzey (b); © Craig Aurness, WL (c); **295** © Craig Aurness, WL (l); © Bill Ross, WL (t); **296** © Ellis Herwig, SB; **297** © Sirlins Photographers (t, c); **298** © Lawrence Migdale, SB; **300** © Mike Powell, All Sport/WL; **302** Photo by Ron Garrison, © Zoological Society of San Diego (b); © J. Grantham, National Audubon Society (t); **303** © Jeff Foott, Tom Stack and Associates; **304** RJB (bl); © Craig Aurness, WL (tr); © COMSTOCK (br); **305** © Bill Ross, WL (t); NASA photo, research by GH (r) Picture research by Carousel Research, Inc., Meyers Photo-Art, and Pembroke Herbert/Picture Research Consultants